19.95B
08 1151
DC (10)

LE GUIDE
VERT
DES
CONSOMMATEURS

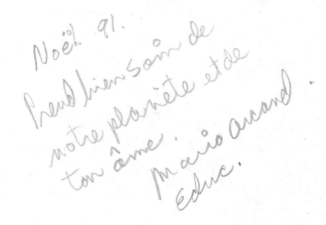

Noël 91.
Prend bien soin de
notre planète et de
ton âme. Mario Anand.
Éduc.

LE GUIDE VERT DES CONSOMMATEURS

Ce que **vous** pouvez faire
pour épargner la Terre

Illustrations
Lyne Tremblay

Libre Expression

Données de catalogage avant publication (Canada)

Vedette principale au titre :
Le Guide vert des consommateurs
(Collection Paix)
Adaptation de : The Canadian green consumer guide
ISBN 2-89111-468-X
1. Consommateurs - Education. 2. Magazinage - Aspect
de l'environnement - Canada. I. Ami-e-s de la Terre de
Québec (Association). II. Collection : Collection Paix
(Libre Expression).
TX337.C3C3514 1991   640'.73'0971   C91-096977-9

Collection PAIX
dirigée par Serge Mongeau

Nous remercions le ministère de
l'Environnement de nous avoir
accordé une subvention dans le
cadre de son programme d'Aide à
la réduction des déchets solides.

Adapté de *The Canadian Green
Consumer Guide* © McClelland &
Stewart Inc. 1988 par Roger
Boudreault et Jean Denis des
Ami-e-s de la Terre de Québec

Traduit par
Claude Frappier

Illustration de la couverture
Robert Meecham

Graphisme
France Lafond

© Éditions Libre Expression
2016, rue Saint-Hubert
Montréal, H2L 3Z5

ISBN 2-89111-468-X

Dépôt légal
4e trimestre 1991

Table des matières

Chapitre 3

LES PRODUITS DE NETTOYAGE   87

Chapitre 4

LES VÊTEMENTS ET LES ARTICLES DE TOILETTE   107

Chapitre 5

LA MAISON

Chapitre 6

LE JARDINAGE

Préface

Notre environnement est gravement menacé, et nous aussi, puisque nous en dépendons totalement. En fait, l'univers forme un tout et l'on ne peut en modifier une partie sans que tous ses autres constituants en soient affectés.

Jusqu'à tout récemment, nous n'avions pas tellement conscience des répercussions de nos activités sur le milieu, puisque nos pollutions n'étaient pas si abondantes et que la nature réussissait à les absorber. Mais la croissance démographique accélérée et surtout l'augmentation très rapide de la consommation dans les pays industrialisés ont changé la situation. Les mécanismes d'homéostasie de la nature, grâce auxquels elle retrouve constamment son équilibre, sont débordés à cause des énormes quantités de déchets divers qui se retrouvent dans l'air, dans le sol et dans l'eau. D'autant plus que le développement de la technologie a permis la production de milliers de substances chimiques qui n'existaient pas auparavant et qui ne s'intègrent pas dans les processus naturels.

Nous sommes aujourd'hui menacés de toutes parts — par l'air que nous inspirons, par l'eau que nous buvons, par les aliments que nous consommons, par les rayons du soleil qui sont moins bien filtrés, par les appétits de puissance de nos dirigeants politiques qui accumulent des armes aux possibilités de destruction incroyables... Nous ne savons plus d'où vient exactement le danger ni quand il nous affecte, car bien souvent les effets des divers agents agresseurs s'exercent à long terme, insensiblement, et ils sont le résultat d'un ensemble de facteurs. Comment savoir exactement ce qui a causé tel cancer, telle anomalie congénitale ou tel problème d'infertilité?

Face à l'ampleur des problèmes environnementaux, la plupart d'entre nous éprouvent un sentiment d'impuissance totale: «Que puis-je faire pour contrer l'effet de serre? Comment stopper l'érosion des terres arables qui progresse si rapidement? Comment détruire ces milliers de substances toxiques enfouies dans le sol et qui contaminent nos sources d'approvisionnement en eau?» Il s'agit souvent de problèmes énormes et complexes: qu'est-ce qu'un citoyen ordinaire peut donc y faire? Par ailleurs, nos dirigeants ne nous disent-ils pas qu'ils ont la situation en main et qu'on arrivera bien, grâce à notre science moderne si développée, à trouver les solutions qui conviennent?

Il faut bien le constater, l'environnement est la dernière des préoccupations de ceux et celles (si peu nombreuses!) qui ont du pouvoir dans notre société. Nos dirigeants n'agissent que lorsqu'ils ne peuvent faire autrement: quand un réacteur nucléaire explose, quand brûlent des substances contenant des BPC qui laissent alors s'échapper dans l'air des doses importantes de dioxines, quand une rivière est si polluée que la population riveraine en devient malade, etc. Ils gèrent les crises une à une, trouvant la plupart du temps des solutions à court terme qui font disparaître le symptôme, mais n'atteignent nullement la cause. Ils enfouissent dans des endroits éloignés les déchets dangereux en attendant de savoir comment les détruire, en présumant qu'on le saura un jour; ils interdisent tel produit chimique toxique et en acceptent un autre que l'on a insuffisamment étudié... et ainsi de suite. Quant aux propriétaires d'entreprises, ils poursuivent leur quête insatiable de profits, cherchant par tous les moyens à échapper aux faibles contraintes environnementales qu'on leur impose timidement; les scientifiques poussent plus avant leurs recherches prétendues neutres, mettant au point de nouvelles substances ou de nouveaux procédés au potentiel effarant; et les militaires continuent à perfectionner et à accumuler les armes qui leur permettent d'exercer un pouvoir de plus en plus étendu à travers le monde.

Non, nous ne pouvons continuer à demeurer passifs et à attendre que d'autres agissent. Si nous voulons que la planète soit encore viable pour nos enfants et pour nos petits-enfants — et en fait, c'est à toutes les générations futures que l'on devrait penser — il va falloir que se produisent des changements radicaux.

En premier lieu, il est nécessaire que nous nous prenions en main et que nous cessions de faire une confiance aveugle aux experts et à ceux qui nous dirigent. Nous devons nous informer, nous faire une opinion sur les actions qu'il faut entreprendre et ensuite nous organiser pour agir en conséquence.

Dans nos pays industrialisés, nous nous sommes laissé entraîner dans une consommation nettement excessive, au point que déjà la plupart d'entre nous ont à souffrir dans leur santé même des conséquences de cette surconsommation: nous mangeons trop et trop riche, nous avons trop de machines pour nous épargner des efforts, nous prenons trop de médicaments, nous utilisons trop de pesticides, et tout cela nous rend malades. Déjà nos corps nous crient «Assez!» et maintenant c'est notre environnement qui nous laisse voir les conséquences de cette surconsommation.

Il y a plusieurs raisons pour lesquelles nous consommons beaucoup: nous vivons dans une société où les liens de solidarité sont considérablement affaiblis, où la compétition est forte, où nous sommes de plus en plus dépendants de biens et de services produits par d'autres. Pour compenser l'insécurité profonde que nous ressentons, nous avons donné la première place à l'avoir au détriment de l'être. C'est cette tendance qu'il s'agit de renverser. La crise provoquée par nos comportements boulimiques est une crise de valeurs. C'est toute notre philosophie de vie qu'il faut revoir.

Nous sommes tous des consommateurs et nous le demeurerons toujours, car nous devons consommer pour vivre. Mais nous pourrions le faire différemment. À partir du moment où nous prenons conscience des implications de nos diverses consommations, nous acquérons un pouvoir, puisqu'il nous est alors possible de choisir, parmi ce qui nous est offert, ce qui respecte le plus l'environnement; il nous est aussi possible de modifier notre consommation, et tout particulièrement de la diminuer. Nous pouvons également diffuser l'information que nous possédons pour entraîner d'autres personnes dans les actions que nous entreprenons.

Le *Canadian Green Consumer's Guide*, que nous avons traduit et adapté pour en faire *Le Guide vert des consommateurs*, m'a beaucoup séduit par son intelligence. Il nous aide à mettre en perspective nos comportements de consommateurs et nous fournit les outils pour les réorienter. Bien sûr il contient des recettes, mais toujours on y trouve les raisons pour lesquelles on devrait procéder de telle manière au lieu de telle autre. Ce n'est pas une simple série de prescriptions radicales qu'il s'agirait de suivre à la lettre; au contraire, les auteurs nous font part de l'état de chaque question en même temps que de leurs interrogations face aux solutions proposées. Livre intelligent donc, qui devrait nous aider à réfléchir et nous amener à changer certains comportements. La planète en a bien besoin!

Serge Mongeau

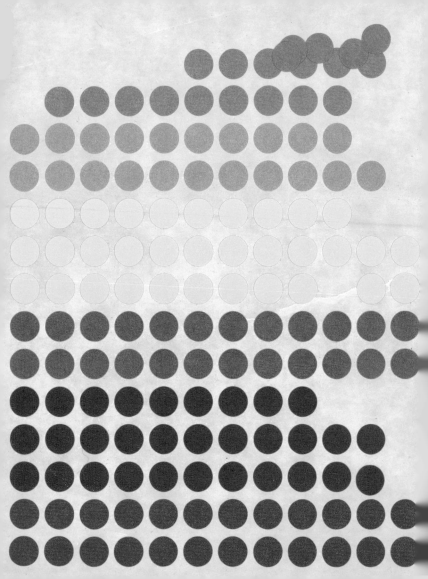

Introduction

*«Depuis l'espace, nous voyons une petite boule toute fragile, domi-
née non pas par l'activité et les constructions de l'homme, mais par une
nébuleuse de nuages, d'océans, de verdure et de sols. L'incapacité de
l'homme à intégrer ses activités dans cette structure est actuellement en
train de modifier de fond en comble les systèmes planétaires. Nombre de
ces changements s'accompagnent de dangers mortels. Il nous faut absolument prendre conscience de ces nouvelles réalités — que personne ne
peut fuir — et il nous faut les assumer.»*

La Commission mondiale sur l'environnement
et le développement, 1987.

On perçoit actuellement des signes de dérangement dans
les systèmes naturels qui ont supporté la vie sur la planète depuis deux millions d'années. Le délicat équilibre
entre la terre, l'eau et l'atmosphère, entre les plantes, les
animaux et les minéraux, est perturbé d'une manière que nous
comprenons très imparfaitement, même si nous en percevons les
conséquences évidentes.

Bien sûr, les êtres humains ont de tout temps exploité les
riches ressources de la Terre. Depuis l'aube des civilisations, nous
abattons les forêts, nous cultivons le sol, nous érigeons des clôtures et nous faisons la guerre. Depuis longtemps, nous causons
des dommages, mais comme nous étions moins nombreux autrefois, globalement nous en causions beaucoup moins que maintenant. De plus, jusqu'à la révolution industrielle, nous ne con-
sommions pas beaucoup de combustibles fossiles comme le
pétrole et le charbon, nous ignorions comment fabriquer tous ces
produits chimiques de synthèse dangereux pour nous et pour les
autres espèces, et nos déchets étaient presque tous biodégradables.

La révolution industrielle a marqué le début du développement des connaissances et de la technologie capables de détruire
la planète tout entière. Nous avons commencé à construire des
barrages et à aménager la force de l'eau, sans égard pour les poissons et pour la faune qui vivaient dans des cours d'eau et autour.
Nous avons commencé à brûler du charbon, sans nous interroger
sur les conséquences de cette combustion et sans nous inquiéter
devant ces panaches de fumée qui sortaient des cheminées de nos
usines. Nous avons commencé à nous débarrasser des déchets de
produits chimiques dans le sol, sans nous demander si cela ne ris-
quait pas d'affecter les réserves d'eaux souterraines. En somme,
nous avons tiré tous les avantages possibles des ressources de la
planète et de notre créativité sans penser aux conséquences de nos
actions.

Or, les gens qui font des gestes sans songer aux conséquences découvrent tôt ou tard que cette négligence les mène tout droit à la ruine. Il en est ainsi pour notre planète aujourd'hui. Nous avons agi si longtemps sans penser à l'avenir, que la Terre est à la veille de vivre des changements environnementaux majeurs, des changements si catastrophiques qu'elle pourrait devenir bientôt invivable pour les humains.

Ainsi, d'après l'Organisation mondiale de la santé, 90 % des cancers sont provoqués par des polluants, y compris bien sûr l'usage du tabac. À la maison ou au travail, ces polluants attaquent nos voies respiratoires, nos reins, notre foie, notre peau, notre sang et notre système nerveux. À court terme, nous souffrons de plus en plus de ces maladies dites environnementales; à long terme, c'est une mort prématurée qui nous guette, nous et nos enfants à naître.

À l'heure actuelle, personne ne pourrait dire combien proche nous sommes du point de non-retour. Certains pensent que nous l'atteindrons d'ici 50 ans, qu'à coup sûr nos enfants ou nos petits-enfants le connaîtront. Nous ne savons même pas quel est le problème le plus urgent. D'ici 25 ans, le niveau des océans pourrait s'élever et engloutir la plupart des grandes villes côtières dans le monde. D'ici 25 ans, nous pourrions connaître un autre accident nucléaire d'une ampleur comparable à celui de Tchernobyl, et cette catastrophe pourrait bien contaminer la nourriture non seulement du nord et du centre de l'Europe, mais aussi celle d'une étendue beaucoup plus vaste. D'ici 25 ans, il se peut que la température à la surface de la Terre ait tellement augmenté que les régions tempérées deviendront tropicales et que les prairies de l'Ouest deviendront des déserts.

Peut-être que la situation ne sera pas si catastrophique. Peut-être aurons-nous simplement à traiter notre eau pour la débarrasser des produits chimiques qu'elle contient à l'aide d'équipements si complexes qu'un litre d'eau pourrait bien coûter 1 $, soit 725 $ par personne par année. D'ici 25 ans, peut-être aurons-nous à enduire notre peau d'une crème solaire chaque fois que nous sortirons dehors, à cause des rayons ultraviolets susceptibles de causer le cancer de la peau après une exposition de seulement quelques heures. D'ici 25 ans, peut-être que notre agriculture sera si mal en point à cause de l'érosion que la seule viande que nous pourrons produire sera le pâté de coquerelles!

En 1983, l'assemblée générale des Nations Unies a mandaté une commission pour étudier ces questions urgentes et proposer «un ordre du jour global des changements nécessaires». La Commission mondiale sur l'environnement et le développement, présidée par Mme Gro Harlem Brundtland, alors première ministre de la Norvège, a remis son rapport en 1987. Ce rapport contenait un vibrant appel pour que tous, gouvernements et grandes corporations, hommes de science, éducateurs et environnementalistes, au sein de forums nationaux ou multilatéraux, joignent leurs efforts en vue de susciter le changement nécessaire. Mais surtout il faisait appel à la responsabilité individuelle des citoyens pour qu'ils cessent de toujours s'en remettre aux instances gouvernementales pour se sortir du gâchis auquel nous avons tous contribué.

Quatre des messages clés lancés par la Commission nous montrent pourquoi nous ne pouvons pas nous en remettre aux gouvernements.

La pollution est très coûteuse... pour nos petits-enfants !

Jusqu'à tout récemment il a paru moins coûteux de polluer, en fait de considérer la planète comme un vaste dépotoir, en pensant illimitée sa capacité d'absorber les simples déchets, les déchets toxiques, les BPC, les CFC, les acides, le gaz carbonique, et quoi encore! Mais nous ne pouvons plus négliger de considérer les coûts à long terme de cette pollution environnementale qui découle de tout ce que nous faisons. Nos petits-enfants s'attendent à recevoir en héritage une planète propre, regorgeant de ressources naturelles. Si nous avons tout saccagé d'ici là, ils ne seront pas seulement fâchés contre nous, ils seront tout simplement incapables de survivre.

Il nous faut regarder en avant, pas derrière.

Pour résoudre nos problèmes environnementaux, nous ne devons pas abolir les industries ou retourner à l'âge des cavernes, nous éclairant avec des torches et nous réchauffant avec des feux de bois. En fait, pour résoudre ces problèmes, nous avons besoin au contraire d'une industrie et d'une économie en santé, tout simplement parce que c'est en période de croissance économique qu'il est plus facile de faire les choix essentiels pour parvenir à vivre à l'intérieur des limites écologiques que nous impose notre planète. Quand de bonnes terres en Afrique ou la forêt tropicale en Amérique du Sud sont transformées en déserts, ce n'est pas parce que les gens de ces régions sont ignorants, avides ou insensibles aux questions environnementales. La plupart du temps, c'est parce qu'ils sont si pauvres qu'ils n'ont que deux choix: ou détruire leur environnement pour avoir de quoi survivre jusqu'au lendemain, ou mourir de faim aujourd'hui.

Nous ne pouvons pas nous permettre de ne pas nettoyer.

Selon le troisième message du rapport Brundtland, une économie prospère exige un environnement sain. Si l'équilibre environnemental s'écroule, si notre eau potable est contaminée, si nos terres fertiles sont transformées en déserts et nos villes côtières envahies par les eaux de la mer, alors notre économie connaîtra elle aussi de sérieuses difficultés et nous nous retrouverons probablement tous sans travail.

Il faut agir à la source et prévenir plutôt que guérir.

Enfin, le rapport Brundtland nous dit que nous devons abandonner notre approche curative, notre tendance à résoudre les problèmes environnementaux après qu'ils sont apparus. Nous devons remplacer cette attitude par la prévention, en prévoyant les risques potentiels rattachés à nos projets de développement et en modifiant ces projets pour que ces risques s'amenuisent. L'approche curative est toujours plus coûteuse que l'approche préventive.

Il est rassurant de voir que le rapport de la commission Brundtland affirme que pour résoudre nos problèmes environnementaux, nous ne devons même pas songer à revenir en arrière. La Commission a fait ressortir que non seulement nous pouvons rechercher à la fois la croissance économique et la protection de l'environnement, mais aussi qu'il est préférable d'avoir les deux, parce que si nous n'adoptons pas une stratégie de développement «soutenable», comme elle l'a appelé, la pollution généralisée détruira notre économie, nos sociétés et notre planète.

La Commission a aussi souligné le fait que les gouvernements et l'industrie vont avoir besoin de l'aide des citoyens pour atteindre leurs objectifs environnementaux. La responsabilité de faire des lois, d'édicter des règlements, de poursuivre les contrevenants et de gérer les crises reviendra aux gouvernements. Par contre les citoyens sont plus à même que les gouvernements de planifier à long terme, de fixer les priorités et de changer les attitudes et les valeurs prédominantes dans nos sociétés.

Il faut bien comprendre que nous ne pouvons nous fier aux hommes de science pour assurer notre protection, car ils ignorent souvent une bonne partie des risques engendrés par leurs inventions. Ce qui est plus grave encore, c'est l'étroitesse de leur vision. À une époque où la spécialisation est la clé du succès, il est inutile de penser que nos brillants savants vont nous apporter les réponses que nous cherchons: ils ne savent même pas poser les bonnes questions! Ils sont trop occupés à fignoler les petits détails générateurs de grands profits.

Quant aux personnes réfléchies et dotées d'une conscience sociale, elles n'ont généralement pas les connaissances nécessaires pour faire de la recherche de pointe. C'est pourquoi il importe que les hommes politiques et ceux qui les élisent, les consommateurs que nous sommes tous, imposent aux scientifiques les vraies priorités et remettent en question les applications de la recherche. C'est là notre travail à nous!

Nous sommes donc laissés à nous-mêmes dans ce dangereux dédale construit de bric et de broc par les chimistes, les industriels, les bureaucrates et les politiciens. Notre avenir et celui de nos enfants sont compromis, à moins que, seuls ou en groupe, nous n'assumions la responsabilité de faire les gestes nécessaires. Cela veut dire se méfier et exiger des réponses à nos questions; bien lire les étiquettes sur les produits et insister pour que l'information sur ces étiquettes soit précise et complète; ou encore exercer des pressions pour que l'agriculture se tourne vers les méthodes dites biologiques et pour qu'une véritable politique d'économie d'énergie soit mise en place.

Le progrès technique amène des changements. Ce qui a entraîné la disparition des guêtres et des chars à boeuf pourrait bien aussi conduire à l'oubli des CFC, des BPC et des dioxines. Les travailleurs peuvent s'adapter à l'usage de technologies différentes. L'invention de la fermeture éclair pendant la Première Guerre mondiale n'a pas fait augmenter le chômage, même si elle a pu causer des ennuis aux dirigeants et aux actionnaires des compagnies de boutons. En d'autres mots, l'introduction de préoccupations environnementales dans tous les aspects de la production n'a jamais été et n'est pas générateur de chômage. Il est vrai qu'on a parfois dû fermer des usines vétustes payées depuis longtemps et dans lesquelles on s'est contenté pendant de nombreuses années d'une technologie vieillotte sans rien investir pour la rajeunir. Globalement toutefois, l'économie et l'emploi bénéficient des mesures de protection environnementale.

En tant que consommateurs, nous pouvons utiliser notre pouvoir d'achat pour détourner l'industrie de la fabrication de produits inutiles et polluants et l'orienter vers la production de biens qui causent le moins de dommages possible à l'environnement.

La consommation écologique se fonde sur le pouvoir d'achat de chaque citoyen. Le fait que le consommateur est libre de choisir entre deux marques ou, ce qui est encore plus inquiétant pour les fabricants et les détaillants, de cesser complètement d'acheter un certain produit, oblige les manufacturiers à réfléchir et à prendre bonne note de ces choix. Ce livre n'a d'autre but que d'offrir toute l'information nécessaire pour que les consommateurs qui se préoccupent de l'environnement utilisent le pouvoir qu'ils ont de la manière la plus efficace possible au profit de la protection de l'environnement.

Indiquer quels choix sont les meilleurs n'est pas toujours facile. La science de l'environnement est relativement nouvelle, et nous ne savons pas encore comment éliminer certains des problèmes que nous avons créés. Les coupures dans les subventions gouvernementales à la recherche dans ce domaine n'ont certainement pas aidé.

Dans certains cas, nous savons ce qu'il faut faire, mais l'absence de règles d'étiquetage rigoureuses empêche le consommateur d'être bien renseigné sur ce qu'il achète. Prenons le cas des chlorofluorocarbures, par exemple (les fameux CFC qui menacent la couche d'ozone): plusieurs bombes aérosol et d'autres produits offerts sur le marché ne contiennent plus ces substances chimiques, cependant au Canada les fabricants ne sont pas obligés d'indiquer sur les contenants s'ils les emploient ou non. Le gouvernement se refuse en plus à publier la liste des produits qui contiennent des CFC, sous prétexte que cela violerait le secret industriel. En fait, sur la plupart des produits autres que les aliments, on ne donne pas la liste des ingrédients qui les composent.

Finalement le consommateur sensible aux questions écologiques est souvent confronté à la frustrante situation d'avoir à choisir entre différentes solutions imparfaites. Faut-il préférer les vêtements de coton, sous prétexte que les vêtements confectionnés de fibres synthétiques — polyester et autres — sont faits à partir de ressources non renouvelables et que les procédés de fabrication de ces fibres causent beaucoup de pollution? Ou bien vaut-il mieux acheter ces fibres synthétiques après tout, quand on sait que les producteurs de coton emploient des doses massives d'engrais chimiques et de pesticides, lesquels finissent par se retrouver dans nos sources d'approvisionnement en eau? Il n'y a pas moyen de résoudre cette situation. Aussi faut-il s'en remettre au précepte selon lequel, en cas de doute, il est préférable de choisir le naturel au synthétique.

Par ailleurs, vous pouvez baser vos choix de consommation sur une règle que vous verrez souvent appliquée dans ce livre, la règle des trois R: Réduire, Réutiliser, Recycler. **Réduisez** votre consommation et par conséquent la production de déchets qu'elle entraîne; **réutilisez** les choses que vous avez déjà en prolongeant la durée de leur vie utile de diverses façons, et **recyclez** tout ce qui peut l'être pour économiser les ressources. Ce ne sont pas là des idées nouvelles. Sous bien des aspects, elles ressemblent aux bons vieux principes d'économie domestique, mais dans le cadre de notre société de surconsommation, elles paraissent rien moins que révolutionnaires.

Les consommateurs qui veulent des changements doivent aussi parler haut et clair. Pour faire valoir leur point de vue, ils peuvent se joindre à des groupes écologistes ou écrire des lettres. Vous pouvez écrire aux politiciens pour exiger des règles d'étiquetage plus strictes, une réglementation plus sévère, une application plus rigoureuse des lois et un engagement plus ferme à réduire la pollution sous toutes ses formes. Vous pouvez aussi écrire aux fabricants et aux détaillants pour demander qu'on vous offre davantage de produits non dommageables pour l'environnement.

Quand, pour des raisons environnementales, vous remplacez la marque A par la marque B au moment de vos emplettes, écrivez aux deux fabricants pour expliquer votre choix. Si les gens du commerce n'étaient pas intéressés à savoir sur quoi se basent vos choix, après tout, dépenseraient-ils des milliers de dollars en sondages et en études de marché pour connaître les préférences des consommateurs?

Est-ce que les choix écologiques entraînent des dépenses supplémentaires pour le consommateur? Pas nécessairement. Il est vrai que certains produits non dommageables pour l'environnement coûtent plus cher que les produits traditionnels. Cela est dû, en partie du moins, au fait que les détaillants recherchent le profit maximal et ils ont constaté que les consommateurs sont prêts à payer plus cher pour ces produits écologiques. Il y aussi le fait que la production d'une gamme nouvelle de produits entraîne toujours pour un fabricant d'importants investissements en capital. Cependant, comme l'un des buts recherchés par le consommateur écologiste est de réduire la quantité de biens qu'il achète, au bout du compte, il peut s'attendre à réaliser des économies.

Certains lecteurs se demanderont peut-être si vraiment leur façon de consommer peut être de quelque influence, considérant l'ampleur énorme et la complexité des dangers qui menacent notre planète. À ceux qui doutent, il faut répondre oui, parce que dans la biosphère, tout est interrelié, ce qui signifie que chacune de nos actions constitue le début d'une réaction en chaîne, pour le meilleur ou pour le pire.

Quand vous éteignez les lumières dont vous n'avez pas besoin à la maison, par exemple, vous réduisez votre consommation totale d'énergie, de sorte que la demande sur le réseau baisse. La réduction de la demande, si votre électricité est produite à partir de mazout ou de charbon, aura pour effet que moins de polluants générateurs de précipitations acides et de l'effet de serre seront crachés dans l'atmosphère. Si votre électricité est produite par une centrale nucléaire, alors vos économies d'énergie auront un effet à plus long terme, car si la réduction de votre consommation n'a aucune influence sur l'usage actuel de matériaux radioactifs dans la centrale, elle peut influencer les décisions des compagnies de construire ou non de nouvelles centrales nucléaires.

Si votre électricité est produite par la force hydraulique emprisonnée derrière des barrages, vos efforts de conservation d'énergie seront bénéfiques à la faune et à la flore des régions touchées par la construction de ces gigantesques constructions. Le gouvernement du Québec et Hydro-Québec envisagent d'aménager de nouvelles rivières au Nouveau-Québec, ce qui pourrait entraîner la répétition de ce que l'on a connu il y a quelques années, quand l'eau libérée d'un barrage a causé la crue soudaine d'une rivière et entraîné la mort par noyade de milliers de caribous qui tentaient de la traverser. Les nouveaux barrages risquent de causer du tort aux autochtones habitant ces régions et d'entraîner la contamination du poisson par le mercure. Ils risquent également de causer des changements climatiques dans cette région nordique du Québec et du Labrador. Réduire la demande en électricité rend moins nécessaire la construction de nouveaux barrages.

Un autre exemple peut être tiré du secteur des pâtes et papier. Quand les consommateurs réduisent leur consommation de papier, ils favorisent la réduction des émissions polluantes dans les cours d'eau et dans l'atmosphère près des usines. Si nous diminuons par ailleurs notre production de déchets, les camions collecteurs consommeront moins d'essence pour en faire la collecte et les transporter jusqu'aux sites d'enfouissement, ce qui contribuera à réduire les émissions dans l'air de monoxyde de carbone et d'oxydes d'azote. De plus, la pression sur les bonnes terres cultivables sera moins forte à mesure que s'atténuera le besoin d'ouvrir de nouveaux sites d'enfouissement.

Bien sûr, une personne seule ne pourra pas venir à bout de ces menaces qui pèsent sur notre environnement. Cela ne veut pas dire qu'il n'y a rien à faire: «Il vaut mieux avoir peur maintenant qu'être tué plus tard», a dit Churchill. On pourrait ajouter qu'il vaut mieux agir même si l'on n'est pas certain que nos gestes comptent, alors qu'en n'agissant pas, on est sûrs de ne pas aider à résoudre le problème.

Ne sous-estimez donc pas votre pouvoir et votre influence. Avec l'information contenue dans cette première édition du *Guide vert des consommateurs*, vous pouvez faire changer des choses au supermarché, à la quincaillerie, à votre lieu de travail, quand vous payez vos factures et vos taxes, en fait, chaque fois que vous effectuez une dépense. De plus, vous n'êtes pas seuls à agir; beaucoup d'autres Québécoises et Québécois ont les mêmes préoccupations que vous; vous pouvez étendre le réseau d'action en incitant les gens que vous connaissez à se procurer ce livre et surtout à mettre en application les conseils qui s'y trouvent.

QUI SONT LES AMI-E-S DE LA TERRE DE QUÉBEC?

Fondé en 1978, le mouvement Les Ami-e-s de la Terre de Québec regroupe des personnes intéressées à travailler au développement d'une société écologiste, une société où tous les êtres humains pourront s'épanouir dans le respect mutuel et dans celui de la nature. Nos préoccupations se situent donc aussi bien au niveau de l'environnement qu'à celui des rapports humains.

Nous croyons que les humains font partie intégrante de la nature et qu'ils n'ont pas le droit de la dominer et de l'exploiter outrageusement. Par respect pour l'**environnement**, nous refusons de considérer la nature uniquement comme un réservoir de ressources pour les êtres humains.

Du point de vue **humain,** nous travaillons à l'avènement d'une plus grande justice sociale, à une décentralisation et à une démocratisation des structures sociales, à l'établissement de rapports plus équitables avec le Tiers monde et à l'instauration d'une paix durable.

Les Ami-e-s de la Terre est un mouvement international présent dans 37 pays. Sur le plan provincial, Les Ami-e-s de la Terre de Québec, de Montréal, de l'Estrie, de l'île d'Orléans et de Portneuf sont regroupés sous le nom de **Les Ami-e-s de la Terre du Québec.**

L'éditeur, autant que nous, sera heureux de recevoir vos suggestions au sujet de produits ou de services que nous pourrions inclure dans une future édition de ce guide.

Écrivez-nous à l'adresse suivante:
Les Ami-e-s de la Terre de Québec
a/s des Éditions Libre Expression
2016, rue Saint-Hubert
Montréal (Québec)
H2L 3Z5

Les critères clés
de la consommation écologique

D'une façon générale, les consommateurs qui réfléchissent aux conséquences écologiques de leurs achats évitent les produits

◆ qui peuvent mettre en danger leur santé ou celle des autres;

◆ qui causent d'importants dommages à l'environnement au cours de leur fabrication, de leur utilisation ou de leur rejet sous forme de déchets;

◆ qui entraînent une augmentation indue du volume des déchets, soit parce qu'ils sont suremballés, soit parce que leur durée de vie utile est trop brève;

◆ qui sont constitués de substances ou de matériaux provenant d'espèces végétales ou animales menacées, ou d'environnements fragiles à préserver;

◆ qui impliquent l'usage de procédés inutilement cruels envers les animaux;

◆ qui portent préjudice d'une manière ou d'une autre à d'autres pays, particulièrement à ceux du Tiers monde.

À partir des connaissances que nous possédons au moment d'aller sous presse, nous pouvons affirmer que l'information contenue dans ce livre est exacte. Toutefois, comme le rythme des développements est de plus en plus rapide dans le monde de la consommation écologique, il est possible que dans certaines sections, l'information ne soit pas tout à fait à jour au moment où vous en prendrez connaissance. L'omission de notre part d'une marque, d'une compagnie ou d'un organisme particuliers ne constitue en aucune façon un geste de censure ou une recommandation tacite.

Chapitre premier

NOTRE TERRE EN PÉRIL

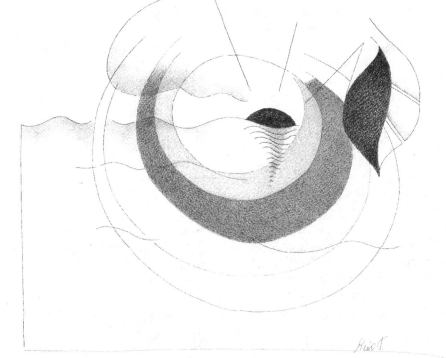

Tracer un portrait d'ensemble de tous les dommages que nous faisons subir à la Terre n'est pas facile. Nous croyons cependant qu'il est primordial de tenter d'y arriver avant de voir ce que chacun peut faire en tant que consommateur, pour prévenir ou enrayer ces dommages. Pour atteindre ce but, nous allons partir de ce qui se passe à l'extérieur de la planète.

« *Le rythme auquel se dégrade la planète est tel que seule une action largement partagée et immédiate permettra d'éviter le désastre. Notre statut commun de citoyens de la terre nous rend tous également responsables du sort de celle-ci et, partant, du sort de l'humanité entière.* **»**

Claude Béland,
président du Mouvement Desjardins.

Chaque seconde, le soleil brûle 5 millions de tonnes d'hydrogène et son noyau atteint la température approximative de 15 millions de degrés Celsius. Il en résulte l'émission d'une quantité phénoménale d'énergie, davantage en fait que ne pourraient en produire 200 000 billions de nos plus puissantes centrales hydro-électriques.

La Terre ne capte seulement qu'un milliardième de toute cette énergie, ce qui est pourtant suffisant pour créer les climats, diriger la course des vents et influencer le cycle de l'eau. Cette énergie fait pousser les plantes et permet la croissance et la maturation de nos récoltes ; elle peut aussi causer des coups de soleil aux adeptes du bronzage ! En fait, l'énergie totale qui pénètre notre atmosphère en un an équivaut grosso modo à 500 000 milliards de barils de pétrole ou à 800 000 milliards de tonnes de charbon. Cela représente plus d'un million de fois tout le pétrole contenu dans les gisements actuellement connus.

Seule une petite partie de toute cette énergie atteint le niveau du sol où nous vivons, et c'est tant mieux. Autrement, toute vie sur Terre s'avérerait impossible, car la température y serait trop élevée. Par bonheur donc, une grande partie de cette énergie est réfléchie au moyen du couvert de nuages. De plus, les rayons du soleil qui parviennent jusqu'à nous sont filtrés grâce à un phénomène qui se passe dans la haute atmosphère.

◆◆◆◆◆◆◆◆◆◆◆◆◆◆◆◆◆◆◆◆◆◆◆◆◆◆◆◆◆◆◆

L'AMINCISSEMENT DE LA COUCHE D'OZONE

La couche protectrice d'ozone* absorbe près de 99 % des dangereuses radiations ultraviolettes émises par le soleil, à une distance de 20 km à 50 km d'altitude. Pourtant cette couche d'ozone est d'une densité si faible que si elle se trouvait comprimée à la même pression que l'air situé au niveau du sol, elle serait à peine plus épaisse que la semelle d'un soulier. Tout amincissement de ce fragile bouclier augmente la quantité de rayons ultraviolets auxquels nous sommes exposés.

——* L'ozone est une molécule formée de trois atomes d'oxygène (O_3).

Les radiations ultraviolettes causent le cancer de la peau et l'on a estimé qu'une réduction de 1 % à peine de la couche d'ozone pourrait entraîner 15 000 nouveaux cas de cancer de la peau chaque année aux États-Unis seulement. Un autre effet de cette réduction de la couche d'ozone sur la santé est la multiplication des cataractes et autres maladies des yeux. Par ailleurs, la végétation souffre aussi de cette pénétration accrue des rayons ultraviolets, y compris le plancton des mers, très sensible à leur effet. Or, on sait que le plancton est à la tête de la chaîne alimentaire des océans et qu'il constitue la source principale de nourriture pour de nombreuses espèces de poissons. De plus, c'est un important producteur d'oxygène.

En 1974, deux scientifiques américains ont apporté une première preuve de la réduction de la couche d'ozone. Dans leurs recherches, ils ont mis en évidence le rôle des chlorofluorocarbures (les fameux CFC) dans ce processus. On utilise les CFC principalement comme gaz dans les canettes pressurisées (les bombes aérosol), comme réfrigérant dans les réfrigérateurs, les congélateurs et les systèmes de climatisation, comme solvant dans les produits de nettoyage à sec, comme agent de gonflement dans les contenants de polystyrène employés dans la restauration rapide, dans les produits isolants et dans le matériel de rembourrage. Au moment de leur découverte en 1928, les CFC sont apparus comme des produits chimiques modèles : inodores, non toxiques, ininflammables, et chimiquement inertes. Le problème, c'est qu'ils sont si stables que leur durée de vie dans l'atmosphère peut dépasser 100 ans, ce qui leur laisse tout le temps voulu pour atteindre les hautes altitudes de la stratosphère, de 20 km à 50 km au-dessus du niveau des mers. Ironiquement, ce sont les plus utiles d'entre eux (les CFC 11 et 12) qui se révèlent les plus dommageables. Une fois qu'ils ont rejoint la stratosphère, ils s'attaquent aux molécules de l'ozone protecteur et les détruisent.

Dans les milieux scientifiques, le débat autour de l'effet néfaste des CFC a fait rage pendant des années, mais finalement on en est arrivé à un consensus. À la fin des années 70, on a conclu que les CFC contribuaient effectivement à la réduction de la couche d'ozone, à un moindre degré qu'on avait d'abord cru, mais plus longtemps cependant qu'on l'estimait selon les premières observations. De telle sorte que l'industrie chimique responsa-

La couche d'ozone : à peine plus épaisse que la semelle d'un soulier!

ble de la production de près de 800 000 tonnes de CFC en 1985 seulement, s'est retrouvée avec une véritable bombe à retardement. Cette année-là, des scientifiques britanniques ont découvert un «trou» dans la couche d'ozone au-dessus de l'Antarctique.

Les données qui ont permis de découvrir ce trou existaient depuis au moins 10 ans grâce aux informations recueillies par des satellites américains. Si au cours des analyses par ordinateur on les a ignorées, c'est tout simplement que les programmeurs avaient jugé la chose impossible. Une fois ces données traduites en images, il devint évident que les programmeurs avaient pour ainsi dire «fermé les yeux» sur un phénomène incroyable. On sait aujourd'hui que la dimension du trou peut atteindre une superficie égale à celle des États-Unis, bien qu'elle varie au cours de l'année. Peu de temps après cette découverte, des scientifiques canadiens en ont observé un deuxième, au-dessus de l'Arctique cette fois.

Les spécialistes reconnaissent que les conditions atmosphériques au-dessus des pôles sont particulières. La situation y est probablement aggravée par le froid qui y règne et par les longs mois de la nuit polaire. Toutefois, ces découvertes laissent entrevoir la possibilité que les CFC provoquent la réduction de la couche d'ozone partout autour du globe.

À la suite de nouvelles informations recueillies au cours d'autres recherches et de l'inquiétude croissante manifestée par le public, le Canada, les États-Unis, la Communauté économique européenne et 23 autres pays ont dû signer l'accord de Montréal à la fin de l'année 1987 ; on s'est entendu pour réduire la consommation de CFC de 20 % d'ici 1993 et d'un autre 30 % d'ici 1998. (Le gouvernement canadien songe à augmenter ce pourcentage à 100 % en 1998. Les consommateurs avertis devraient appuyer leurs élus dans la poursuite de ce but très louable.) Toutefois,

Dans la couche d'ozone, un trou pouvant atteindre une superficie égale à celle des États-Unis.

nous sommes forcés de reconnaître que dans un avenir prévisible, cette entente internationale ne fera que ralentir la réduction de la couche d'ozone: à cause de leur très longue durée de vie, les CFC déjà en circulation continueront encore longtemps d'attaquer la haute atmosphère. C'est pourquoi nous croyons que le sujet n'a pas fini de faire les manchettes.

L'EFFET DE SERRE

Les CFC contribuent également, quoique à un moindre degré, à l'effet de serre (aussi appelé réchauffement global ou réchauffement de la planète) ; un problème environnemental dont les effets à long terme risquent d'être encore plus dommageables que la réduction de la couche d'ozone.

Bien qu'entre un tiers et la moitié de l'énergie solaire qui nous atteint soit réfléchie par les nuages, il n'en demeure pas moins que la chaleur qui rejoint la surface de la Terre s'y trouve emprisonnée, car l'atmosphère agit comme l'enveloppe d'une serre. Quand la quantité de chaleur retenue est trop grande, la serre se transforme en véritable four et ce sont tous les systèmes climatiques qui en sont affectés.

Si l'effet de serre faisait augmenter la moyenne des températures à la surface de la terre...

Depuis 150 ans, la moyenne des températures de l'air à la surface de la Terre a augmenté d'environ un degré Celsius. L'effet de serre pourrait y ajouter un degré de plus dans les prochaines décennies et plusieurs autres d'ici la fin du prochain siècle. De telles hausses de température provoqueraient des changements dramatiques dans l'agencement de tous les climats et dans le domaine des phénomènes météorologiques qui s'y rattachent. Les sévères sécheresses qui affectent tout le bassin du Nil pourraient bien être un symptôme de ce qui s'en vient.

Le réchauffement de l'atmosphère entraînera aussi la fonte des glaciers et des calottes polaires, ce qui fera monter le niveau des mers de un mètre ou plus. À long terme, des marées de plus en plus hautes inonderaient des villes bâties sur des terres basses près de la mer, comme Charlottetown, Londres, Bangkok, New York et Tokyo. Le régime des pluies et des moussons changerait radicalement, ce qui risquerait de transformer en déserts de vastes étendues des prairies de l'Amérique du Nord et des régions asiatiques productrices de riz. Qui sait si la Saskatchewan ne sera pas l'Éthiopie du XXIe siècle?

Ces changements dans les moyennes de température peuvent sembler peu importants, mais il faut considérer que notre Terre n'est pas plus chaude aujourd'hui qu'à l'aube de nos civilisations. Ce que nous vivons maintenant, en somme, est sans précédent dans l'histoire de la planète.

Quelles sont les causes
de l'effet de serre?

Certains gaz s'accumulent dans l'atmosphère et forment comme une couverture autour de la Terre. Ce faisant, ils emprisonnent la chaleur qui autrement serait dissipée dans l'espace. De tous ces gaz issus de nos multiples activités industrielles, le plus important est le dioxyde de carbone ou bioxyde de carbone aussi appelé gaz carbonique (CO_2).

Le niveau de concentration du gaz carbonique dans l'atmosphère a constamment augmenté depuis le début de la révolution industrielle. Entre 1850 et 1970, sa progression atteignait 25 %. On attribue cette tendance à la hausse à l'utilisation croissante des combustibles fossiles (pétrole, gaz naturel et charbon) pour nous chauffer, pour produire de l'électricité ou pour nous transporter, nous-mêmes et toutes les choses que nous produisons.

D'après le Worldwatch Institute de Washington, en 1988 seulement nous avons rejeté dans l'atmosphère 5,5 milliards de tonnes de carbone, essentiellement par la combustion du pétrole, du gaz naturel et du charbon. Si la consommation mondiale continue d'augmenter à son rythme actuel de 3 % par année, c'est 10 milliards de tonnes de carbone que nous rejetterons annuellement dans l'atmosphère en l'an 2010.

L'industrie n'est pas la seule coupable ; chaque consommateur contribue à cette progression. Même une famille soucieuse d'éviter le gaspillage, et qui ne se chauffe pas à l'électricité, consomme approximativement 30 kW/h d'électricité par jour, ce qui revient à 10 950 kW/h par année. Si toute cette électricité a été produite par une centrale utilisant des combustibles fossiles, alors cette famille contribuera, juste pour répondre à ses besoins en électricité, au rejet de près de 5 tonnes de gaz carbonique dans l'atmosphère. Si cette famille utilise aussi un combustible fossile pour se chauffer, elle rejettera encore plus de carbone dans l'air. Au Québec, il faut en moyenne 1 000 litres de mazout pour chauffer une maison unifamiliale. Brûler ce combustible ajoute de 11 à 12 tonnes volumétriques de rejets de gaz carbonique. Ce qui donne un total de 16 tonnes par année pour une famille utilisant ce type d'énergie. Comme on peut le voir, l'énergie que l'on dépense à la maison contribue pour une bonne part aux 50 millions de tonnes de carbone rejetées dans l'atmosphère chaque année au Canada.

Certains politiciens et certains industriels prétendent que la destruction de la forêt tropicale est la cause première des changements climatiques. Sans doute les gouvernements des pays riches trouvent-ils plus facile de rejeter le blâme sur un autre continent. Il est vrai que la combustion du bois de chauffage et la pratique qui consiste à brûler des forêts entières contribuent à aggraver la situation, mais selon les données scientifiques que nous possédons, ce fléau provient en grande partie de notre consommation d'énergie. En réalité, le fait de brûler la forêt tropicale entraîne des rejets de 0,4 milliard de tonnes comparativement à 2,5 milliards de tonnes pour les combustibles fossiles.

Une autre erreur consiste à croire que la plantation massive d'arbres pourra corriger l'excès d'émission de CO_2. Vouloir planter des arbres pour compenser une augmentation de la combustion de charbon ou de pétrole dénote une méconnaissance des phénomènes en cause. Il est vrai que les arbres absorbent du CO_2 et rejettent de l'oxygène, mais cette capacité a des limites. Si nous voulions compter sur les arbres pour absorber tout le carbone produit par la combustion fossile, il nous faudrait tripler et même quadrupler la densité naturelle des forêts. Or, c'est là une performance que nous ne sommes pas près de réaliser.

◆◆◆◆◆◆◆◆◆◆◆◆◆◆◆◆◆◆◆◆◆◆◆◆◆◆◆◆◆◆◆◆◆

LES PRÉCIPITATIONS ACIDES

Le phénomène des précipitations acides est un sous-produit caractéristique de l'ère industrielle. Chaque jour en Amérique du Nord, des milliers de tonnes d'anhydride sulfureux (SO_2, aussi appelé dioxyde ou bioxyde de soufre) et d'oxydes d'azote (NOx) sont rejetées dans l'atmosphère à partir de différentes sources : centrales thermiques au charbon, fonderies de métaux, aciéries, usines de produits chimiques et véhicules de transport. Le SO_2 et les NOx sont les principaux agents d'acidification, car dans l'atmosphère, ils se transforment en particules de sulfates et de nitrates. Puis, en se combinant avec la vapeur d'eau, ils deviennent des acides sulfuriques ou nitriques faibles. Or, toute cette production industrielle et cette activité de transport n'ont d'autre but que de fabriquer et de mettre sur le marché les biens que nous, consommateurs, achetons. Les centrales produisent de l'électricité que nous utilisons dans nos maisons ou qui sert pour fabriquer des biens de consommation. Les aciéries produisent l'acier de nos boîtes de conserve, de nos voitures, de nos édifices et de nos ponts. Les industries chimiques fournissent les plastiques, les pesticides et bien d'autres produits. Quant aux voitures, camions et autobus, on s'en sert pour le déplacement des personnes ou pour le transport des marchandises d'un bout à l'autre du continent.

Les acides produits par toute cette activité sont souvent éjectés jusque dans la haute atmosphère où le vent peut les entraîner sur des milliers de kilomètres. Ils finissent par retomber au sol, soit mêlés aux eaux de pluie, soit sous forme de particules sèches. Déjà comme polluants atmosphériques, ils peuvent avoir de sérieux effets sur notre santé. Une fois retombés au sol ou dans l'eau, leur effet sur l'environnement est dévastateur.

C'est au début des années 70 que des chercheurs suédois ont les premiers parlé du phénomène des pluies acides. Au Canada, il a fallu attendre jusqu'en 1978 pour que le gouvernement de l'Ontario commande la première recherche dans le domaine. Aujourd'hui, leur effet sur nos lacs est bien connu.

Depuis 1986, le ministère de l'Environnement du Québec procède à une étude en profondeur des lacs de cinq grandes régions atteintes par les pluies acides. Les résultats de cette expertise permettront de connaître l'étendue des dommages et serviront de paramètres pour les analyses futures dont l'objet

Des lacs morts ou en dépérissement.

sera, par exemple, d'évaluer l'effet des mesures prises par les grandes entreprises pour diminuer leur taux d'émissions acides. Selon les informations recueillies, dans l'Outaouais, sur 33 000 lacs analysés, 23 % sont considérés comme morts alors que 62 % sont en dépérissement. En Mauricie, 50 % des 26 000 lacs étudiés s'acidifient et 11,8 % sont déjà morts. Au Saguenay-Lac Saint-Jean, 6,8 % des 35 200 lacs sélectionnés sont acides et l'on en compte 29 % en voie de le devenir. Les données pour la Côte-Nord se révèlent tout aussi tragiques, puisque 33 % des 39 000 lacs répertoriés accusent une détérioration acide avancée. (Les données pour la région de l'Abitibi n'étaient pas disponibles au moment de la publication de ce livre.)

On estime que d'ici 20 ans, les activités de pêche sportive et commerciale dans le Bouclier canadien, lesquelles représentent un apport annuel de 620 millions de dollars, connaîtront une baisse de 20 % à 50 %.

Les pluies acides ne font pas que tuer les lacs :

• Quatre millions d'hectares de forêts en Europe sont dégradées et se meurent à cause des pluies acides. On commence à remarquer le même phénomène au Canada : l'industrie du sirop d'érable au Québec, par exemple, est sérieusement menacée. Les forêts canadiennes rapportent environ 4 milliards de dollars par année ; une réduction de seulement 10 % de leur productivité au cours des 25 prochaines années serait fort coûteuse en ressources et en emplois.

• Les précipitations acides dissolvent littéralement la pierre des édifices et des monuments. Elles corrodent également le métal, dont celui de nos voitures. En Grèce, on a dû mettre à l'abri 6 caryatides de l'Acropole d'Athènes qui soutenaient un temple depuis 25 siècles : les précipitations acides avaient pratiquement effacé les traits de leurs visages. La même chose se produit au Canada et au Québec. Les inscriptions sur les pierres tombales s'effacent, les monuments historiques se détériorent et les pierres des édifices du parlement et de l'assemblée nationale se dégradent sous leur assaut.

• On calcule que les maladies respiratoires causées par les oxydes de soufre et d'azote présents dans l'atmosphère coûtent aux Canadiens 160 millions de dollars chaque année.

Au Canada et aux États-Unis, les émissions acides de différentes sources représentent plus de 50 millions de tonnes de SO_2 et de NOx. Depuis 1980, le gouvernement canadien a fait de la lutte aux précipitations acides sa grande priorité environnementale, mais ce n'est qu'en 1985 qu'il a commencé à imposer des restrictions sur les émissions d'anhydride sulfureux ; le but visé est de les réduire de 50 % d'ici 1994. Quant aux oxydes d'azote, principalement produits par les véhicules de transport, on compte les combattre en fixant des normes plus sévères. Le gouvernement américain, de son côté, n'a reconnu la gravité du problème qu'en 1989 et le Congrès américain vient tout juste, à l'automne 1990, de voter une loi sur la qualité de l'air qui devrait permettre de réduire les émissions polluantes aux États-Unis.

Le Québec produit le quart des émissions acides qui affectent son territoire, un autre quart arrive de l'Ontario et les 50 % qui restent sont dues à la pollution des centres industriels américains, les régions des Grands Lacs et de la Nouvelle-Angleterre. Globalement, environ la moitié des précipitations acides au Canada proviennent de nos voisins du sud et beaucoup d'environnementalistes s'inquiètent du retard pris sur la progression du phénomène : ils craignent qu'on en vienne, selon l'expression consacrée, à en faire trop peu, trop tard. Même si les Américains s'alignaient sur les Canadiens pour réduire leurs émissions de 50 % d'ici 1994, il n'est pas du tout assuré que cela suffirait pour sauver nos lacs, nos forêts, nos édifices et bien sûr notre santé. Certains experts estiment que c'est non pas 50 %, mais 80 % de réduction qu'il faudra atteindre si nous voulons inverser la tendance et réparer les dommages causés à l'environnement.

Chaque famille peut contribuer à réduire les émissions acides.

Pour combattre les précipitations acides, nous devrons nous tourner vers le recyclage, les économies d'énergie et la restriction de l'utilisation de nos voitures. Selon certains calculs, chaque famille peut contribuer à une réduction des émissions de cinq tonnes par année, simplement en pratiquant le recyclage du verre, du papier et des canettes. Le recyclage permet de faire du neuf avec du vieux et ce faisant, il occasionne 10 fois moins de précipitations acides que la fabrication à partir de matériaux bruts.

❖❖❖❖❖❖❖❖❖❖❖❖❖❖❖❖❖❖❖❖❖❖❖❖❖❖❖❖❖❖❖

DÉFORESTATION ET ÉROSION DES SOLS

Partout dans le monde, la destruction accélérée des forêts contribue à augmenter l'effet de serre, en plus de susciter la disparition de nombreuses espèces animales et végétales. Ajoutée à une mauvaise planification de l'usage des sols et à des pratiques agricoles impropres, l'érosion des sols vient aggraver le problème de la déforestation. Depuis l'équateur jusqu'en nos régions tempérées, nous perdons littéralement du terrain. On estime à 2 milliards d'hectares l'étendue des forêts tropicales. Or, la déforestation en fait disparaître de 11 à 15 millions chaque année ; ce qui représente, sur une période de 15 ans, une superficie égale à celle du Québec. Chaque minute, il disparaît l'équivalent de 20 terrains de football.

En 1982, dans ce qu'on reconnaît comme l'une des pires catastrophes écologiques de tous les temps, le feu détruisit 3,24 millions d'hectares de forêt en Indonésie. Le risque d'incendies d'une telle gravité augmente avec la déforestation, car celle-ci entraîne une baisse de la quantité de pluie dans les régions affectées.

Le Québec n'est pas mieux que les pays tropicaux : nous détruisons la forêt à un rythme effarant. Pour les cinq dernières années, la coupe forestière au Québec nous a amputés de 330 000 ha de forêt, soit 250 000 sur les terres publiques et 80 000 en forêts privées. C'est donc 3 300 km² de forêt qui sont disparus durant cette période, soit 0,4 % de tout le parterre forestier du Québec. Heureusement, les choses commencent à changer. Depuis le 1er février 1987, le Québec forestier vit à l'heure de la nouvelle loi sur les forêts. Dans l'industrie forestière, on ne peut plus surexploiter la ressource et l'on ne doit intervenir désormais qu'en tenant compte de la protection de l'ensemble des espèces vivantes.

La superficie dévastée par les Canadiens et les Québécois à tous les quatre ans équivaut à la surface totale de l'île de Cuba. Tout cela pour satisfaire l'insatiable et destructive demande nord-américaine pour les produits des usines de pâtes et papier. En bien des endroits, on ne se donne même pas la peine de reboiser et si on le fait, ce n'est pas toujours de façon appropriée. Dans les endroits accidentés, particulièrement dans l'ouest du Canada, il s'avère impossible de faire des plantations, car l'érosion emporte le sol avant même que la régénération naturelle ne le fixe.

La disparition des forêts entraîne l'érosion des sols dans son sillage. Le Guatemala, par exemple, perd annuellement une moyenne d'environ 1 200 tonnes de terre par kilomètre carré. Il arrive de plus en plus difficilement à nourrir sa population. De plus, dans des pays comme l'Inde ou le Bangladesh, la vase charriée par l'érosion emplit les réservoirs d'eau derrière les barrages, ce qui les rend inutiles. Il en résulte parfois de terribles inondations dans les terres basses. En 1988, au moins 300 personnes sont mortes et 60 000 ont perdu leur maison quand d'épouvantables inondations ont frappé Rio de Janeiro. Les géologues brésiliens ont prévenu que de telles inondations se répéteraient et qu'elles seraient encore plus destructrices. La grande responsable : la destruction accélérée et incessante des forêts du pays.

La population du globe augmente au rythme de 84 millions par année. Comment arriverons-nous à nourrir tout ce monde si nous nous entêtons à suivre la voie actuelle? Chaque année, pour différentes raisons, nous perdons 25 milliards de tonnes de terre fertile, ce qui pourrait couvrir par exemple, toutes les prairies à blé de l'Australie. À l'été 1989, les réserves mondiales de céréales atteignaient leur niveau le plus bas depuis la Deuxième Guerre mondiale. La perte de terres cultivables en est grandement responsable.

La pression sur le «dézonage» des terres s'avère particulièrement forte au Québec, malgré l'existence de la Commission de protection du territoire agricole. Au cours des 10 dernières années, cet organisme gouvernemental a reçu au moins 70 000 requêtes en ce sens et, depuis 1985, l'émission des permis de conversion des terres arables pour l'aménagement urbain s'est accrue de 50 %. En 1990, au Conseil de la conservation et de l'environnement du Québec, on révélait que le processus de révision pourrait nous faire perdre jusqu'à 195 000 ha, en tenant compte seulement des dossiers traités et de ceux en cours de négociation.

Et que dire de la disparition des terres humides ? On sait combien sont importants les marais, les marécages, les

Chaque année nous perdons 25 milliards de tonnes de terre fertile, ce qui pourrait couvrir, par exemple, toutes les prairies à blé de l'Australie.

tourbières et les basses terres des régions côtières. Ils protègent les rivages, retiennent les eaux de pluie ou de fonte des neiges (ce qui prévient les inondations), ils régularisent la sédimentation, préviennent l'eutrophisation (pertes en oxygène des eaux à la suite de la trop grande multiplication de certaines plantes ou débris organiques), ils filtrent l'eau, et constituent un habitat et une aire de reproduction pour de nombreuses espèces de poissons et d'oiseaux aquatiques.

En plus de ces nombreuses fonctions naturelles, les zones marécageuses ont également une grande importance économique, puisqu'on en retire 9,32 milliards de dollars par année avec la pêche, les activités récréatives, la récolte de tourbe et de riz sauvage ainsi que la sylviculture en tourbière. Pourtant elles s'amenuisent dangereusement, tant les pressions sont grandes, aussi bien du côté du développement urbain que du côté de l'agriculture.

◇◇◇◇◇◇◇◇◇◇◇◇◇◇◇◇◇◇◇◇◇◇◇◇◇◇◇◇◇◇◇◇

LA POLLUTION ÉNERGÉTIQUE

Les problèmes de la pollution de l'air, des précipitations acides et de l'effet de serre peuvent-ils être stoppés, ou tout au moins atténués ? Tout dépendra des sources de production d'énergie que nous choisirons et des technologies qui s'y rattachent. Examinons les options qui s'offrent à nous sur le plan de la consommation énergétique :

● les combustibles fossiles, entre autres, le pétrole, le charbon et le gaz naturel ;

● l'énergie nucléaire, obtenue grâce aux réacteurs nucléaires qui aujourd'hui produisent de la chaleur à partir de la fission d'atomes d'uranium, et qui demain le feront à l'aide de surrégénérateurs et peut-être même au moyen de la fusion thermonucléaire ;

● les énergies renouvelables, celles du soleil, du vent, des vagues, des marées, des cours d'eau et de la biomasse, ainsi que la chaleur de la Terre (géothermie) ;

● les économies d'énergie, qui chevauchent les trois catégories précédentes et qui sont la clé des recommandations que vous trouverez dans ce livre.

Non seulement devons-nous considérer les besoins en énergie des régions fortement industrialisées, mais il nous faut aussi tenir compte de la demande croissante dans les pays en voie de développement. Notre consommation par habitant dût-elle rester constante, en totalité, elle augmenterait quand même de 40 % d'ici l'an 2025, cela à cause de l'accroissement de la population mondiale. Selon la Commission mondiale sur l'environnement et le développement, ces besoins énergétiques atteindraient 550 % de plus si les pays pauvres haussaient leur consommation au niveau de celle des pays riches.

> **Notre consommation d'énergie par habitant augmenterait de 40 % d'ici l'an 2025.**

En ne considérant que ce 40 % (hypothèse qui ne tient pas compte des besoins réels et des aspirations du Tiers monde), les conséquences écologiques seraient encore trop grandes. Il apparaît donc évident que nous devrons tous trouver des moyens efficaces et équitables de freiner ce galop frénétique, et ultimement, de réduire notre consommation énergétique de façon significative.

Les combustibles fossiles

Présentement, le pétrole est le carburant le plus utilisé, mais cette ressource n'est pas illimitée. On estime qu'au cours des 35 prochaines années, les réserves mondiales risquent d'être pratiquement épuisées.

Il ne faut pas non plus négliger la pollution due à l'usage du pétrole, à partir de son extraction jusqu'à sa combustion, en passant par le transport et le raffinage. Un désastre comme celui de l'Exxon Valdez sur les côtes de l'Alaska pourrait laisser croire qu'à l'avenir on prendra davantage de précautions dans les opérations de transport. Hélas! l'histoire nous apprend que d'une marée noire à l'autre, rien n'est fait pour qu'on ait davantage confiance aux grandes compagnies pétrolières.

On pourrait voir les oléoducs comme une alternative au transport maritime du pétrole et de ses dérivés; ces conduits terrestres toutefois, et particulièrement dans le nord du Canada, nuisent considérablement à la faune et à la flore, sans compter les risques d'accident toujours possibles.

On présente souvent le gaz naturel comme un substitut «propre et abondant» au pétrole; pourtant le gaz naturel est aussi une ressource non renouvelable et sa combustion contribue à l'effet de serre. Le gaz soufré, un type de gaz naturel, affecte la qualité de l'air dans la région où il est extrait, en plus de contribuer aux précipitations acides.

Dans 100 ans, nous utiliserons encore les carburants liquides, mais ils coûteront beaucoup plus cher. On produira une partie de ceux-ci à partir du charbon; nos réserves de ce combustible fossile devraient suffire pour encore 200 ou 300 ans. Mais l'extraction de cette matière première cause beaucoup de dommages à l'environnement, et sa combustion contribue à l'augmentation des précipitations acides (par la production d'anhydride sulfureux et d'oxydes d'azote) et de l'effet de serre (par la production de gaz carbonique).

L'énergie nucléaire

Bien que les combustibles fossiles soient, comme on vient de le voir, très dommageables pour l'environnement, ils ne sont pas, loin de là, aussi impopulaires auprès des environnementalistes et auprès du public en général que l'énergie nucléaire. Ce type de production d'électricité comporte deux problèmes majeurs : la sécurité des centrales et la gestion des déchets radioactifs qu'elles produisent.

Le souvenir des désastres de Tchernobyl en URSS et de Three Mile Island aux États-Unis continue de nous hanter en nous rappelant qu'une erreur humaine ou une défaillance technologique sont toujours possibles, en dépit de la haute sophistication de ces usines et de leurs nombreux dispositifs de sécurité.

Selon une étude du Bureau européen de la consommation, le nuage radioactif qui s'est étendu sur une partie de l'Europe, après l'explosion d'un réacteur nucléaire à la centrale de Tchernobyl, contenait autant de radioactivité que 2 000 bombes de la taille de celle qu'on a fait exploser sur Hiroshima en 1945. On a dû évacuer 135 000 personnes. L'accident a causé la mort de 30 personnes, mais il semble que ce nombre augmentera considérablement quand les effets à long terme commenceront à se faire sentir. En réaction à cette catastrophe, les ministères concernés d'URSS ont reçu le mandat de rendre «les centrales nucléaires sécuritaires à 100 %». Quand on sait ce qui s'est passé à Tchernobyl, à Three Mile Island et à Sellafield en Grande-Bretagne, il faudrait être bien naïf pour croire qu'un tel objectif est réaliste, quel que soit le pays concerné.

On parle souvent du nucléaire comme d'une solution de remplacement «propre» aux combustibles fossiles. C'est totalement faux, puisque les centrales nucléaires produisent des déchets que même les ardents défenseurs de ce type de production d'énergie refusent de recevoir dans leur voisinage. La réalité, c'est que nous ignorons toujours comment nous débarrasser de ces déchets sans polluer l'environnement; c'est d'autant plus grave qu'ils demeureront radioactifs des milliers d'années et qu'on ne sait pas où les entreposer de manière qu'ils ne constituent pas une menace permanente pour les êtres vivants.

Pour le moment, on les entrepose dans des réservoirs remplis d'eau. Cependant, on n'a pas encore découvert de méthodes sécuritaires pour stocker adéquatement et à très long terme aussi bien les déchets que les centrales elles-mêmes, lorsqu'elles sont mises hors de service. Les BPC et les autres produits dangereux sont devenus un cauchemar politique et environnemental parce qu'on a laissé les producteurs les mettre sur le marché «avant» qu'on en connaisse la nocivité réelle et qu'on sache comment s'en débarrasser. Notre comportement face au nucléaire est aussi bête et montre que nous n'avons pas su tirer les leçons du passé.

❖❖❖❖❖❖❖❖❖❖❖❖❖❖

Les énergies renouvelables

En comparaison avec d'autres sources plus connues, la pollution créée par les énergies renouvelables, qui comportent d'ailleurs peu de risques d'accidents graves, est moins importante. Cependant, comme leur puissance est plus faiblement concentrée que celle des combustibles fossiles ou atomiques, il faut des installations qui occupent beaucoup plus d'espace pour les capter. Ainsi, pour produire l'équivalent d'une centrale nucléaire qui nécessite 60 ha de terrain, on a besoin de 2 000 ha de capteurs d'énergie solaire. Il faudrait de 200 à 300 éoliennes regroupées en unités de 25, dont chacune couvrirait 1 600 ha pour obtenir cette même performance (celles-ci sont cependant bruyantes et nuisent à la réception des ondes de la télévision). On pourrait se servir aussi de la biomasse pour produire de l'huile, du méthanol ou du gaz ; elle nécessiterait par contre une plantation de 50 000 ha pour rivaliser avec une centrale nucléaire.

Malgré tout, les énergies renouvelables représentent une solution de remplacement intéressante et leur importance devrait s'accroître dans le futur. Il n'existe pas, en réalité, de moyens totalement «pro-pres» de produire de l'énergie. Dans ce contexte toutefois, c'est la réduction de la consommation par les économies d'énergie qui ouvre la voie la plus prometteuse.

◇◇◇◇◇◇◇◇◇◇◇◇◇

Les économies d'énergie

Aujourd'hui, plusieurs experts de ces questions considèrent les économies d'énergie (ou conservation d'énergie) comme une véritable source énergétique. Selon certaines évaluations, on va même jusqu'à prétendre qu'en éliminant le gaspillage et en utilisant des appareils et des véhicules plus efficaces et moins énergivores, nous pourrions réduire notre consommation d'énergie de 25 %. Une telle baisse de la demande au Québec rendrait inutile la construction du projet de la centrale hydro-électrique Nottaway-Brudback-Ruppert dans le Grand Nord. Une réduction de cet ordre permettrait en outre la fermeture de deux centrales nucléaires, de deux centrales thermiques ou encore de deux centrales hydro-électriques. Dans une étude du World Resources Institute, on laisse entrevoir une réduction de 50 % dans les émissions de carbone, si les pays industrialisés appliquaient une politique de

conservation de l'énergie ;
on présume également qu'il y
aurait une réduction

dans l'émission de plusieurs
autres polluants atmo-
sphériques.

◆◆◆◆◆◆◆◆◆◆◆◆◆◆◆◆◆◆◆◆◆◆◆◆◆◆◆◆◆◆◆◆◆◆

LA CRISE DANS LA GESTION
DES DÉCHETS

L es déchets sont des sous-produits de notre société de consommation, des sous-produits qui ont été oubliés jusqu'à
ce que nous réalisions que les quantités phénoménales
que nous produisons encombrent nos incinérateurs et nos
sites d'enfouissement à un point tel que nous craignons maintenant d'être engloutis par eux. Il devient donc urgent de trouver
des solutions à ces problèmes de plus en plus pressants. Jetés au
mauvais endroit, les déchets polluent. Quant aux sites
d'enfouissement, ils sont de plus en plus difficiles à trouver et, de
toute manière, cette solution n'est pas la meilleure, comme on le
découvre de plus en plus.

À l'usine, au bureau ou à la maison, nous produisons davantage de déchets chaque année. Si nous n'étions pas si nombreux,
cela ne poserait pas de pro-
blème. Mais les 6,7 millions de
Québécois, les 300 millions de
Nord-Américains ou les 5 milliards d'êtres humains sur
Terre, doivent comprendre
qu'ils sont trop nombreux
maintenant pour continuer
d'agir comme par le passé. Il
faut rapidement changer nos
habitudes.

La très forte augmentation de la consommation était, jusqu'à
tout récemment, l'apanage des pays industrialisés, particulièrement ceux de l'Occident. La consommation moyenne par habitant
dans cette partie du globe dépasse les 120 kg de papier et les 450 kg
d'acier par année. En comparaison, les pays en voie de développement consomment 8 kg de papier et 48 kg d'acier par habitant
par année. La diffusion du mode de vie des pays riches dans le
Tiers monde, avec notre surconsommation, et par voie de conséquence notre surproduction de déchets, ne peut qu'aggraver
encore davantage la crise de la gestion des déchets que nous
vivons présentement.

❖❖❖❖❖❖❖❖❖❖❖❖❖❖❖❖❖❖❖❖❖❖❖❖❖❖

Quelques chiffres révélateurs

◆ Annuellement, les Québécois se défont de 200 millions de contenants de verre et de trois fois plus de boîtes de conserve.

◆ Chacun d'entre nous produit plus de 450 kg (1/2 tonne) de déchets par année. Nos déchets domestiques sont constitués de 40 % de papier, dont la plus grande partie est évidemment recyclable. On trouve également dans ces rebuts 15 % de contenants de verre, de métal ou de plastique, eux aussi recyclables ou réutilisables.

◆ Au Québec, il en a coûté plus de 135 millions de dollars en 1990 pour se défaire des 3 millions de tonnes de déchets domestiques, soit environ 35 millions de dollars de plus qu'il y a 5 ans pour 2 fois plus de déchets qu'il y a 30 ans.

◆ Pour produire le papier journal consommé par les quotidiens au Canada, c'est 40 000 arbres qu'il faut abattre chaque jour.

◆ Les boîtes de conserve que nous jetons à tous les jours représentent 1 500 tonnes d'acier. Au bout d'un an, tout ce métal aurait été suffisant pour fabriquer 350 000 voitures, lesquelles, mises bout à bout, couvriraient la distance entre Montréal et Saint-Jean, Terre-Neuve.

◆ Hebdomadairement, les Canadiens rapportent de l'épicerie 55 millions de sacs de plastique. Beaucoup seront réutilisés, mais tôt ou tard, ils se retrouveront tous dans les sites d'enfouissement.

❖❖❖❖❖❖❖❖❖❖❖❖❖❖❖❖❖❖❖❖❖❖❖❖❖❖

Les déchets que nous jetons constituent un gaspillage de nos ressources naturelles, sans compter toute l'énergie entrant dans la fabrication de ces produits et la pollution issue de leur production. La fabrication du papier multiplie la quantité de dioxines dans l'environnement; quant à celle du verre et des boîtes de conserve, elle contribue à l'augmentation des précipitations acides et à l'effet de serre. Ces déchets, que nous brûlons ou que nous enfouissons, sont le résultat d'un mode de production et de consommation au moyen duquel on gaspille les ressources, on produit une surcharge de polluants et, finalement, on met en péril la survie de l'humanité.

LA POLLUTION
DE L'EAU

Observer l'état de santé des créatures qui vivent dans nos cours d'eau et nos océans est sans doute le meilleur moyen de connaître le niveau de pollution de ces lieux. On détecte des BPC (biphényles polychlorés) et d'autres substances toxiques lentes à se dégrader dans les graisses des mammifères marins jusque dans les endroits les plus reculés de l'Arctique. Dans le fleuve Saint-Laurent, principal effluent des Grands Lacs, la pollution massive menace la survie du troupeau de bélugas. On a retrouvé dans les tissus de cadavres de bélugas du Saint-Laurent neuf des substances les plus toxiques présentes dans les Grands Lacs.

Les Grands Lacs, véritables mers intérieures, contiennent 20 % des réserves d'eau douce du monde ; il n'y a pas de meilleur exemple pour illustrer notre négligence en regard de la pollution de l'eau. Prenons le cas du lac Ontario. Les poissons y souffrent de tumeurs cancéreuses. On recommande régulièrement aux femmes enceintes et aux jeunes de moins de 15 ans de ne pas manger du saumon pêché dans ce lac.

Les Grands Lacs contiennent 20 % des réserves d'eau douce du monde.

On a détecté dans les Grands Lacs la présence de plus de 1 000 substances toxiques utilisées par des industries sises des deux côtés de la frontière. Quelques-unes de ces substances sont très dangereuses, alors que l'on ne connaît pas avec exactitude le degré de toxicité de certaines autres. Les usines de traitement des eaux usées ont 100 ans de retard dans leur technologie et n'arrivent pas à éliminer la plupart de ces produits chimiques.

Il est étonnant de constater que peu de protestations proviennent de la part des 37 millions de riverains, aussi bien les Canadiens que les Américains, en rapport avec la mauvaise qualité de l'eau des Grands Lacs. Après des investissements de 10 milliards de dollars pour dépolluer ces lacs, bien qu'on ait constaté certains progrès (on a réussi à éviter que le lac Érié ne devienne un lac «mort»), les produits toxiques constituent toujours une menace importante.

Il en va de même des problèmes engendrés par les eaux usées. Depuis des années déjà, les plages de Montréal sont impropres à la baignade à cause du taux élevé de bactéries coliformes dans l'eau.

Les Grands Lacs ne sont donc pas les seuls plans d'eau à souffrir d'un tel degré de pollution. Les industries de grande envergure, les mines et les alumineries causent des dommages sérieux au fleuve Saint-Laurent. Par exemple, les installations d'alumineries de Baie-Comeau sont en grande partie responsables de la contamination de la Baie-des-Anglais par des BPC (biphényles polychlorés) et des HAP (hydrocarbures aromatiques polycycliques). Il en coûterait près de 6 milliards de dollars pour décontaminer la Baie-des-Anglais. Le port de Halifax sur la Côte atlantique a servi si longtemps de réceptacle aux eaux usées de la ville, qu'il peut maintenant s'enorgueillir d'être un des plans d'eau les plus pollués de tout le Canada. Sur la Côte ouest, le fleuve Fraser a subi de semblables outrages.

Même les eaux arctiques n'échappent pas à la pollution, malgré que nous puissions croire que leur immensité les protège. La fragilité de ces écosystèmes nordiques est devenue évidente lors de l'accident du Exxon Valdez qui a laissé s'échapper des milliers de litres de pétrole sur les côtes de l'Alaska. On sait aussi qu'à la baie James se pose le problème du mercure à la suite de l'inondation des terres lors de la formation des réservoirs.

Il n'y a pas que les eaux usées qui font problème : les substances en suspension dans l'air peuvent être une cause de pollution de l'eau, comme on peut le constater par l'exemple des précipitations acides qui, un peu partout dans le Bouclier canadien, font mourir les lacs. Il est maintenant reconnu que la pollution urbaine et la pollution industrielle transportées par les vents affectent même l'eau des océans. Pendant trop longtemps, nous avons refusé de voir l'évidence ; il est grand temps que nous changions d'attitude.

◆◆◆◆◆◆◆◆◆◆◆◆◆◆◆◆◆◆◆◆◆◆◆◆◆◆◆◆◆◆◆◆◆◆

LES ESPÈCES MENACÉES

La disparition des espèces animales et végétales est un phénomène naturel. De fait, plus de 90 % des espèces ayant vécu sur la Terre sont aujourd'hui disparues. Beaucoup d'entre elles ont été remplacées par d'autres mieux adaptées à leur environnement ; certaines toutefois ont été victimes de gigantesques cataclysmes.

Depuis que les humains sont apparus sur Terre, le taux d'extinction des espèces s'est grandement accéléré. Partout nous avons tué des animaux pour nous nourrir, pour faire du commerce ou simplement pour le plaisir, et nos villes et nos campagnes ont remplacé les habitats naturels.

On calcule qu'au début du XXᵉ siècle, une espèce animale disparaissait tous les ans. Ce rythme s'est grandement accéléré depuis. La destruction des habitats et les massacres d'animaux augmentent à une allure alarmante: dans les années 90, on assiste à la disparition d'une espèce par jour. Des 5 à 10 millions d'espèces qui existent présentement, 1 million pourrait disparaître d'ici la fin du siècle. Au rythme actuel d'extinction, c'est au moins la moitié des espèces animales et végétales qui n'existeront plus dans 50 ans.

Chaque espèce qui disparaît est comme un accroc dans le tissu de la vie. On peut enlever beaucoup de fils dans une tapisserie sans que cela paraisse trop, puis tout à coup, passé un certain seuil, elle se déchire et tombe en lambeaux.

En tant que consommateurs, il peut arriver qu'on nous propose des biens de consommation fabriqués à l'aide de plantes ou d'animaux dont les espèces sont menacées de

Les choix des consommateurs comptent.

disparition. À moins que nous en prenions conscience et réagissions, nous devenons alors d'innocents complices d'une telle exploitation et ainsi nous contribuons à ce que l'étau se resserre davantage sur les espèces menacées.

Certaines de ces espèces menacées telles que le tigre, le rhinocéros, le gorille ou l'éléphant, sont bien identifiées et bien connues. Ce que nous savons moins, c'est que bien d'autres espèces sont dans une situation aussi précaire. À la suite de campagnes de boycottage dans les années 70, on n'utilise plus de substances extraites des baleines pour fabriquer des produits de beauté (on le fait encore cependant avec l'huile du requin pèlerin, pourtant une espèce menacée elle aussi). Certains reptiles ont moins de chance: on les transforme en sacs à main, en portefeuilles, en porte-monnaie, en ceintures ou en valises. On tue les tortues de mer pour les empailler, en faire des écailles, de la soupe, de l'huile, des peignes, ou encore des bijoux.

Les cactus et les orchidées sont menacés de disparaître. Ce fait est bien connu, mais combien d'entre nous savent qu'il en va de même pour des plantes comme le cyclamen qui sont devenues rares dans leur milieu naturel, mais qu'on trouve pourtant facilement dans les pépinières. Tant qu'il demeurera moins coûteux de déraciner de telles plantes que de les faire se reproduire en serre, on continuera de les cueillir en milieu naturel dans des pays comme la Turquie, l'Espagne ou le Portugal, entre autres.

❖❖❖❖❖❖❖❖❖❖❖❖❖❖❖❖❖❖❖❖❖❖❖❖❖❖❖❖❖❖

LA PROTECTION
DES ANIMAUX

Bien que le sujet soit empreint d'une grande émotivité, nous ne pouvons passer sous silence la question de la protection des animaux. Les implications morales, légales et économiques du débat entourant tout ce que nous faisons subir aux animaux sont telles qu'on ne peut les étudier en détail ici. Nous pouvons cependant souligner certains cas où les choix des consommateurs ont une incidence sur le bien-être des animaux.

Selon les chiffres du gouvernement, chaque année, 440 millions d'animaux sont élevés en vue de satisfaire les besoins en viande, ici et à l'étranger. De plus, chaque année, plus de 2 millions d'animaux sont utilisés aux fins de recherche dans les laboratoires canadiens, selon des informations recueillies par la Fédération des sociétés canadiennes d'assistance aux animaux (FSCAA). Cet organisme, fondé en 1957, reconnaît que le Conseil canadien de protection des animaux (CCPA) a permis que soient apportées «de grandes améliorations au traitement des animaux de laboratoire», mais que «nous devons faire davantage». En 1989, la Fédération a mis sur pied un groupe de travail chargé de proposer et de faire adopter par la Chambre des communes des lois assurant la protection des animaux de laboratoire. Les défenseurs des droits des animaux prétendent qu'il existe pour les chercheurs d'autres possibilités que d'utiliser des animaux aux fins d'essais scientifiques. Parmi celles-ci,

Des changements d'attitude positifs à l'égard des animaux.

citons les modèles mathématiques et informatiques, l'usage des oeufs et du placenta humain après son expulsion.

On note certains signes d'un changement d'attitude des humains envers les animaux. Vers la fin de 1988, trois jeunes baleines grises de Californie emprisonnées dans les glaces de l'Arctique furent dégagées à la suite d'efforts prolongés d'équipes internationales, au grand soulagement du public qui suivit toutes les péripéties du sauvetage grâce à la télévision. N'oublions pas qu'il y a quelques décennies à peine, Européens et Nord-Américains massacraient ces baleines et ce sont les pressions de l'opinion publique internationale qui ont permis d'interdire cette chasse.

Les activités récréatives où l'on observe les animaux plutôt que de les tuer ou de les capturer deviennent de plus en plus populaires. L'observation des oiseaux est devenue le passe-temps favori de millions de Nord-Américains. De plus en plus de voyageurs parcourent l'Amazonie ou la vallée du Rift de l'Est africain armés de caméras et de livres d'identification plutôt que de fusils de chasse.

Les méthodes employées par certains groupes radicaux ne plaisent pas à tout le monde. Des slogans du type «Viande égale meurtre» ont été peints sur les murs des comptoirs de restauration rapide. Des activistes ont pénétré dans des laboratoires pour y libérer des animaux destinés à la recherche. Ces gestes sont faits par des groupes pour qui il n'y a pas de différence entre la violence faite aux animaux et celle faite aux humains. Leurs méthodes

Le pouvoir du consommateur peut faire la différence.

révèlent la force de leurs convictions. Les consommateurs sensibilisés n'ont pas besoin de faire des gestes aussi radicaux pour influencer le débat : ils ont d'autres moyens d'assurer la protection des animaux et des plantes avec qui ils partagent cette planète.

Devant une telle liste de dangers qui font peser une menace sur notre environnement, nous pourrions être tentés de désespérer. Cependant le désespoir ne ferait qu'empirer les choses. Pour sauver notre planète, il va nous falloir en assumer la responsabilité dans tous les aspects de notre vie quotidienne, dès maintenant. Le pouvoir du consommateur *aVERTi* peut faire la différence.

Chapitre 2

LA NOURRITURE

Boire et manger nous maintiennent en vie. Aussi sommes-nous touchés de près quand nous apprenons que ça va plutôt mal dans ce secteur comme dans bien d'autres. Que se passe-t-il avec les boissons et les aliments que nos enfants et nous-mêmes consommons chaque jour? Selon certaines études canadiennes, de 85 % à 95 % de tous les poisons chimiques que nous absorbons nous atteignent par la nourriture que nous consommons.

« Peu de gens se rendent vraiment compte que l'acte de se nourrir en dit long sur la volonté de promouvoir le bien-être et, par là même, la création d'un habitat plus sain. »

John Robbins,
Se nourrir sans faire souffrir

Dans le domaine de l'alimentation, le laisser-faire des gouvernements est criant. Santé et Bien-Être Canada n'effectue des tests que sur moins de 1 % de toutes les importations de nourriture ; de plus, au moyen de ces tests, on n'identifie que quelques-uns des pesticides susceptibles de s'y trouver. Le vérificateur général du Canada, Kenneth Dye, a d'ailleurs vivement critiqué ce qu'il a appelé «notre dépistage très limité» des résidus de pesticides dans les produits canadiens aussi bien qu'importés.

Cet aveu n'est pas rassurant, mais cela, nous le savions déjà. Les consommateurs avisés recherchent de plus en plus les aliments complets et sains, les fruits et les légumes frais et réagissent favorablement aux expressions «sans additif», «naturel» ou «pur» quand ils les lisent sur les étiquettes.

Trop souvent, cependant, ces précautions ne nous protègent pas suffisamment des conséquences reliées à la consommation d'aliments bourrés de produits nocifs. Il est vrai que, depuis quelques années, l'espérance de vie des Québécois augmente : mais il ne faut pas oublier cependant que cancer et autres maux n'apparaissent souvent que bien des années après l'exposition aux substances qui les provoquent.

On ne peut se préoccuper de la santé individuelle sans s'intéresser à celle de la terre. Les deux sont inextricablement reliées. En travaillant à améliorer la condition chancelante de notre planète, nous savons que nous contribuons en même temps à éloigner les menaces qui pèsent sur notre propre santé.

Le piège à éviter, c'est de se sentir impuissant dans la recherche de solutions. Nous sommes des consommateurs, et nos revendications peuvent peser lourd dans la balance. Prenons l'exemple de l'alar, un produit chimique dont on asperge les fruits, principalement les pommes, pour favoriser leur croissance et qu'on ne peut enlever en les lavant ou en les pelant. Après qu'aux États-Unis un rapport fut publié dans lequel on démontrait que les enfants d'âge préscolaire absorbaient des quantités inquiétantes d'alar, surtout s'ils buvaient beaucoup de jus de pomme, les consommateurs ont réagi en demandant aux détaillants de leur offrir des fruits et des jus exempts de ce produit, quitte à s'en passer s'ils n'en trouvaient pas. Cette réaction amena le fabricant d'alar à retirer son produit du marché américain (il continua toutefois de le vendre à l'étranger). Peu de temps après, au Canada, c'est à la demande des producteurs de pommes, qui s'inquiétaient de voir diminuer leurs ventes, que l'alar cessa d'être vendu, non pas à la suite de l'intervention du gouvernement.

Autre exemple : aux États-Unis, à la compagnie Heinz, on a exigé des fermiers qui fournissaient les produits entrant dans la composition de nourriture pour bébés, qu'ils cessent

Les consommateurs provoquent des changements.

d'arroser les récoltes avec 12 produits chimiques dont l'usage était pourtant légal. On s'inquiétait de l'action de ces produits sur les bébés parce que ceux-ci, d'une part, consomment beaucoup de fruits et de légumes, et parce que, d'autre part, leur masse corporelle est évidemment moindre que la masse moyenne des gens. (Or, c'est sur cette moyenne qu'on se base pour décider si un produit est dangereux ou non et pour déterminer les seuils de tolérance.) En raison de ces deux facteurs, les bébés deviennent des personnes à risque pour ce qui est de l'absorption de résidus de pesticides.

En plus de ses effets sur la santé, l'usage de produits chimiques en agriculture et dans la transformation des aliments constitue un risque environnemental bien réel, notamment dans l'air et dans l'eau. Les dommages observés s'avèrent très nombreux. Les dirigeants de plusieurs compagnies, ayant constaté combien il pouvait être rentable de se donner une bonne image en proclamant leur souci de protéger l'environnement, ont retiré les additifs alimentaires de leurs produits, laissant croire que ceux-ci étaient maintenant inoffensifs. C'est loin d'être suffisant. Si vraiment dans ces entreprises on a à coeur de protéger l'environnement, on doit rechercher des aliments exempts de pesticides ou d'autres résidus chimiques (lesquels, n'étant pas considérés comme des additifs, n'ont pas à être identifiés sur les étiquettes).

❖❖❖❖❖❖❖❖❖❖❖❖❖❖❖❖❖❖❖❖❖❖❖❖❖❖❖❖❖❖❖

LES MÉFAITS DE L'AGRICULTURE CHIMIQUE

L'utilisation annuelle de fertilisants synthétiques dans l'agriculture québécoise s'est accrue de 350 % de 1949 à 1984 (de 136 727 à 498 707 tonnes). Presque tous les aliments que nous mangeons de nos jours sont cultivés à l'aide de ces produits chimiques de synthèse. La monoculture a succédé à la polyculture. Autrefois, des fermiers polyvalents collaboraient avec la nature pour cultiver une variété de produits agricoles. Ce qu'on appelle l'agro-industrie a transformé les fermes, et d'une année à l'autre on n'ensemence plus maintenant qu'une ou deux sortes de produits sur de très grandes surfaces. La plupart des administrateurs de ces véritables industries de la terre sont des spécialistes aux vues étroites qui considèrent l'exploitation à outrance des sols à l'aide de produits chimiques comme tout à fait normale. Pourtant, à peine 0,1 % de tous ces produits chimiques atteignent effectivement leur cible : les 99,9 % qui sont perdus contaminent l'air, l'eau, le sol et, bien sûr, nos aliments.

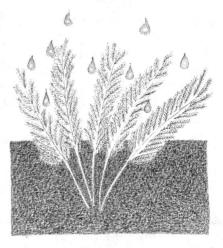

Ces méthodes dites modernes ont permis une augmentation substantielle des rendements agricoles partout dans le monde, mais il y a un revers à cette médaille. La monoculture offre un terrain extrêmement favorable à certains insectes qui y prolifèrent, s'y reproduisent et, par la suite, deviennent résistants aux pesticides qu'on utilise en grandes quantités pour s'en débarrasser. Ce qui oblige à inventer des produits encore plus puissants pour enrayer ces nouveaux problèmes.

Au Québec, selon des chiffres fournis par Forêt Conservation (1988), les producteurs agricoles utilisent 32 fois plus de pesticides qu'en 1945 et 6 fois plus qu'en 1970. La situation ressemble à celle que l'on observe partout dans le monde alors que depuis le milieu des années 40, la quantité de pesticides utilisés chaque année est passée de presque rien à 2 millions de tonnes. Ces pesticides tuent les travailleurs agricoles qui, de toute évidence, sont les plus immédiatement menacés : on estime que 10 000 personnes meurent chaque année dans le Tiers monde à cause d'une mauvaise manipulation et d'un épandage inadéquat de ces produits.

Les pesticides peuvent être ingérés, inhalés ou absorbés par la peau. Une fois dans l'organisme, ces produits sont susceptibles d'entraîner des effets variables selon leurs propriétés : effets aigus, chroniques, tératogènes, cancérigènes, etc. Chaque année, au Centre de toxicologie du Québec, on comptabilise près de 1 000 cas d'intoxication par les pesticides. En juin 1989, on a publié les résultats préliminaires d'une recherche entreprise par le gouvernement fédéral auprès de 70 000 fermiers de la Saskatchewan : selon cette étude, ceux qui faisaient un plus grand usage du 2,4-D et autres herbicides étaient plus susceptibles de mourir des cancers du système lymphatique (lymphomes non hodgkiniens) que ceux qui les utilisaient peu.

Mais il n'y a pas que les pesticides. Plutôt que de procéder au recyclage du fumier par compostage, on le disperse n'importe comment, ce qui fait que ce fumier va polluer les cours d'eau au lieu d'enrichir le sol ; l'excès d'azote y empoisonne les poissons et les humains, possiblement. Le sol reçoit ainsi fort peu de matières organiques ; ce facteur, ajouté aux pratiques agricoles désastreuses, fait qu'aujourd'hui l'érosion due à la pluie et au vent emporte en 4 à 8 ans le centimètre de bonne terre qui avait mis 150 ans à se former.

Nous ne pouvons plus présumer que la production agricole va continuer d'augmenter. Notre production céréalière et nos réserves, deux bons indicateurs de notre sécurité alimentaire globale, plafonnent. Au Worldwatch Institute, on rapporte que la production de céréales a connu une croissance rapide entre 1950 et 1984, période au cours de laquelle on a multiplié par 10 les quantités d'engrais employées, et par 3 les surfaces irriguées. Toutefois, on a vu la production décroître légèrement en 1985 et en 1986, puis de façon abrupte en 1987 et en 1988, ramenant notre production mondiale au niveau de ce que nous produisions au milieu des années 70. À la fin des années 60, chaque tonne supplémentaire d'engrais utilisée aux États-Unis dans la zone de production du maïs (le *Corn Belt*) permettait

Quatre cent cinquante millions de tonnes de céréales pour engraisser le bétail.

d'augmenter de 15 à 20 tonnes la production de cette céréale. Maintenant, la même quantité d'engrais n'amène qu'un surplus de production de 5 à 10 tonnes.

Environ 450 millions des 1 500 millions de tonnes de la production mondiale de céréales servent à engraisser le bétail, principalement les troupeaux de boeufs. C'est un véritable gaspillage. Il n'existe pas de pire façon de produire de la nourriture : les céréales nécessaires à la production de quatre portions de hamburgers vite engloutis suffiraient à nourrir une famille du Tiers monde pendant toute une semaine.

Pour produire selon les méthodes actuelles, nous consommons énormément d'énergie. Nous sommes parmi les pays les plus dépensiers de la Terre sur ce plan ; il nous faut 12 unités d'énergie pétrochimique pour produire une unité d'énergie alimentaire.

De plus, la combustion de ces carburants, ajoutée à celle du bois, crée d'énormes quantités de protoxyde d'azote qui, répandu dans l'air, contribue à aggraver l'effet de serre, tout comme l'azote contenu dans les engrais chimiques. Les plantes elles-mêmes utilisent moins de la moitié des engrais qu'on leur destine. Dans le sol, une partie de l'azote se transforme en protoxyde d'azote puis est relâché dans l'atmosphère, où il se mêle à la vapeur d'eau pour causer les précipitations acides.

Ces engrais, ajoutés aux pesticides, ne font pas que polluer l'air. Ils pénètrent dans le sol et finissent par atteindre la nappe phréatique. Dans les régions agricoles, les eaux souterraines sont souvent la seule source d'eau potable pour les gens, les troupeaux et les cultures. Les eaux contaminées refont surface dans les lacs, les rivières et réapparaissent même quelquefois au niveau du sol : ainsi nous pouvons dire que nous pratiquons le recyclage de nos poisons !

◆◆◆◆◆◆◆◆◆◆◆◆◆◆◆◆◆◆◆◆◆◆◆◆◆◆◆◆◆◆◆◆◆◆

LE CHOIX ÉCOLOGIQUE

Dans l'espoir de se nourrir un jour avec des aliments sains dont la production ne mettra pas la planète en péril, il nous faut nous tourner vers une autre forme d'agriculture, qu'on appelle «agriculture durable». Ce modèle comprend l'agriculture biologique, l'agriculture biodynamique, la méthode intensive française et les méthodes dites écologiques. Elles ont toutes en commun de permettre de produire une nourriture de qualité dans le respect des lois de la nature. Prenons à titre d'exemple l'agriculture biologique .

Dans le *Répertoire de l'agriculture biologique au Canada*, publié par le groupe Canadian Organic Growers, vous trouverez la liste des producteurs, détaillants, grossistes et fournisseurs de tout ce qui est relié à l'agriculture biologique, des aliments aux outils de jardin, des services d'analyse d'eau aux auberges et gîtes du passant qui servent des repas composés d'aliments biologiques.

On peut commander ce répertoire à l'adresse suivante, en joignant un chèque ou mandat-poste de 12,95 $ (offert en anglais seulement):

Canadian Organic Growers
C. P. 230, Heidelberg (Ontario) N0B 1Y0

Les critères pour l'agriculture biologique

À la Fédération internationale des mouvements d'agriculture biologique, on a énoncé cinq critères de base pour ce type de production :

◆ Le fermier biologique doit utiliser les ressources qui se trouvent à sa portée plutôt que de les faire venir de l'extérieur.

◆ L'agriculteur doit maintenir et augmenter la fertilité du sol au lieu de l'épuiser.

◆ Il faut mettre l'accent sur la qualité nutritive de la nourriture produite plutôt que sur la quantité.

◆ L'usage des combustibles fossiles doit être maintenu au plus bas niveau possible.

◆ Les employés agricoles ont droit à des conditions de travail et à des salaires satisfaisants.

❖❖❖❖❖❖❖❖❖❖❖❖❖❖❖❖❖❖❖❖❖❖❖❖❖❖❖

Donc, sur une ferme biologique, on ne trouvera ni engrais chimiques, ni pesticides, ni hormones de croissance, ni additifs alimentaires dans la nourriture des animaux d'élevage. Par contre, on trouvera un sol bien amendé, riche en matières organiques, où l'érosion est faible et qui produit des plantes plus résistantes aux maladies et aux attaques des insectes, virus et champignons.

Les déchets végétaux et le compost produit sur place contribuent à maintenir la fertilité du sol, là où les vers de terre et les bactéries vivent en abondance. De fait, le but de l'agriculteur biologique est d'obtenir un sol de plus en plus fertile plutôt qu'une terre dont la fertilité diminue d'année en année.

La polyculture (variété et rotation des ensemencements) est aussi très importante sur une ferme biologique. Contrairement à la monoculture pratiquée sur une période prolongée, qui favorise l'invasion des insectes et des champignons microscopiques responsables de la moisissure et de certaines maladies, ce type d'agriculture donne préséance aux cycles de la nature et au recyclage, dans un système de production autorégénérateur et autonome. Le mode d'exploitation traditionnel, de son côté, épuise les sols en n'y retournant pas ce qu'il y prélève.

Les animaux d'élevage tirent profit de l'agriculture biologique. Ils ne sont pas parqués dans des cages ou des enclos exigus et on ne les bourre pas d'antibiotiques et autres médicaments pour prévenir les maladies. En fait, la maladie y est si rare que les frais de vétérinaire y sont quasi inexistants. Les troupeaux contribuent de plus au cycle des matières organiques sur la ferme : ils sont nourris avec des céréales et des légumes biologiques et leurs excréments produisent un fumier qui sert à enrichir le sol.

Évidemment, l'agriculture biologique demande une main-d'oeuvre plus abondante. Il faut du temps pour suivre de près l'évolution des cultures, bien sentir la terre, voir si les vers de terre y sont abondants, y faire du compost et enlever les mauvaises herbes à la main. «On en arrache avec les mauvaises herbes», confesse un producteur biologique du Manitoba dans une étude faite pour le compte des producteurs biologiques du Canada, «mais ceux qui ont recours aux arrosages en souffrent aussi».

❖❖❖❖❖❖❖❖❖❖❖❖❖❖❖❖❖❖❖❖❖❖❖❖❖❖❖❖❖❖

La demande
pour les aliments biologiques

Au ministère de l'Agriculture, Pêcheries et Alimentation du Québec, on estime que, dans la province, 2 000 agriculteurs se sont convertis à l'agriculture biologique ou s'apprêtent à le faire. On constate une tendance semblable dans tout le Canada.

Comme nous achetons une grande partie de notre nourriture aux États-Unis, il est intéressant de savoir que là-bas, les agriculteurs biologiques produisent déjà pour 5 milliards de dollars (sur un total de 36) de fruits et de légumes annuellement. La demande croît rapidement en Amérique du Nord ; on calcule qu'actuellement, au Québec, la demande est 10 fois supérieure à l'offre. Au Canada en général, la demande est si forte qu'il est facile pour les producteurs biologiques de vendre toute leur production sur place. Dans une étude réalisée en 1988 auprès des consommateurs, on révèle que 70 % de ceux qui n'achètent pas les produits biologiques le feraient si l'on en offrait davantage. Bien plus, 53 % des personnes interrogées ont affirmé qu'elles étaient disposées à payer jusqu'à 25 % de plus pour de tels produits.

On ne peut attribuer uniquement aux coûts de production la responsabilité des prix plus élevés des produits biologiques. Ces prix découlent plutôt de l'absence d'économies d'échelle dans la transformation, le transport et la vente au détail ; les opérations à grande échelle permettent des économies qui font baisser le prix de détail en bout de ligne. Il faut comprendre que ce problème d'échelle est relié à la problématique de la production en agriculture. *Small is beautiful* disait E. F. Schumacher : même si l'on parvenait à régler tous les problèmes environnementaux, il est peu probable que la culture biologique pourrait se faire à une échelle comparable à celle de l'agro-industrie actuelle.➤

À LA RECHERCHE
D'UN BON MARCHÉ D'ALIMENTATION

Pour votre mieux-être et celui de votre famille, parlez au gérant de votre marché d'alimentation ou de votre supermarché au sujet des aliments que vous aimeriez trouver et des pratiques que vous aimeriez voir instaurer dans son commerce. Prenez quelques minutes pour écrire au président ou au siège social de chaque grande chaîne de magasins qui a une succursale dans votre région (le gérant vous donnera l'adresse). Il suffit parfois de quelques commentaires bien sentis de la part de consommateurs avisés pour amener un changement de stratégie chez les détaillants, surtout s'ils sentent qu'ils doivent s'adapter pour ne pas être dépassés par leurs concurrents.

Pour savoir si votre marché d'alimentation répond à vos besoins, comptez le nombre de fois que vous pouvez répondre «oui» aux questions suivantes :

Les sacs
• Offre-t-il un choix de sacs de différents formats ?
• Vous fait-il payer pour les sacs ?
• Vous offre-t-il une remise si vous rapportez vos sacs ?
• Les sacs retournés sont-ils recyclés ?

L'emballage
• Y a-t-il un comptoir des viandes où vous pouvez acheter des produits qui ne sont pas préemballés ?
• Est-ce qu'on évite d'emballer à l'avance dans du plastique les fruits et légumes ?
• Y a-t-il une section d'aliments en vrac où vous pouvez apporter vos propres contenants ?

Les déchets
• Est-ce qu'on récupère le carton ?
• L'administration a-t-elle instauré un programme de récupération ?
• Est-ce qu'on permet que les aliments légèrement avariés soient donnés à des organismes de charité ou envoyés au compostage ?

Les produits
• Est-ce qu'on y offre des produits biologiques certifiés ?
• Au rayon des produits de nettoyage, offre-t-on les six produits de remplacement que nous présentons au chapitre 3 ?
• Est-ce que le pays d'origine des produits est toujours clairement indiqué ?

L'entretien
• Refuse-t-on d'employer des produits chimiques pour détruire les insectes et les rongeurs indésirables ?
• Emploie-t-on des produits non toxiques pour nettoyer les planchers et les comptoirs ?

La promotion
• Est-ce qu'on fait connaître ses choix environnementaux et les justifie-t-on ?
• Procède-t-on, à l'intérieur de l'établissement, à la promotion des produits qui respectent l'environnement ?

On a vu apparaître ces dernières années des réclames dans plusieurs chaînes de marchés d'alimentation pour annoncer aux consommateurs des produits «purs», «naturels» ou «écologiques». Les consommateurs doivent se méfier de ces étiquettes qui répondent davantage aux impératifs du marketing et de la présentation qu'à une véritable préoccupation environnementale. Par exemple chez Loblaws à Toronto, on a fait la promotion d'un bicarbonate de sodium prétendument «écologique» de marque President's Choice. Les consommateurs ont réagi favorablement à ce produit, ce qui prouve bien qu'il y a un marché pour ces marchandises. Cependant, il faut rester sur ses gardes et ne pas prendre des vessies pour des lanternes: le bicarbonate de sodium est toujours du bicarbonate de sodium et il n'y a pas une marque qui soit plus écologique qu'une autre.

Devant un tel état de faits, plusieurs producteurs envisagent l'utilisation d'au moins quelques-unes des techniques de l'agriculture biologique. C'est ainsi que l'on adopte de plus en plus la gestion intégrée des insectes et des plantes nuisibles : on pratique un contrôle écologique, et on n'a recours aux pesticides chimiques qu'en cas d'échec. Ce type de gestion inclut également l'emploi de méthodes agricoles qui préservent le mieux la santé des personnes et de l'environnement tout en permettant de substantielles économies d'énergie non renouvelable.

◆◆◆◆◆◆◆◆◆◆◆◆◆◆◆◆◆◆◆◆◆◆◆◆◆◆◆◆◆◆◆◆

Les programmes de certification

Beaucoup de Québécois produisent des aliments biologiques dans leur jardin (voir chapitre 6). Cependant, selon la réglementation actuelle, si cela ne fait pas au moins trois ans que des produits chimiques n'ont pas été utilisés dans votre jardin, sur les pelouses adjacentes et même chez vos voisins, vous ne pourriez pas vous qualifier comme producteur biologique au Canada et au Québec. Une nouvelle normalisation est présentement en cours au Québec et le gouvernement doit en dévoiler le contenu sous peu. La mise en place des mécanismes de contrôle et d'accréditation suivra, mais on ne sait ni quand ni comment ce processus sera définitivement mis en vigueur. En Californie, les critères sont beaucoup moins sévères : leurs produits peuvent être étiquetés «produits biologiques certifiés» si le sol n'a pas été exposé aux produits chimiques depuis un an.

Il faut bien comprendre aussi qu'il n'y a rien de «biologique» dans des produits qu'on qualifie de «purs», «frais», «naturels» ou «écologiques» dans une réclame tapageuse. Pour être biologiques, les produits doivent se conformer à la définition donnée au Canada par Consommation et Corporations Canada, à moins que le consommateur ne soit prêt à accepter la définition californienne, auquel cas il devrait rechercher la certification de la California Certified Organic Farmers (**CCOF**). Il peut donc rechercher ces lettres sur l'étiquette du produit qu'il veut acheter, ou mieux encore, celles de la certification canadienne : **MAB** (Mouvement pour l'agriculture biologique) au Québec ; l'étiquette «**Demeter**» en Ontario ; **SOOPA** en Colombie-Britannique ; ou encore **OCIA** (Organic Crop Improvement Association).

Certains producteurs agricoles aux États-Unis,

comme au Canada et au Québec, doutent de la valeur de l'accréditation des produits biologiques effectuée par les organismes gouvernementaux, et refusent que l'on accole les étiquettes de certification sur les produits qu'ils distribuent dans les différents réseaux. Les aliments issus de ces exploitations agricoles indépendantes peuvent être très fiables, mais seuls les marchands peuvent témoigner de leur authenticité. Il ne s'agit que d'exceptions et la prudence est de mise. En règle générale, si le produit que l'on vous offre ne porte pas une des étiquettes mentionnées, il n'est pas biologique. Si l'on ne donne que des réponses évasives à vos questions, **renseignez-vous auprès de l'OCIB,**

Organisme pour le contrôle de l'intégrité des produits biologiques, 235, rue Héraut, bureau 410, Drummondville, J2C 1J9, tél. : (819) 477-6242.

Tout producteur canadien qui désire obtenir la certification doit se soumettre à de rigoureuses inspections et accepter d'appliquer des normes de production très strictes. On trouve dans le monde au moins 39 différentes certifications de production biologique, mais à l'OCIA International qui est présente également aux États-Unis, au Mexique, au Pérou, au Belize et en Turquie, on a réussi à faire reconnaître ses normes en Amérique du Nord et en Amérique du Sud et l'on est en bonne voie de faire de même partout dans le monde.

❖❖❖❖❖❖❖❖❖❖❖❖❖❖❖❖❖❖❖❖❖❖❖❖❖❖❖❖❖❖

Les apparences sont trompeuses

Ceux qui s'opposent à l'usage des pesticides répètent qu'il faut se méfier des produits dont l'apparence est trop parfaite, parce qu'ils contiennent probablement des résidus de pesticides. Il est vrai que les produits biologiques n'ont pas une forme aussi régulière, n'ont pas une couleur aussi uniforme, peuvent avoir des meurtrissures, des taches ou d'autres petites imperfections. Mais cela ne concerne que l'apparence, rien d'autre : ne confondez pas l'apparence et la qualité réelle du produit.

◇◇◇◇◇◇◇◇◇◇◇◇◇◇◇◇◇◇◇◇◇◇◇◇◇◇◇◇◇◇◇◇

Les dangers de l'agriculture chimique

Les fermiers canadiens utilisent en un an 88 000 tonnes de pesticides pour tuer les insectes nuisibles et les mauvaises herbes, et pour prévenir les maladies. Cela leur coûte au bas mot 870 millions de dollars. Ce montant, que nous les consommateurs payons en bout de ligne, sert à acheter

5 000 produits différents. Plusieurs d'entre eux sont des produits systémiques qui pénètrent à l'intérieur des fruits et des légumes comme la laitue et ne peuvent être enlevés par le rinçage. De plus, certains de ces pesticides ont une durée de vie prolongée et peuvent se retrouver, des années après leur épandage, dans les produits que nous consommons.

Parmi tous ces produits chimiques, le captane est l'un des plus dangereux. Ce fongicide utilisé pour aider à la conservation des fruits, des légumes et des noix dans les entrepôts, dans les boîtes d'emballage et sur les semences de maïs et de soja, est reconnu comme étant mortel pour les poissons, les oiseaux et les abeilles. L'alachlore, le pesticide le plus répandu dans le monde, a été interdit au Canada en 1988, mais son usage est encore permis aux États-Unis et dans 60 autres pays à travers le monde. D'autres produits comme les fongicides bénomyl et chlorothalonyl détruisent la vie marine.

Nous avons des instruments d'une grande précision capables de déceler la moindre trace de pesticide dans la nourriture, mais aucun appareil ne peut anticiper les effets à long terme de la consommation d'aliments contaminés. Les seuils de tolérance fixés par la loi, que plusieurs consi-dèrent trop élevés, sont établis à partir d'une moyenne de consommation pour un adulte. Non seulement ces moyennes sont-elles en elles-mêmes souvent suspectes, mais encore elles ne tiennent aucun compte des habitudes de consommation des enfants ou des adultes qui consomment davantage d'un aliment. Les fruits, par exemple, peuvent constituer 20 % de la diète d'un adulte, mais pour un enfant d'âge préscolaire, ce pourcentage peut grimper à 34 %.

De plus, aucune recherche ne permet de nous renseigner sur les conséquences de la combinaison de ces différents résidus dans notre organisme. Dans une étude effectuée en Nouvelle-Écosse sur les produits canadiens, on a découvert que 60 % des fraises et 50 % des céleris soumis à l'examen contenaient des traces de 39 pesticides différents ! Si dans cette même étude on avait analysé des produits d'importation, il est plus que probable que ce nombre aurait été encore plus élevé et qu'on y aurait décelé des pesticides interdits au Canada.

◆◆◆◆◆◆◆◆◆◆◆◆◆◆◆

Terres en péril

Indiscutablement, la dégradation de notre environnement menace notre approvisionnement en nourriture. Partout dans le monde, les sols s'appauvrissent et l'on calcule

DÉTAILLANTS
DE PRODUITS BIOLOGIQUES

La liste des marchands que nous proposons ici n'est que partielle. Si vous vous présentez assez tôt dans les marchés publics, vous pourrez probablement trouver des aliments biologiques. Par ailleurs, pour plus d'informations vous pouvez chercher dans les pages jaunes de l'annuaire du téléphone sous certaines rubriques telles que Aliments naturels, Produits naturels et Coopératives, entre autres. Et puis, pourquoi ne pas inciter le gérant de votre épicerie ou de votre supermarché à offrir des aliments biologiques ?

L'alimentation biologique gagne en popularité au Québec et tout porte à croire que les consommateurs vont demander de plus en plus de produits exempts d'additifs chimiques et de pesticides, et qui n'ont pas été traités par irradiation. L'évolution de ce marché s'est caractérisée ces dernières années par un accroissement de la variété des produits certifiés et une légère baisse des prix. En fait, plus la production biologique gagnera en importance, plus les prix s'approcheront de ceux de l'agro-industrie.

Les magasins d'alimentation naturelle se multiplient et l'on en trouve maintenant dans plusieurs municipalités québécoises, réparties dans la plupart des régions. Montréal à elle seule regroupe plus d'une cinquantaine de comptoirs d'alimentation naturelle. Sur la rue Saint-Denis seulement, on en dénombre une dizaine : Tau, Santé Bonheur, Lim, Madame Nature, l'Aube, Boutique médecine douce, Nouveau Gourmet, Bio Symbiose et l'Académie des sciences naturelles.

Dans la région de Québec, il est possible de se procurer des aliments biologiques dans presque toutes les municipalités de la Communauté urbaine de Québec. À Québec même, les principaux détaillants en alimentation biologique sont le CRAC sur la rue Saint-Jean, la Douce Bouffe sur Turnbull et Au Naturel, rue Saint-Cyrille. On en trouve également à Sillery (La Rosalie), à Sainte-Foy (La Giroflée) et à Charny (Le Coin de la Nature).

Ailleurs en province, les magasins d'aliments naturels autres que certaines grandes chaînes qui offrent partiellement ce service, sont situés à Hull (2), Sherbrooke (3), Victoriaville (3), Trois-Rivières (3), Rivière-du-Loup (2), Rimouski (1) et on en compte également 5 dans Lanaudière, 3 au Saguenay-Lac Saint-Jean et 1 en Abitibi.

que 25 milliards de tonnes de sol fertile sont perdues chaque année à cause de l'érosion.

Certaines régions sont plus menacées que d'autres ; par exemple, au Canada, dans la vallée du fleuve Fraser, 30 tonnes de sol par hectare étaient emportées par l'érosion annuellement au milieu des années 80. En Nouvelle-Écosse, c'est de 2 et à 26 tonnes de bonne terre à l'hectare qui sont perdues chaque année. L'Île-du-Prince-Édouard a déjà perdu la moitié de sa couche de terre fertile depuis le début du XXᵉ siècle. Le Québec n'échappe pas au phénomène, et pour les agriculteurs, la facture prend des proportions assez élevées, si l'on considère les coûts à payer pour la régénération des terres fertiles. En 1986, au Conseil des productions végétales du Québec, on estimait à 105 millions de dollars les pertes directes encourues annuellement à cause du tassement des sols, et de l'érosion hydrique et éolienne.

Dans l'ensemble du Canada, la dégradation des sols coûte chaque année près de 1 milliard de dollars aux agriculteurs, dont 400 millions de dollars de dommages causés par l'eau et 300 millions attribuables au vent. Dans les Prairies seulement, l'érosion fait perdre annuellement 380 millions de dollars aux agriculteurs et chaque année, cette somme augmente de 5 %. Pour couronner le tout, ces agents de dégradation des sols contribuent tout autant à la détério-

ration des cours d'eau et des nappes souterraines. Les résidus de produits chimiques s'y déposent, certes après avoir favorisé l'augmentation temporaire des récoltes, mais ils n'ont pas empêché le travail de l'érosion.

Le Québec est très vaste (1 540 680 km²). Cependant, sa superficie en terres arables classées de 1 à 4 ne représente qu'à peine 2 % de l'ensemble du territoire et de ce pourcentage, la moitié seulement des 3,6 millions d'hectares de terres cultivables bénéficient d'un climat favorable à l'agriculture. Pourtant nous réduisons continuellement les surfaces en culture : de 1961 à 1986, près de 2,2 millions d'hectares furent abandonnés ou reconvertis à d'autres usages.

Le pire, c'est que nous ne prenons pas soin des terres qui nous restent : on calcule que la moitié de la matière organique des sols du Québec, de l'Ontario et des Prairies a disparu à cause des pratiques de la monoculture, et rien n'est fait pour y remédier, comme on pourrait le faire par l'emploi de paillis et l'épandage de fumier, par exemple.

❖❖❖❖❖❖❖❖❖❖❖❖❖❖❖❖❖❖❖❖❖❖❖❖❖❖❖❖❖❖❖❖❖

L'IRRADIATION DES ALIMENTS

Dans nos choix alimentaires, nous sommes maintenant confrontés avec la délicate question de l'irradiation des aliments. Ce procédé consiste à bombarder les aliments de radiations pour en assurer la préservation. Si l'on considère que dans les pays tropicaux, par exemple, jusqu'à 50 % de la nourriture produite pourrit avant d'être consommée (surtout à cause de l'absence de réfrigération), cela peut sembler une bonne idée. Mais vous vous en doutez bien, cette technique comporte de sérieux inconvénients.

Précisons, d'entrée de jeu, que l'irradiation ne laisse aucune radioactivité dans les aliments, la nourriture n'étant jamais mise en contact direct avec des matières radioactives. La technique que l'on a développée au Canada consiste à bombarder la nourriture avec du cobalt 60 de la même manière qu'on le fait pour combattre une tumeur cancéreuse. Dans les deux cas, les doses de radiation sont déterminées pour produire les mêmes effets: détruire des cellules vivantes ou arrêter leur croissance. Par

Pourquoi irradier les aliments?

l'irradiation, on stérilise la nourriture qui se conserve alors beaucoup plus longtemps. On stoppe également la germination et l'on détruit certains insectes nuisibles avec leurs larves et leurs oeufs, tels que le charançon du blé par exemple.

L'irradiation est une pratique déjà largement utilisée dans l'industrie des soins médicaux. Commencée il y a plus de 20 ans, elle englobait, au milieu des années 80, près de la moitié du matériel médical à usage unique. Par contre, l'irradiation des pommes de terre, des oignons, du blé et de la farine est permise au Canada depuis environ 25 ans, bien qu'elle ne fût jamais pratiquée sur une échelle commerciale, ce qui veut dire qu'on n'a jamais vendu ici d'aliments irradiés. En mai 1987, les membres d'un comité sénatorial canadien ont conclu que trop de questions concernant les risques inhérents à cette pratique demeuraient sans réponse satisfaisante pour qu'on en généralise l'usage. Nonobstant cette évaluation, le gouvernement fédéral, au début de 1989, a choisi de rendre ce procédé plus attrayant pour l'industrie alimentaire. À Santé et Bien-Être Canada, on a inclus l'irradiation dans le règlement sur les aliments et drogues plutôt que de la considérer comme un additif alimentaire, ce qui permettait un contrôle moins sévère. Certains ont critiqué cette décision en disant qu'elle avait d'abord pour but de soutenir notre industrie nucléaire fort vacillante étant donné le peu de demande pour ses centrales électriques, dans le monde.

L'unité internationale de mesure de la radiation absorbée est le kilogray (symbole kGy). Le kilogray vaut 100 kilorads. Dans l'irradiation des aliments, les doses varient entre 15 kilorads pour les pommes de terre et 10 kGy pour la stérilisation de la volaille et de la viande. Moins de 1 kGy est considéré comme une faible dose : elle suffit pour prévenir la germination, tuer les insectes et ralentir le mûrissement. Une dose de 5 kGy est considérée comme moyenne : elle tue les bactéries, ce qui prolonge la durée de vie des aliments sur les présentoirs des marchés d'alimentation. Une dose de 10 kGy est considérée comme forte : elle détruit les virus et stérilise complètement la viande et la volaille de sorte qu'on peut les conserver à la température ambiante.

Santé et Bien-Être Canada n'a pas fixé de dose maximale pour l'irradiation des aliments destinés à la consommation humaine. Selon les nouveaux règlements canadiens, les utilisateurs potentiels devront fournir des tests d'efficacité, afin de déterminer quelles doses sont nécessaires pour produire les effets recherchés. À cause de cela, il est fort peu probable que la liste des aliments qu'on pourra irradier s'allonge avant le milieu des années 90. Les produits susceptibles d'y apparaître les premiers sont la volaille, le poisson et les fruits de mer, les fruits et les légumes.

La nourriture irradiée devra être identifiée à l'aide d'une étiquette sur laquelle on aura reproduit le RADURA, le symbole international d'identification des aliments irradiés. Le mot «irradié» n'apparaîtra pas sur ces étiquettes. On devra placer près des aliments en vrac irradiés, une affiche sur laquelle on apposera le symbole international pour indiquer clairement qu'ils sont irradiés. Il y a cependant une attrape avec les produits emballés : si un aliment irradié compte pour moins de 10 % de tous les ingrédients utilisés (le poulet ou les champignons dans la soupe par exemple), l'étiquette ne sera pas obligatoire, ce qui fait qu'en théorie, un aliment transformé contenant 11 ingrédients irradiés, bien que totalement affecté, pourrait ne pas porter le symbole d'irradiation, puisque aucun ingrédient ne dépasserait le 10 % minimal prévu. Malgré tout, ce règlement est meilleur que celui en vigueur aux États-Unis où l'on n'exige l'étiquette que si l'aliment est complètement irradié.

Identifier les aliments irradiés.

◇◇◇◇◇◇◇◇◇◇◇◇◇◇◇◇◇◇◇◇◇◇◇◇◇◇◇◇◇◇◇◇◇◇

La question de la sécurité

Un débat passionné fait toujours rage au sujet de l'irradiation des aliments. On s'interroge aussi bien sur la sécurité que sur l'utilité de cette technique de préservation. Un nombre de plus en plus élevé de scientifiques affirment que l'irradiation détruit les vitamines et autres éléments nutritifs. Certains croient que ce procédé crée de nouveaux produits chimiques et que ces produits créés par radiolyse pourraient être toxiques ou cancérigènes.

Bien que ses effets sur la santé soient encore mal connus, il n'y a pas de doute que cette technique a des incidences certaines sur l'environnement. On s'interroge sur l'opportunité de vendre aux pays du Tiers monde une technologie potentiellement dangereuse. On rappelle que dans ces pays, les pannes d'électricité sont fréquentes et que les techniciens spécialisés et les ouvriers d'entretien compétents y sont en nombre fort restreint. Ces facteurs augmentent les risques d'accident pouvant causer la mort de nombreuses personnes et la contamination de l'environnement sur de grandes étendues.

Les adversaires de l'irradiation fournissent les arguments suivants :

● Elle est inutile ; les méthodes actuelles de préservation sont tout à fait adéquates.

● Elle va faire augmenter le coût des aliments et cela n'aidera en rien ceux qui déjà, dans les pays en voie de développement, peuvent à peine s'acheter de la nourriture.

● Elle pourrait transformer notre nourriture en poison et en source de cancer, et il faudra des années avant que nous nous en apercevions.

● Elle amplifie le problème des déchets nucléaires ainsi que les dangers reliés à la production, au transport et à la manipulation des substances radioactives.

● Elle ne fait pas tout ce que ses protagonistes affirment qu'elle peut faire. Par exemple, elle n'assure pas la préservation à long terme : un aliment irradié pourra de nouveau être contaminé s'il est exposé à des bactéries.

● Cette technologie ouvre la porte à tous les abus possibles. En principe, l'irradiation doit se faire avec des aliments frais, mais qui sait si l'on ne s'en servira pas pour masquer le manque de fraîcheur ? À plusieurs reprises en Europe, on a eu recours à l'irradiation pour améliorer l'apparence de fruits de mer contaminés par des bactéries.

● Elle encourage l'industrie nucléaire et la grande agriculture chimique, lesquelles ont déjà causé du tort à l'environnement de bien d'autres façons.

Du point de vue des consommateurs, il est essentiel de rappeler qu'il n'y a à l'heure actuelle aucun moyen de savoir si un aliment a été irradié et quelle dose de radiation il a reçue. Tant qu'on n'aura pas trouvé un moyen de le faire, il serait préférable de décréter un moratoire sur l'usage de ce procédé au Canada. Au moins 75 % des Canadiens sont opposés à l'irradiation des aliments et les compagnies de transformation des aliments qui avaient annoncé leur intention d'y avoir recours ont dû y renoncer devant la réaction négative des consommateurs.

Les défenseurs de l'irradiation disent qu'on ne peut rien lui reprocher de concluant.

Par contre ceux et celles qui s'en inquiètent affirment qu'il y a un doute plus que suffisant et que les preuves scientifiques sont assez nombreuses pour justifier le décret d'un moratoire sur son implantation, jusqu'à ce qu'on ait acquis la certitude qu'on peut irradier les aliments en toute sécurité. La vente d'aliments irradiés est interdite en Allemagne, en Nouvelle-Zélande et dans plusieurs États américains.

Chez **Miracle Foodmart** et chez **Steinberg**, on a commencé à remplacer les systèmes de climatisation, les réfrigérateurs et les congélateurs dans les magasins par des appareils fonctionnant au fréon moins dommageable pour la couche d'ozone. À la division québécoise de ces compagnies on a commencé à filtrer et à réutiliser le fréon des camions réfrigérés au lieu de laisser le gaz s'échapper dans l'atmosphère.

◆◆◆◆◆◆◆◆◆◆◆◆◆◆◆◆◆◆◆◆◆◆◆◆◆◆◆◆◆◆◆◆◆◆◆◆

En alimentation comme ailleurs,
LA QUESTION DE L'EMBALLAGE CONSTITUE UN PROBLÈME SÉRIEUX

Beaucoup de problèmes environnementaux sont causés par la production, l'utilisation et la destruction des produits d'emballage. Cela va de la gestion des déchets aux précipitations acides. Il semble que plus un article coûte cher, plus on utilise d'emballage pour le présenter : pensez à cette très coûteuse boîte de chocolats ou encore à ces champignons de luxe placés dans une boîte elle-même enveloppée dans le plastique. En réalité, peu de produits alimentaires ont besoin de plus d'une couche d'emballage et plus rares encore sont ceux qui en ont besoin de plus de deux. Pourtant on voit fréquemment dans nos supermarchés des tomates présentées dans un contenant de carton ou de plastique, entourées d'une pellicule de plastique supplémentaire.

Les matériaux d'emballage traditionnels ont été remplacés par le polystyrène, le plastique et l'aluminium ; les emballages de plastique et les rondelles de plastique servant à tenir ensemble les canettes en paquets de six (ces fameux *six-packs* interdits dans 12 États américains) étranglent et font mourir les oiseaux et les poissons. Bien que le papier et le carton soient d'excellents

Le coût caché des emballages.

matériaux d'emballage et se dégradent rapidement dans les sites d'enfouissement, ils sont rarement fabriqués à partir de fibres recyclées, ce qui fait que chaque année, pour chacun de nous, il faut abattre deux arbres pour satisfaire nos besoins d'emballage.

Les petites boîtes contenant du jus, si légères, si faciles à transporter et à entreposer, posent un problème, car elles ne sont pas recyclables. Au lieu de nous procurer du jus en gros contenant recyclable, en verre par exemple, nous achetons ces boîtes faites de carton et de papier d'aluminium, enrobées de plastique et regroupées en paquets de six, eux-mêmes recouverts d'une pellicule de plastique. Comme nous le verrons au chapitre 7, les plastiques dits biodégradables ou photodégradables ne sont pas une solution : les environnementalistes croient que nous allons nous retrouver en fin de compte avec une poussière de plastique dont les effets sur l'environnement ne sont pas connus.

Les consommateurs ont leur mot à dire sur ces questions d'emballage. Ce sont eux qui, par exemple, ont fait retirer du marché aux États-Unis une canette de boisson gazeuse en plastique. Dans certains États américains, une taxe spéciale est imposée sur les matériaux d'emballage non recyclables, ce qui augmente le coût des produits emballés avec ces matériaux, les tubes de pâte dentifrice par exemple. En certains endroits, chez nous, il y a une politique incitative au sujet des

emballages : si vous ne rapportez pas vos sacs au magasin (les rapporter vous donne droit à une remise de quelques sous dans certains marchés d'alimentation), vous devrez payer pour en avoir de nouveaux.

Un conseil municipal en Angleterre a lancé une campagne sur le thème «N'achetez que ce que vous pouvez réutiliser».

Évidemment cela ne suffit pas, il faut aussi qu'on pratique le recyclage et, plus important encore, qu'on réduise notre niveau de consommation; mais chaque petit gain a son importance.

Voici quelques trucs utiles pour contribuer à faire avancer les choses:

◆ Si votre municipalité a un service de cueillette sélective des déchets, servez-vous-en.

◆ N'achetez, si c'est possible, que des bouteilles consignées.

◆ Ne jetez pas n'importe quel déchet n'importe où.

◆ Efforcez-vous de réduire la quantité d'emballage en polystyrène et en plastique que vous rapportez à la maison.

◆ Chaque fois que vous avez le choix, optez pour les produits faits avec des matières recyclées; s'il n'y en a pas sur les rayons, demandez pourquoi.

◆ Réutilisez les sacs en plastique que vous n'avez pas pu vous empêcher d'obtenir en achetant votre nourriture. Les sacs à lait, par exemple, sont excellents pour emballer la nourriture que l'on conserve au réfrigérateur ou au congélateur.

Nous allons maintenant vous indiquer d'autres pistes à suivre pour exprimer vos préoccupations environnementales à l'aide de votre pouvoir d'achat. Si vous achetez des noix du Brésil par exemple, vous encouragez des producteurs dont la zone productrice a été réduite de moitié en 10 ans par la destruction de la forêt amazonienne. Votre achat les récompensera d'avoir conservé des arbres dans ces zones de déforestation intensive.

❖❖❖❖❖❖❖❖❖❖❖❖❖❖❖❖❖❖❖❖❖❖❖❖❖❖❖❖❖❖❖

LES FRUITS
ET LES LÉGUMES

Pendant des années, on nous a incités, pour des raisons de santé, à consommer davantage de fruits et de légumes. Et c'est ce que nous avons fait. Au Québec, chaque personne en consomme en moyenne 189 kg par année, plus que le double de la consommation des Américains; cela représente une augmentation de 20 kg depuis 1973.

Même si la plus grande partie des importations canadiennes annuelles de nourriture (2,3 millions de tonnes) provient des États-Unis, il reste que nous en importons aussi de 80 pays différents. Pour qu'un aliment soit considéré vraiment frais, il faudrait qu'il soit transporté par avion, en Concorde supersonique de préférence! Ce n'est pas ce qui se passe. La plupart des denrées que nous importons sont acheminées ici par camion et il peut

L'ENTREPOSAGE
DE
LA NOURRITURE

Pour éviter que des métaux toxiques ne s'infiltrent dans votre nourriture (particulièrement les aliments acides ou gras) au moment de la cuisson ou au moment de l'entreposage, n'utilisez jamais de casseroles ou de contenants égratignés, ébréchés, picotés ou faits de cuivre non doublé. Servez-vous plutôt de poêlons émaillés et ne faites pas les sorbets ou les glaces à l'eau parfumées au jus de fruits (*popsicles*) dans des bacs à glace en métal ; ne rangez pas non plus la nourriture dans des boîtes de conserve ouvertes.

Méfiez-vous de la vaisselle en poterie émaillée à moins d'être sûr que la glaçure ne contient ni plomb ni cadmium. Les règlements du gouvernement fédéral ont rendu illégal l'usage de glaçures au plomb ou au cadmium pour tout contenant servant à la nourriture ou aux boissons, et quand les potiers adoptent de telles glaçures, ils doivent l'indiquer sur leurs produits. Les glaçures des contenants pour la nourriture doivent avoir un fini lisse et luisant qui scelle derrière une paroi étanche les toxines pouvant se trouver dans la peinture ou dans l'argile elle-même. La mise en vigueur de la réglementation fédérale a réduit considérablement le problème, mais il vaut toujours mieux s'informer avant d'acheter.

Quant aux verres décorés de logos, d'autocollants ou de slogans, il vaut mieux les conserver comme objets décoratifs seulement. À tout le moins, ne les lavez jamais dans le lave-vaisselle et ne permettez pas aux enfants de s'en servir pour boire : il y a de fortes chances que ces décalques soient saturés de plomb. Si vous achetez des verres comme souvenirs, choisissez de préférence ceux qui ont un bosselage en or ou en argent. Vous devriez également éviter de boire dans des verres de plastique bon marché.

Les aliments salés ou acides peuvent percer les emballages faits de feuilles d'aluminium. De toute manière, ce type d'emballage, de même que le papier ciré, la pellicule de plastique, les sacs à sandwichs ou à congeler, ne sont pas réutilisables. C'est pourquoi il vaut mieux les remplacer par des contenants réutilisables comme des pots de verre ou des contenants de plastique dur du genre Tupperware. Les contenants de yogourt et de margarine font aussi bien l'affaire, mais prenez garde si vous y conservez des aliments au goût très prononcé : une fois que vous aurez utilisé un de ces contenants pour de la sauce à spaghetti, vous verrez que tout ce que vous y mettrez par la suite prendra un tant soit peu le goût de cette sauce.

s'écouler des semaines avant que nous les retrouvions aux étalages des supermarchés. Si un arrivage est entreposé plus longtemps parce que le grossiste est pris avec des stocks trop abondants, alors ces délais s'allongent. Bien sûr les aliments ont encore belle apparence : on a prévu le coup en les arrosant de certains produits chimiques. On sait pourtant que la quantité de vitamine C et d'autres éléments nutritifs présents dans certains aliments diminue après la cueillette.

Et il y a aussi la question des cires. Non pas de la cire que nous sommes habitués de trouver sur les concombres, mais ce genre de cire que vous vous attendriez plutôt à retrouver sur votre parquet ou sur votre auto. Il n'y a pas que les pommes, les aubergines, les avocats, les tomates et les poivrons luisants dont il faut se méfier ; les cires sont aussi utilisées pour prévenir la perte d'humidité des citrons, des melons, des pêches, des courges et d'autres produits.

Pour contourner ce problème, achetez plutôt, chaque fois que c'est possible, des fruits et des légumes produits dans votre région. Recherchez de préférence des produits biologiques, petits, à l'apparence moins parfaite et pas trop emballés. Pourquoi petits ? C'est que les plus gros et les plus beaux ont probablement été produits à l'aide d'engrais chimiques et arrosés avec de nombreux pesticides pour en préserver l'apparence.

Achetez de préférence des aliments cultivés dans votre région.

L'achat d'aliments issus de votre région contribue à conserver les terres qui s'y trouvent. De plus, ils sont plus frais et ont donc conservé davantage d'éléments nutritifs. Enfin, facteur non négligeable, ils n'ont pas été transportés sur de longues distances, ce qui implique que la dépense d'énergie et, par voie de conséquence, l'émission de polluants dans l'air, sont plus faibles. Les fruits et les légumes de forme irrégulière ont moins de chance d'avoir été arrosés de produits chimiques, qu'ils soient biologiques ou non.

Au moment de manger vos fruits et vos légumes, frottez-les bien dans un récipient rempli d'eau. Certaines personnes utilisent pour cela un détergent doux ou une solution à base de vinaigre, avant de rincer à grande eau : c'est probablement une méthode plus sûre pour enlever les résidus de produits chimiques. Si vous avez des doutes, vous pouvez aussi peler le fruit ou le légume. (Blanchir les tomates et les poivrons au préalable facilite ce travail.) Dans le cas de la laitue et du chou, il vaut mieux enlever les

LES FOURS
À MICRO-ONDES
● ● ● ● ● ● ● ● ● ● ● ● ●

Le traitement des aliments par irradiation fait appel à des émissions de radiations au pouvoir ionisant. Ce n'est pas le cas des ondes utilisées dans les fours à micro-ondes, lesquelles sont du même type que la lumière, les ondes radio, les lasers et les chaufferettes à infrarouge. Les fours à micro-ondes sont efficaces à 40 %, ce qui veut dire que 40 % de l'énergie utilisée sert à faire cuire les aliments. Le reste est perdu. Par comparaison, les fours électriques ont un taux d'efficacité de 14 % et ceux au gaz de 7 % seulement. Il y a donc une possibilité d'économiser de l'énergie avec ces fours, mais il a été démontré que l'économie annuelle pour une famille ne dépasse pas 10 $.

Voici quelques règles à suivre dans l'utilisation des fours à micro-ondes :

● Rappelez-vous que la cuisson des légumes dans ce genre de four peut leur enlever des éléments nutritifs. Tout dépend de la quantité que vous faites cuire. Une petite quantité cuira rapidement dans peu d'eau et les pertes seront minimes. Une grande quantité prendra plus de temps et dans ce cas, vous feriez mieux d'envisager une autre méthode, la cuisson à la vapeur par exemple.

● N'employez strictement que la vaisselle recommandée pour un tel four. Utilisez des couvercles en verre ou en pyrex plutôt qu'une quelconque pellicule d'emballage. Si vous devez laisser aérer la nourriture, placez le couvercle sur des crochets.

● Assurez-vous que les joints d'étanchéité autour de la porte sont propres. S'ils sont craquelés ou brisés, remplacez-les sans tarder, et évitez de vous servir du four tant que la réparation n'aura pas été faite. Même si ces fours ne sont pas radioactifs, cela ne veut pas dire que leurs radiations sont sans danger, alors vérifiez aussi les charnières de la porte et méfiez-vous d'un four déformé ou cabossé.

● Personne ne devrait se tenir à moins d'un mètre de distance d'un four à micro-ondes en opération. Cette précaution est nécessaire, pour la même raison que vous ne resteriez pas trop près d'une ampoule allumée ou ne vous endormiriez pas sous une lampe solaire. Si vous êtes muni d'un stimulateur cardiaque (*pacemaker*), éloignez-vous-en de plusieurs mètres.

feuilles extérieures et passer les autres sous un puissant jet d'eau. Il faut bien savoir cependant que toutes ces précautions n'enlèveront pas les produits chimiques dits systémiques qui ont été absorbés par le fruit ou le légume. De plus, quand vous pelez un fruit ou un légume, vous perdez une partie des éléments nutritifs concentrés sous la peau. Comme pour bien des choses dans la vie, c'est une question de compromis.

Plus vous coupez vos légumes, plus vous perdez d'éléments nutritifs en cours de cuisson. On rencontre ce problème également avec le trempage et l'emploi de bicarbonate de sodium. Évitez la cuisson prolongée : habituez-vous à manger vos légumes croquants. Il est préférable de les faire cuire dans une casserole couverte où vous aurez mis un minimum d'eau, afin qu'ils cuisent à la vapeur. Les légumes peuvent aussi être cuits sous pression (au presto) ou encore sautés pour en préserver la qualité nutritive. Enfin, n'utilisez jamais de zeste de citron à moins d'être certain qu'il s'agit d'un fruit de culture biologique : sinon, il est fort susceptible de contenir de la teinture en plus de résidus de pesticides.

❖❖❖❖❖❖❖❖❖❖❖❖❖❖❖❖❖❖❖❖❖❖❖❖❖❖❖❖❖❖❖❖

LA VIANDE ET LA VOLAILLE

La viande et la volaille constituent une source importante de préoccupations. En plus de tous les résidus de produits chimiques qu'ils absorbent dans leur nourriture, les cochons, les poules, les boeufs de boucherie et les vaches à lait sont bourrés d'antibiotiques. Une consommation exagérée de ces viandes pourrait rendre inefficace l'absorption ultérieure d'antibiotiques à usage médical. De plus, certains médicaments administrés aux animaux ne conviennent pas aux humains. On a vu des gens allergiques à la pénicilline souffrir de réactions graves après avoir consommé de la viande.

Beaucoup d'enfants gros mangeurs de viande et de volaille ont connu un développement sexuel prématuré à cause des hormones de croissance que l'on administre aux animaux d'élevage, ce qui leur a occasionné bien des inconvénients. La distribution d'hormones aux animaux est réglementée, aussi bien au Canada qu'aux États-Unis, mais les contrôles sont quasi inexistants. Les producteurs devraient normalement cesser d'administrer ces substances à leurs animaux quelque temps avant de les envoyer à l'abattoir ou avant de les traire s'il s'agit de vaches. Il est évident qu'ils ne respectent pas toujours ces règles. Les pays de la Communauté économique européenne ont interdit l'usage des hormones en 1986 et depuis 1989 l'importation de viande contenant de telles hormones y est interdite. Des impératifs commerciaux pourraient maintenant inciter le Canada et les États-Unis à leur emboîter le pas.

Il serait difficile de passer sous silence la façon dont les animaux d'élevage sont traités, sachant que cela peut avoir une influence sur notre santé. Avec les techniques actuelles d'élevage à grande échelle, les animaux sont contraints de vivre dans des conditions épouvantables. La maladie se répand rapidement dans ces enclos surpeuplés et pour cette raison, on doit faire un usage plus grand d'antibiotiques.

Pour des raisons de santé, nous pourrions choisir de manger davantage de poulet, mais aussi dans le but de préserver les ressources alimentaires mondiales. En effet, il faut environ 5 kg de céréales pour produire 1 kg de viande de boeuf élevé dans un enclos, alors que pour produire 1 kg de poulet il n'en faut que 1,4 kg. Pourtant nous continuons de manger beaucoup de boeuf. L'engouement des Nord-Américains pour le steak et les hamburgers est tel qu'il faut abattre de larges portions de forêt tropicale pour en faire des pâturages pour les animaux dont la viande est destinée à l'exportation vers les pays riches. . .

Vous avez la possibilité de réduire votre consommation de boeuf, à la maison ou au restaurant. Si vous achetez de la volaille, recherchez les poulets de ferme, mais rappelez-vous que cela ne signifie pas qu'ils sont de culture biologique. Même chose pour le poulet de grain. Ne consommez que de la viande maigre et ne mangez pas la peau des volailles. Beaucoup de pesticides et d'autres produits chimiques indésirables ont tendance à se concentrer dans les graisses.

◆◆◆◆◆◆◆◆◆◆◆◆◆◆◆◆◆◆◆◆◆◆◆◆◆◆◆◆◆◆◆◆◆◆◆

LES POISSONS ET LES FRUITS DE MER

L es poissons transforment leur nourriture en protéines plus efficacement que les animaux de ferme, et les consommateurs les perçoivent de plus en plus comme de bons aliments sur le plan de la santé. Cependant, dans les pisci-cultures, on fait aussi usage d'hormones et d'antibiotiques. Depuis que par une expérience on a démontré qu'en injectant des hormones de croissance de poulet ou de boeuf à des saumons, ceux-ci grossissaient beaucoup plus vite, les biotechnologistes se sont lancés à la recherche de l'hormone de croissance de ce poisson si apprécié, dans le but de la lui injecter par la suite. Déjà des substances sont utilisées pour donner à la chair du saumon d'élevage une couleur pareille à celle des saumons capturés en mer.

Les poissons servis sur les tables québécoises ne contiendraient pas d'antibiotiques, d'après les services d'inspection des aliments du ministère de l'Agriculture, Pêcheries et Alimentation du Québec et de Pêches et Océans Canada. Les inspecteurs du MAPAQ doivent faire respecter la réglementation selon laquelle les dernières doses d'antibiotique doivent être administrées aux poissons trois semaines avant l'abattage. Les représentants de l'organisme fédéral, quant à eux, s'assurent que les poissons exportés par le Canada ne présentent aucun risque.

Le Québec ne produit que très peu de poisson en aquaculture; le poisson d'élevage que nous consommons nous vient surtout des autres provinces canadiennes. Selon certaines sources, les pisciculteurs canadiens n'utilisent pas d'hormones de croissance. Quant aux calmants, on n'en ferait usage qu'au moment d'attraper les gros mâles pour arroser de leur semence les oeufs des femelles. D'après la réglementation fédérale actuelle, on ne tolère aucun résidu d'antibiotique dans les poissons vendus au pays. Il faut savoir cependant que la technologie permettant de vérifier si la loi est respectée n'existe pas encore. Ces antibiotiques seraient utilisés seulement lorsqu'on remarque l'émergence d'une maladie. À l'Association des consommateurs du Canada, on a émis un avis selon lequel même des doses infimes pourraient causer l'apparition de souches bactériennes résistantes dans l'organisme humain, et l'on a laissé entrevoir la possibilité de réactions allergiques chez les personnes plus sensibles à leur présence.

Les membres de l'Association ont aussi demandé qu'on fasse des recherches pour savoir si les poissons d'élevage contenaient autant d'acide oméga 3 que les poissons pêchés en mer et si cet acide était de même qualité. La question est importante puisque cet acide gras possède la réputation de prévenir les maladies cardiaques, ce qui explique en partie la popularité grandissante du poisson dans l'alimentation des Canadiens. On a donc commencé à effectuer des tests sur les poissons d'élevage à l'Université de Victoria. De plus, à l'Association, on voudrait que soit indiquée par étiquetage la provenance du poisson vendu sur le marché. Tant que ce ne sera pas chose faite, vous devrez consulter votre calendrier pour le savoir, puisque de septembre à mai, la truite ou le saumon frais que vous achetez provient presque certainement d'une pisciculture. Le problème ne se pose pas avec les mollusques parce que les producteurs croient que les consommateurs préfèrent les moules et les huîtres cultivées : ils ne sont donc pas réticents à le préciser.

Finalement les membres de l'Association ont soulevé la question des teintures. Bien que de nombreux éleveurs de saumon de Colombie-Britannique utilisent des teintures, il ne semble pas que cette pratique soit problématique pour la santé des humains. Toutefois, il serait bon que les consommateurs insistent pour être bien informés par les gouvernements fédéral et provincial, et pour que chaque pisciculture au pays se conforme à des règles strictes de protection de l'environnement.

Maintenant qu'en est-il du poisson, des mollusques et des crustacés provenant de la pêche ? Pour plusieurs espèces de poissons, la surpêche est telle que la grosseur moyenne a diminué. Les pêcheurs d'énormes chalutiers superéquipés vident l'océan, ramenant dans leurs filets aussi bien les petits que les gros poissons, ce qui fait que la population de poissons diminue. Nos lacs, nos rivières et nos eaux côtières sont pollués par les engrais chimiques et les pesticides entraînés par les eaux de pluie. Beaucoup d'industries polluent encore abondamment, contrevenant impunément à la loi dans bien des cas. On a interdit la vente de la truite du lac Ontario, mais à peu près partout, le poisson est contaminé par les

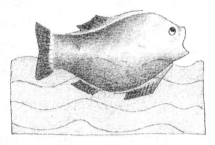

résidus de pesticides et autres produits toxiques. Les BPC, les dioxines et les chlordanes ont été interdits il y a de ça plusieurs années, pourtant ils se trouvent encore en concentration élevée dans la chair des poissons.

Les mollusques présentent souvent de petites quantités d'arsenic, de cadmium, de chrome et de plomb. Des niveaux inquiétants de méthyl mercure ont été trouvés dans les grands poissons tels que les espadons, les requins, les carrelets, les thons et les flétans. Dans les lacs et les eaux côtières, on a trouvé des poissons et des mollusques affligés de tumeurs cancéreuses. Les poissons de fond sont aussi contaminés à cause des substances toxiques qui se retrouvent dans les sédiments marins.

Cela ne veut pas dire que vous ne devez pas manger de poisson. Certaines espèces sont davantage contaminées que d'autres : c'est le cas des poissons à chair grasse tels que les carpes, les loups tachetés (ou silures), les perches et les maquereaux. Par contre, les poissons que l'on pêche en mer près des côtes sont moins contaminés : la morue, l'aiglefin, la plie, le lieu, les bâtonnets de poisson faits avec la chair de ces poissons, le saumon et les crevettes contiennent moins de résidus toxiques.

Si vous aimez le poisson et désirez continuer d'en manger, ces quelques conseils vous permettront de le faire avec le moins de risques possible.

Conseils pour
la consommation du poisson

◆ Apprenez à connaître les espèces susceptibles d'être davantage contaminées et n'en consommez pas plus d'une fois par mois.

◆ Achetez plutôt des poissons petits et jeunes : ils ont eu moins le temps d'accumuler des résidus de produits toxiques.

◆ Demandez d'où vient le poisson qu'on vous offre : s'il provient des eaux proches de grandes villes ou d'industries polluantes, ne l'achetez pas.

◆ Faites cuire le poisson sur le gril, au four ou poché ; ne faites pas de sauces avec l'eau employée pour pocher le poisson.

◆ Enlevez les parties grasses (la peau, la panse et la chair brune) après avoir fait cuire le poisson.

◆ Si vous êtes grand amateur de poisson, assurez-vous de consommer plusieurs espèces de poissons, plutôt que de vous limiter à une ou deux de vos espèces préférées.

◆ Mangez très peu de poisson cru ou peu cuit (*ceviche, sashimi, sushi*) et ne consommez pas de mollusques crus.

◆ Si vous achetez du poisson en boîte, optez pour celui qui est conservé dans l'eau plutôt que dans l'huile et rincez-le bien avant de le faire cuire.

Il y a aussi le problème des dauphins. À Greenpeace, on a lancé une vaste campagne en faveur du boycottage de certaines variétés de thon parce que les pêcheurs des flottilles de pêche qui capturent ce poisson dans les eaux du Pacifique Sud attrapent en même temps de grandes quantités de dauphins qui meurent par milliers dans leurs filets chaque année. Toutefois, la pêche au thon germon ou au thon tongol ne pose pas ce genre de problème.

❖❖❖❖❖❖❖❖❖❖❖❖❖❖❖❖❖❖❖❖❖❖❖❖❖❖

L'élevage du poisson

À première vue, l'élevage du poisson semble une excellente idée. Essentiellement, cela consiste à élever des poissons dans des étangs ou des enclos, ces enclos étant construits la plupart du temps à même les cours d'eau. On estime que 12 % de la récolte mondiale de poisson provient maintenant des piscicultures.

Dans ce domaine, on est rapidement passé des petites exploitations de type familial à de grandes «fermes» industrielles du genre de celles qu'on trouve dans l'agro-industrie. L'aquaculture fournit actuellement près de 52 % du saumon récolté au pays (principalement en Colombie-Britanique), 30 % de la truite (surtout au Québec et en Ontario), 13 % des huîtres et 5 % des moules (lesquelles sont en quelque sorte ensemencées en des lieux précis et croissent dans les mêmes conditions que les huîtres et les moules sauvages).

Le plus gros problème engendré par ce mode de production est celui des déchets rejetés dans les cours d'eau. Les matières fécales et la nourriture non consommée forment des dépôts au fond des enclos. Ces dépôts envahissent l'habitat des poissons sauvages et en se décomposant, ils appauvrissent les milieux aquatiques en oxygène et en éléments nutritifs. Cela favorise la croissance d'herbes et d'algues indésirables.

L'aquaculture pollue également les cours d'eau avec les produits chimiques de nettoyage, les herbicides utilisés pour contrôler la prolifération d'herbes aquatiques, les médicaments administrés aux poissons de même que d'autres substances comme l'ammoniaque que les poissons produisent naturellement, les parasites et les bactéries qui les attaquent.

Les poissons d'élevage sont vaccinés contre certaines maladies, mais ce type d'élevage pose le même genre de problème qu'on observe en monoculture : les poissons sont plus vulnérables et les maladies se propagent plus rapidement, ce qui oblige les producteurs à recourir aux antibiotiques. C'est ainsi que ces antibiotiques se retrouvent dans les cours d'eau et les poissons qui y vivent en sont affectés, leur résistance aux maladies étant diminuée. Il arrive cependant qu'aucun médicament ne puisse sauver les poissons d'élevage. Dans l'État de Washington, juste au sud de la Colombie-Britannique, 30 000 saumons de l'Atlantique sont morts de lésions au foie en 1987. On s'est inquiété avec raison de la possible propagation de cette maladie aux bancs de poissons vivant en mer. Deux ans plus tard, dans cet État du Nord-Ouest américain, on a dû détruire trois millions de jeunes saumons et un million d'oeufs pour empêcher qu'une maladie jusque-là inconnue en Amérique du Nord ne se propage dans la nature.

On s'inquiète aussi de voir les saumons de l'Atlantique importés en Colombie-Britannique contaminer les espèces sauvages, quand à l'occasion ils s'échappent de leurs enclos. On craint également qu'ils ne causent une réduction de la variété du stock génétique. Les espèces développées en captivité sont génétiquement contrôlées, et cela peut avoir pour effet, comme on a pu le constater pour d'autres espèces d'animaux d'élevage, de les rendre moins résistants aux maladies et moins aptes à survivre en général. Si ces poissons allaient se croiser avec ceux vivant dans l'océan, le résultat pourrait être désastreux. Dans la seule presqu'île de Sechelt en Colombie-Britannique, au moins 100 000 poissons se sont échappés récemment après que leurs enclos eurent été détruits par une tempête.

Les problèmes engendrés par la production piscicole sont d'autant plus difficiles à circonscrire qu'au Canada les gouvernements fédéral et provinciaux ont une responsabili-té partagée en matière de réglementation, ce qui cause de la confusion et du dédoublement de juridiction. Cela n'a pas empêché cependant le gouvernement de l'Ontario de promulguer la loi la plus sévère de tout le Canada pour réglementer la production piscicole en eau douce. La plus grande prudence est de mise en cette matière comme en bien d'autres, car combien de fois a-t-on réalisé trop tard l'énorme tort causé à la nature par nos actions inconsidérées d'apprentis sorciers.

LES DIOXINES DANS LE PAPIER

Les dioxines comprennent environ 75 substances différentes. Elles sont considérées comme les substances les plus toxiques jamais produites par les humains. Même en très faible quantité, elles peuvent nuire sérieusement à la santé. On leur reproche, entre autres, de supprimer le système immunitaire et de causer des malformations congénitales. Depuis 1980, les scientifiques nord-américains s'inquiètent du degré de plus en plus élevé de contamination par les dioxines dans notre environnement. On les trouve dans les lacs et les cours d'eau, à la suite des rejets des usines de pâtes et papier. Les incinérateurs en produisent aussi, de même que les furanes qui leur ressemblent, ce qui contribue à la pollution de l'air, de l'eau et du sol.

Certaines entreprises productrices de papier changent leurs méthodes de production, ce qui n'empêche pas encore les dioxines de nous envahir. On les retrouve dans tous les papiers blanchis, des essuie-tout aux serviettes de papier, en passant par le papier à écrire. Bien que la loi interdise la présence de dioxines dans la nourriture, on en a trouvé récemment dans les contenants de carton pour le lait et dans le lait lui-même. On retrouve également de faibles quantités de résidus dans les fruits et dans les légumes, la viande et les oeufs, même dans le lait maternel. Chaque fois que cela est possible, achetez du papier non blanchi. Les papetières devront tôt ou tard tenir compte des pressions exercées par les consommateurs devenus plus exigeants.

LES CÉRÉALES

On trouve assez facilement du pain exempt d'additifs alimentaires ou d'agents de conservation, mais cela ne dit pas ce qui a été ajouté lorsque le blé était encore dans le champ : il est probable qu'à ce moment, il a été aspergé de pesticides. Si vous recherchez un pain fabriqué avec du grain biologique, allez dans les magasins d'aliments naturels.

Ne vous fiez pas seulement à la couleur du pain. On a très bien pu y ajouter des colorants pour le faire paraître plus naturel, plus «fait de blé entier». Comme disait Linda Pim dans son ouvrage *Additive Alert*, vous pouvez être certains que tout pain de seigle qui a la couleur du gâteau au chocolat contient des colorants alimentaires !

Les friandises et autres douceurs (biscuits, gâteaux, muffins et céréales pour le petit déjeuner) sont doublement néfastes. En plus de contenir des résidus et des additifs alimentaires, elles sont la plupart du temps fabriquées avec des huiles tropicales hypersaturées (huile de noix de coco, de palme ou de drupe de palmier), du beurre ou du gras de boeuf. Pour vérifier si un biscuit est gras, frottez-le avec une serviette de papier : s'il laisse une tache graisseuse sur la serviette, vous pouvez être sûr qu'il contient au moins 50 % de matières grasses.

Comme pour le reste, prenez le temps de lire les étiquettes. Voyez quelle sorte d'huile on a utilisée (la mention «huile végétale» est trop vague pour bien vous renseigner si vous voulez éviter de consommer des huiles saturées) et à quelle place elle se trouve dans la liste des ingrédients. Si le problème des caries dentaires vous préoccupe autant que celui des calories en trop, alors vérifiez aussi où se classe le sucre ainsi que tous les produits en ose (fructose, sucrose, glucose et autres). Même les pains et les gâteaux faits avec des aliments biologiques peuvent contenir trop de gras ou de sucre.

LES OEUFS
ET LES PRODUITS LAITIERS

Toutes les réserves que nous avons faites sur les produits d'origine animale s'appliquent également aux produits laitiers et aux oeufs. Là aussi on rencontre le problème des antibiotiques et des hormones puisque, bien sûr, le lait, le fromage, le yogourt, le beurre, les oeufs et autres produits semblables viennent d'animaux qui à un moment donné ont pu absorber des médicaments. D'ailleurs, selon une étude du Service de santé publique de la ville de Toronto, les oeufs et les produits laitiers contiennent beaucoup de résidus de pesticides et de dioxines.

Dans beaucoup d'endroits, on peut se procurer des oeufs de ferme et des produits laitiers biologiques. Cependant, il est quasi impossible d'obtenir du lait biologique. Quant aux oeufs de ferme, leur production n'est pas contrôlée et ils ne sont pas nécessairement biologiques. Si vous devez vous contenter de produits non biologiques, optez au moins pour le lait écrémé, les crèmes sures et le fromage cottage, car en consommant des produits moins gras, vous absorbez moins de résidus de produits chimiques. Essayez de vous habituer aux fromages faits à partir de lait partiellement ou entièrement écrémé plutôt qu'à ceux qui sont riches en matières grasses.

Quand vous achetez des oeufs, choisissez de préférence les contenants de carton plutôt que ceux en polystyrène. Dans les quelques endroits où c'est possible, achetez votre lait dans des bouteilles de verre consignées. Si à votre laiterie on utilise les contenants de plastique ou de carton, encouragez-les à changer.

Les contenants à yogourt et à margarine ne sont pas de bons choix environnementaux, mais au moins vous pourrez les réutiliser à d'autres fins plusieurs fois avant de les jeter.

❖❖❖❖❖❖❖❖❖❖❖❖❖❖❖❖❖❖❖❖❖❖❖❖❖❖❖❖❖❖

LES HUILES
ET LES MATIÈRES GRASSES

Les huiles végétales ont ceci de bien que les résidus de pesticides présents dans la matière première disparaissent presque complètement au cours de la transformation. Par ailleurs, il est aussi possible de se procurer des huiles biologiques.

Aucune huile végétale ne contient de cholestérol, car celui-ci provient exclusivement du gras animal. Cependant, certaines huiles sont beaucoup plus saturées que d'autres et vous devrez en tenir compte si vous êtes un des nombreux Québécois qui cherchent à réduire leur consommation de gras, particulièrement de gras saturé. De plus, comme nous l'avons vu plus haut, les produits toxiques qui s'accumulent à mesure que l'on grimpe dans la chaîne alimentaire se trouvent au bout du compte concentrés dans le gras de la viande, des sous-produits animaux, de la volaille et du poisson. En somme il y a bien plus à craindre que seulement le cholestérol quand on consomme du gras animal.

Il est très important cependant de ne pas imposer les mêmes restrictions aux enfants sans avoir consulté un diététiste ou un médecin. Le gras est nécessaire aux jeunes pour leur croissance ; si on ne leur en donne pas assez, ils risquent alors de souffrir de malnutrition.

❖❖❖❖❖❖❖❖❖❖❖❖❖❖❖❖❖❖❖❖❖❖❖❖❖❖❖❖

LES BOISSONS CHAUDES OU FROIDES

Dans le domaine des boissons, il faut considérer en priorité le problème des contenants. Buvez dans la mesure du possible des boissons froides embouteillées dans des contenants consignés ou à tout le moins recyclables. Quant aux boissons chaudes, il faut éviter de se les faire servir dans les sempiternels verres de polystyrène. Demandez à ceux qui en préparent pour emporter d'utiliser d'autres sortes de contenants ; au bureau, procurez-vous des tasses lavables et bien sûr réutilisables.

❖❖❖❖❖❖❖❖❖❖❖❖❖❖❖❖❖❖❖❖❖❖❖❖❖❖❖❖❖❖

Le thé et le café

Le café est notre boisson chaude préférée. Pour le produire, on a détruit la forêt dans plusieurs parties du monde et l'on a épuisé des sols fragiles. La culture du café est un bel exemple de monoculture extensive qui nécessite l'emploi massif de pesticides dont certains sont même interdits en Amérique du Nord. Les usines de nettoyage du café polluent les cours d'eau avec des rejets très dommageables pour l'environnement. Il faut par ailleurs de grandes quantités d'énergie pour rôtir, moudre et transformer le café.

On trouve dans certaines épiceries spécialisées canadiennes au moins deux marques de café biologique : Café Altura, une marque américaine, et Reingold Santa Catarina, distribuée par Linquist à Vancouver. Au Québec, le café biologique le plus connu est vendu sous la marque Organico. Il n'est pas facile de trouver du thé biologique, mais quelques tisanes L'Espérance sont des infusions à base d'herbes biologiques. Chez Bridgehead, un organisme de solidarité internationale, on distribue des thés et des cafés produits dans le Tiers monde par des travailleurs réunis en coopératives, ce qui leur assure au moins une plus grande part des profits ; un des cafés offerts est biologique.

Pour obtenir le catalogue et commander les produits de cet organisme international, il faut écrire à : Bridgehead, 487, Lewis Street, Ottawa, (Ontario), K2P 9Z9.

Si vous buvez du café décaféiné, recherchez celui fait avec un procédé utilisant de l'eau (procédé suisse) au lieu de produits chimiques. Les filtres à café ordinaires contiennent des dioxines, ces substances hautement toxiques produites pendant le blanchiment, une opération des plus polluantes. Des filtres et autres papiers non blanchis commencent à faire leur apparition sur le marché.

◆◆◆◆◆◆◆◆◆◆◆◆◆◆

Les jus de fruits

Faites d'abord la différence entre un jus de fruits et une boisson aux fruits. Puis prenez l'habitude d'acheter vos jus dans de grandes bouteilles ou de grands contenants plutôt que dans des emballages individuels. Les jus de fruits biologiques sont relativement rares, mais il ne devrait pas être trop difficile de trouver du cidre de pomme fait avec des pommes biologiques. Bien qu'on ait retiré le dangereux alar du marché canadien, celui-ci n'est vraiment éliminé que trois ans après le dernier arrosage.

Jusqu'à tout récemment, si la qualité de l'eau de votre localité vous inquiétait, vous pouviez la faire analyser par le ministère de l'Environnement du Québec. Ce service est toutefois en voie de privatisation, de telle sorte qu'aujourd'hui il faut compter sur les laboratoires privés accrédités pour obtenir une analyse valable. Selon le type d'analyse désirée, — bactériologique, chimique ou autre —, le coût pourra varier de 100 $ à 250 $. Consultez les pages jaunes de votre annuaire du téléphone sous la rubrique «Eau-lutte contre la pollution» pour savoir où vous adresser.

❖❖❖❖❖❖❖❖❖❖❖❖❖❖❖❖❖❖❖❖❖❖❖❖❖❖❖

Les eaux embouteillées

La qualité de l'eau potable est de plus en plus douteuse et les consommateurs devraient faire des pressions auprès de leurs élus pour qu'ils règlent ce problème. Acheter de l'eau en bouteilles ne contribue en rien à la dépollution des cours d'eau où nous nous approvisionnons en eau potable. De plus, dans bien des cas cette eau embouteillée n'est pas meilleure que l'eau du robinet !

L'industrie de l'eau embouteillée est devenue très importante au Canada. Ses ventes doublent tous les cinq ans depuis le milieu des années 70. C'est au Québec que la consommation de cette eau est la plus importante, soit plus de 50 millions de litres par année. Étant donné que l'eau embouteillée est un produit alimentaire commercialisé, on pourrait croire qu'elle est soumise à des règles sévères et qu'on la teste fréquemment. Pas du tout ! La réglementation et l'inspection de l'eau potable des municipalités sont plus sévères que celles concernant les eaux embouteillées.

L'eau gazéifiée, ne nous leurrons pas, n'est que de l'eau de robinet filtrée au charbon à laquelle on ajoute du gaz carbonique. Les eaux minérales, gazéifiées ou non, sont réputées avoir meilleur goût parce qu'on les tire de sources souterraines où certaines formations rocheuses fournissent les sels minéraux qu'elles contiennent. C'est vrai dans certains cas, mais ce qu'il faut savoir, c'est que vous obtiendrez sensiblement la même chose en buvant l'eau du robinet de certaines villes et certains villages où l'eau est «dure», c'est-à-dire riche en sels minéraux.

L'expression «eau de source» ne veut pas dire grand-chose non plus, même si effectivement pour la plupart des marques on s'approvisionne à des sources alimentées par des eaux souterraines. Le problème, c'est que les termes «source», «naturelle» et «pure» ne sont soumis à aucune réglementation. Dans une étude menée par l'Agence pour la protection de l'environnement aux États-Unis, on a montré que 75 % de l'eau dite de source ou minérale analysée n'était que de l'eau du robinet à laquelle on avait fait subir certains traitements et ajouté certains suppléments.

En 1987, à l'Association des consommateurs du Canada, on a effectué des analyses de 15 marques d'eau embouteillée. Ces tests portaient sur leur contenu et leur goût. Ensuite, on a comparé les résultats avec des échantillons d'eau potable provenant de sept villes différentes au pays. Dans tous les cas sauf un, les eaux embouteillées étaient de qualité inférieure à l'eau des villes sélectionnées. La seule exception était Vancouver dont l'eau avait subi une baisse de qualité à la suite d'un hiver et d'un printemps trop secs : certains polluants s'étaient retrouvés en concentration plus grande dans les réservoirs à moitié vides.

LES VINS BIOLOGIQUES

Les vins apparaissant sur cette liste ont été faits à partir de raisins biologiques.

FRANCE

Champagne et méthode champenoise

Carte d'Or champagne - José Ardinat

Méthode champenoise de Saumur - Brut Gérard Leroux

Vins rouges

PROVENCE ET SUD DU PAYS

Domaine de Clairac, vin de table Jougla

Domaine de l'Île, vin de pays de l'Aude

BORDEAUX

Château du moulin de Peyronin

Château Renaissance

Château de Prade - Bordeaux supérieur

Château Méric - Graves

Château Barrail des Graves - Saint-Émilion

Domaine Sainte-Anne - Entre-deux-mers

CÔTES DU RHONE

Cave la Vigneronne Villedieu

Vignoble de la Jasse

BOURGOGNE

Mâcon Alain Guillot

Bourgogne Alain Guillot

BEAUJOLAIS

Château de Boisfranc - Beaujolais supérieur

Vins blancs

LOIRE

Blanc de blanc - Guy Bossard

Gros plant du pays nantais sur Lie - Guy Bossard

Muscadet de Sèvre et Maine sur Lie - Guy Bossard

Sancerre Christian et Nicole Dauny

VINS DU SUD

Mauzac - Vin de pays de l'Aude

Limoux - Domaine de Clairac

Chardonnay - Vin de pays de l'Aude

Pétillant de raisin

Côteaux des Baux-de-Provence - Terres blanches

BORDEAUX

Château Ballue Mondon sec

Château Ballue Mondon moelleux

Château Méric - Graves supérieur

Château Le Barradis - Monbazillac

BOURGOGNE

Bourgogne rouge Alain Guillot

ALSACE

Sylvaner Pierre Frick

Klevner cuvée spéciale - Pierre Frick

Gewurztraminer - Pierre Frick

Rosés

Rosé d'Anjou - Gérard Leroux

Domaine de Clairac - Jubio Rose

ESPAGNE

Vin rouge

Biovin Valdepenas

ITALIE

Vins rouges

Chianti - Roberto Drighi

Valpolicella classico superiore

Vins blancs

San Vito Verdiglio - Roberto Drighi

San Vito Bianco Toscano - Roberto Drighi

Soave classico - Guerrieri-Rizzardi

POUR EN SAVOIR PLUS

Pour en savoir plus sur les résidus de produits chimiques dans les fruits et les légumes en provenance des États-Unis, lisez *Pesticide Alert*, de Lawrie Mott et Karen Snyder (Sierra Club Books, 1987, 9,95 $). Du côté canadien, dans *Nos aliments empoisonnés ?* de Linda Pim (Québec/Amérique, 1986, 18,95 $), vous trouverez des informations sur les contaminants présents dans l'alimentation au Canada. De la même auteure, *Additive Alert* (3e édition, Dell Books, 1986, 4,95 $) vous renseignera sur les additifs ajoutés à ce que vous mangez, au moment de la transformation des aliments.

Si vous ne trouvez pas ces livres en librairie, vous pouvez les commander à la librairie Boule de Neige, 312, rue Ontario Est, Montréal (Québec) H2X 1H6. (Tél. : (514) 843-7997.)

◆◆◆◆◆◆◆◆◆◆◆◆◆◆◆◆◆◆◆◆◆◆◆◆◆◆◆◆◆◆◆◆◆◆◆◆◆

La bière, le vin
et les spiritueux

Les défenseurs de l'environnement sont entrés en guerre avec l'industrie du whisky écossais parce qu'on y consomme de grandes quantités de tourbe et que l'extraction de cette matière sur l'île de Islay menace de détruire une halte migratoire d'oies sauvages. Ensuite, les procédés de fabrication (la fermentation entre autres) des spiritueux comme le gin ou le whisky entraînent de graves problèmes de pollution de l'eau. Il faut reconnaître cependant que dans cette industrie on a fait de sérieux efforts ces dernières années pour traiter les eaux usées.

Le vin peut contenir des sulfates de cuivre auxquels certaines personnes sont fortement allergiques. Bien des migraines sont causées par les additifs plutôt que par l'abus d'alcool. Heureusement, en Europe, on trouve des vins biologiques (voir l'encadré Les vins biologiques). Si la Société des alcools ne vend pas le vin que vous voulez, vous pouvez toujours l'importer vous-même à la condition de le commander à la caisse de 12 et non pas à l'unité et d'en commander pour un minimum de 150 $. Il faut alors vous adresser au Service d'importation privée de la SAQ, à Montréal.

Plusieurs personnes décident de se regrouper pour l'importation privée de vins et il existe des groupements spécialisés en vins biologiques.

Quant aux bières, il est bon de savoir que les bières allemandes ne contiennent pas d'additifs et sont faites exclusivement de malt, de houblon et d'eau. Au Québec, les micro-brasseries se sont multipliées dernièrement et plusieurs d'entre elles fabriquent une bière sans additif. La plupart n'utilisent que de l'orge, du malt, du houblon, de la levure, de l'eau et, dans certains cas, de la cassonade pour fabriquer leurs bières. Remarquez qu'on ne parle pas ici de bière biologique, mais de bière sans additif : ce n'est pas la même chose. Pour en savoir plus, vous pouvez écrire à l'Association des micro-brasseries du Québec, 5710, rue Garnier, Montréal, H2G 2Z7.

Dix façons de promouvoir
UNE ALIMENTATION ÉCOLOGIQUE

1 Autant que possible, mangez des aliments biologiques, produits au Québec ou au Canada de préférence, et ne vous attendez pas que ces produits aient une apparence parfaite.

2 Si vous ne pouvez pas vous procurer d'aliments biologiques, limitez du moins votre consommation de produits importés ; le contrôle des pesticides et l'inspection de ces produits sont souvent moins sévères dans les pays étrangers.

3 Choisissez de préférence des primeurs (produits de la saison) locales ou régionales. Les produits offerts hors saison viennent de loin et leur durée de vie a souvent été prolongée artificiellement à l'aide de substances chimiques pour qu'ils parviennent jusqu'à vous en bon état, en apparence du moins.

4 Si vos aliments ne sont pas biologiques, suivez à la lettre les conseils que nous vous avons donnés tout au long de ce chapitre. Même si vous achetez de la viande et de la volaille biologiques, vous feriez mieux d'enlever tout le gras apparent avant de les faire cuire.

5 Renseignez-vous au sujet des pesticides et des additifs alimentaires présents dans la nourriture que vous achetez (nous vous présentons quelques références bibliographiques dans l'encadré ci-contre). Demandez à votre épicier d'offrir des aliments exempts de ces produits dangereux.

6 Lisez attentivement les étiquettes sur les produits transformés. La liste des ingrédients doit être établie par ordre de quantité relative. Choisissez de préférence les produits dont la liste des ingrédients ne s'allonge pas indûment au-delà des ingrédients principaux.

7 Si vous craignez qu'un produit ne contienne des résidus de pesticide ou si la liste des additifs vous inquiète, prenez le temps d'écrire au fabricant. On ne donne habituellement que le nom de la compagnie, la ville et le code postal, mais cela devrait suffire pour que votre lettre parvienne au «président» à qui vous l'adressez.

8 Envoyez une copie de votre lettre au président de la chaîne de magasins où vous faites vos emplettes. Le gérant du magasin vous donnera le nom et l'adresse du destinataire.

9 Tant qu'à faire, pourquoi ne pas envoyer également une copie de votre lettre aux autorités municipales, provinciales et fédérales, ainsi qu'aux services de santé de ces divers paliers de gouvernement ?

10 Si vous avez réussi à dénicher un produit de qualité, biologique, sans additif ou écologique d'une façon ou d'une autre, prenez le temps d'envoyer un mot de remerciement à votre magasin et au fabricant.

Chapitre 3

LES PRODUITS DE NETTOYAGE

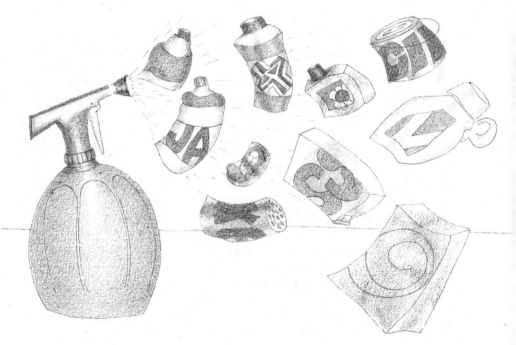

Un foyer québécois consomme en moyenne, chaque année, 45 produits de récurage en bombes aérosol, et il faut en ajouter 24 autres de diverses formes tels que les nettoyants, les solvants, les détachants, les désodorisants et les cires. En tout, ils peuvent représenter jusqu'à 30 % des achats de la semaine pour une famille moyenne.

« *J'ai aussi été à l'école, dit Alice, il n'y a pas de quoi en faire tout un plat!* »

« *Y avait-il des cours supplémentaires ?* », demanda la Fausse Tortue, quelque peu inquiète.

« *Bien sûr, répondit Alice, il y avait le français et la musique.* »

« *Et le lavage ?* », reprit la Fausse Tortue.

« *Certainement pas* », s'écria Alice, indignée.

« *Alors ton école n'était pas vraiment une bonne école, répondit l'animal, soulagé. À notre école, nous avions en supplément le français, la musique... et le lavage !* »

« *Je doute que cela vous ait tant plu, rétorqua Alice, au fond de la mer, à quoi cela pouvait-il vous servir ?* »

Lewis Carroll : *Alice au pays des merveilles*

L a plupart des produits de nettoyage contiennent, en quantités variables, des substances toxiques dommageables pour la santé des gens et pour la qualité de l'environnement. Certaines de ces substances sont cancérigènes, d'autres affectent le système nerveux central ; d'autres encore causent des malformations congénitales, tandis qu'il y en a qui sont dangereux pour les personnes souffrant de troubles respiratoires ou cardiaques.

Après avoir servi dans nos cuisines et nos salles de bains, tous ces agents de nettoyage se retrouvent dans nos égouts ou dans nos dépotoirs d'où ils peuvent causer des torts considérables aux cours d'eau et à la vie aquatique. Par la suite, ils pollueront le sol et les eaux souterraines pour enfin se retrouver tôt ou tard dans l'eau que nous buvons.

Mais pourquoi achetons-nous ces concoctions chimiques complexes ? Tout simplement parce que la publicité nous a convaincus que nos maisons et même nos corps devaient être protégés contre l'attaque incessante des germes et des bactéries et que nous n'en viendrions pas à bout avec de l'eau et du savon seulement. En fait, ces germes « domestiques » ne constituent pas réellement une menace pour nous. Ils ont même un rôle à jouer dans notre environnement immédiat.

Les quelques produits de base dont nous nous sommes servis pendant des générations suffiraient en réalité pour assurer la propreté de nos maisons et de nos corps, tout en présentant beaucoup moins de risques pour nous-mêmes et pour notre environnement. L'eau de Javel et les autres produits chimiques tuent effectivement les germes, mais le malheur est qu'ils continuent de le faire après que nous nous soyons débarrassés d'eux. Et, ce qui amplifie le problème, leur présence dans nos bassins de traitement des eaux usées empêche la décomposition de bien se faire.

La plupart des nettoyants vendus dans le commerce peuvent être remplacés par des produits de nettoyage maison, lesquels sont à la fois moins coûteux et moins dangereux. Il est possible de fabriquer soi-même des nettoyeurs tout-usage à partir de seulement six ingrédients de base (voir encadré), plus quelques articles qu'on trouve facilement dans les supermarchés et les quincailleries. Il est assez facile aujourd'hui de se procurer des livres qui contiennent les recettes maison de produits non polluants, qui se révéleront efficaces dans presque tous les cas où vous en aurez besoin. Nous avons tiré les recettes que nous vous présentons d'un chapitre du livre *The natural Formula Book for Home and Yard* (Éd. Rodale Press).

Des produits de nettoyage maison: pourquoi pas?

Savez-vous quel est l'ingrédient le plus efficace et le moins dommageable pour l'environnement dans nos travaux de nettoyage, celui que justement les manufacturiers veulent nous éviter d'utiliser? L'huile de bras! En effet, pour bien nettoyer, il faut plus qu'étendre un produit quelconque sur une surface sale: il faut balayer, frotter, éponger, essuyer; quant à nos machines à laver, leur efficacité leur vient davantage du brassage du linge que des détergents que nous y mettons. En fabriquant nous-mêmes nos nettoyants, nous contribuons à réduire la consommation de nos ressources, sans parler des économies de carburant, de matières premières et de produits d'emballage qu'une telle pratique permet de réaliser.

Par ailleurs, dans les magasins d'aliments naturels, on trouve depuis des années certains produits de nettoyage beaucoup moins dommageables pour l'environnement. La bonne nouvelle, c'est que ceux-ci se font de plus en plus nombreux sur les tablettes des supermarchés traditionnels, à la suite de pressions exercées par les consommateurs.

◆◆◆◆◆◆◆◆◆◆◆◆◆◆◆◆◆◆◆◆◆◆◆◆◆◆◆◆◆◆◆◆◆

CE QU'ON NOUS OFFRE

Les aérosols

Dans le commerce, on trouve plusieurs produits de nettoyage en bombes aérosol. Bien qu'on n'utilise plus de chlorofluorocarbures (CFC) comme agents de propulsion que dans 1 bombe sur 10, on ne peut savoir lesquelles en contiennent et lesquelles n'en contiennent pas, car les fabricants ne sont pas tenus de le spécifier par aucun règlement. Dans les circonstances, il vaut mieux s'abstenir entièrement de les utiliser.

Quant aux aérosols sans CFC, rien ne dit s'ils sont inoffensifs. Plusieurs contiennent du protoxyde d'azote, des solvants organiques, de la cétone ou de l'acétone, tous des produits dangereux pour la santé, pouvant causer, entre autres maladies, le cancer, et endommager le cerveau.

L'usage des aérosols soulève aussi le problème de l'inhalation des substances toxiques qu'ils contiennent, car le sang absorbe ces émanations très rapidement après qu'elles aient pénétré dans les poumons.

Une dernière raison d'éviter les aérosols est qu'il est difficile de s'en débarrasser. Pleines ou vides, avec ou sans CFC, toutes les bombes aérosol sont explosives. Elles peuvent exploser dans un incinérateur, dans les camions de collecte des déchets (avec le risque de blesser les éboueurs) et même dans les sites d'enfouissement.

❖❖❖❖❖❖❖❖❖❖❖❖❖❖

Les purificateurs d'air

En bâton ou en aérosol, les désodorisants pour la maison sont des produits inutiles qui peuvent même être dangereux à l'occasion. Ils ne détruisent pas les odeurs : ils enduisent plutôt les voies nasales d'une mince couche d'huile, ce qui nous empêche de sentir, ou alors ils recouvrent tout

LES 6 INGRÉDIENTS DE BASE

Comme substitution à tous les produits chimiques proposés pour des travaux de nettoyage, nous vous proposons six produits de remplacement efficaces. Ils sont moins dommageables pour l'environnement, ce qui ne veut pas dire cependant qu'on peut les utiliser sans prendre de précautions.

LE VINAIGRE

enlève la moisissure, les taches et la cire. Il nettoie bien les cafetières, le verre, les pinceaux, les fenêtres, le mortier et les foyers.

LE SAVON PUR

nettoie tout, de la vaisselle à la voiture.

LE BICARBONATE DE SODIUM

est le champion des champions. Il nettoie, récure, désodorise, polit, enlève les taches et adoucit les tissus. Il peut être utilisé sur le plastique, le vinyle, la moquette et les tapis, sur les cuirs et les tissus de recouvrement des meubles, sur l'argent et l'acier inoxydable. Il sert aussi à nettoyer les réfrigérateurs et si vous en mettez dans votre tuyauterie, il la nettoiera également.

L'ACIDE BORIQUE

nettoie la tapisserie, les murs peints et les planchers. Il désodorise, enlève les taches et renforce l'action de vos autres produits de nettoyage.

LES CRISTAUX DE SOUDE

(carbonate de sodium) nettoient le linge et adoucissent l'eau. Cependant, ils sont légèrement toxiques ; c'est pourquoi il vaut mieux porter des gants quand on les utilise et s'assurer que la pièce est bien aérée pour éviter l'irritation des muqueuses.

L'AMMONIAQUE LIQUIDE

est un produit concentré efficace, qui nettoie les tapis et la moquette, le linoléum, le cuivre et l'émail, ainsi que la plupart des appareils ménagers. L'ammoniaque est irritant pour la peau et les yeux : il faut donc porter des gants et l'utiliser dans une pièce bien aérée si on l'emploie à l'intérieur. **Ne le mélangez jamais avec de l'eau de Javel : le mélange produirait un gaz toxique.**

Ces six ingrédients, employés seuls ou dans les recettes que vous trouverez dans ce chapitre, peuvent devenir des produits de première nécessité à la maison. Vous pouvez préparer de grandes quantités de différents nettoyants à la concentration désirée et les entreposer dans des contenants réutilisables. Dans le choix de vos mélanges, vous devriez considérer le type de traitement des eaux usées employé dans votre municipalité : s'il n'y a aucun traitement des eaux usées, alors utilisez très modérément l'ammoniaque et l'eau de Javel.

simplement les odeurs désagréables d'une autre plus forte. Certains contiennent des produits chimiques qui engourdissent l'odorat. De plus ils sont remplis d'un large éventail de produits toxiques que nous inhalons en même temps que le parfum qu'ils dégagent.

Il y a moyen d'agir autrement avec les mauvaises odeurs. D'abord on doit assurer une ventilation adéquate des pièces où ces odeurs persistent. Ensuite, un bouquet de fleurs séchées, en plus d'être décoratif, peut très bien faire l'affaire, et il ne polluera pas l'air de la maison; cependant, il vaut mieux les acheter en vrac plutôt que dans d'inutiles emballages de plastique. Infuser quelques clous de girofle avec un bâton de cannelle constitue une autre façon de chasser les mauvaises odeurs. Enfin vous pouvez allumer une chandelle fabriquée avec de la cire d'abeille: elle brûlera les gaz malodorants.

❖❖❖❖❖❖❖❖❖❖❖❖❖❖

Les nettoyants tout-usage

Les nettoyants liquides qu'on trouve dans le commerce contiennent une grande variété de substances toxiques, telles que le toluène, l'acétone et le xylène. Certains contiennent du stéarate de zinc, reconnu cancérigène. Ceux qu'on dit extra-forts en contiennent encore davantage.

Les deux recettes suivantes vous permettront de fabriquer des nettoyants peu coûteux et efficaces pour les accessoires de la salle de bains, les planchers, les tuiles et les murs peints.

RECETTE 1

125 ml d'ammoniaque
75 ml de cristaux de
    soude
4 L d'eau chaude

RECETTE 2

50 ml de bicarbonate de
    sodium
250 ml d'ammoniaque
125 ml de vinaigre blanc
4 L d'eau chaude

On trouve dans les magasins d'aliments naturels **quelques marques de nettoyants recommandables**; Sopren, développés, produits et mis en marché au Québec; les produits de La Balance; Écover, d'origine belge, légèrement plus chers et les produits Demonceaux. Quant au produit Murphy's Oil Soap, il constitue un bon choix pour nettoyer le bois. La plupart des fabricants dont nous donnons la liste à la fin de ce chapitre fabriquent eux aussi des nettoyants tout-usage.

Les désinfectants pour salle de bains

Les désinfectants en aérosol qu'on trouve sur les tablettes des supermarchés sont inutiles et dangereux : ils contiennent des phénols (du crésol, entre autres) et du formaldéhyde. Pour que votre salle de bains soit raisonnablement désinfectée, il suffit de la nettoyer régulièrement avec les nettoyants dont nous venons de parler.

Les agents de blanchiment

Les agents de blanchiment sont corrosifs et doivent être tenus hors de la portée des enfants. Utilisez-les parcimonieusement : les produits de différentes marques n'ont pas toutes la même composition, mais la plupart contiennent des substances qui polluent l'eau.

Pour les tissus délicats, vous pouvez essayer ceci : faites tremper les vêtements dans un mélange fait d'une partie de peroxyde d'hydrogène et de huit parties d'eau, puis rincez.

Pour enlever le tartre

Il est important d'enlever le tartre qui s'accumule dans votre bouilloire ou votre fer à repasser parce que cela rend ces appareils plus efficaces et moins énergivores. On trouve dans le commerce divers détartrants, mais vous obtiendrez d'aussi bons résultats à moindre coût avec de l'eau et du vinaigre. Employez une solution faite d'une partie de vinaigre blanc pour deux parties d'eau. Versez-en un peu dans votre bouilloire électrique et laissez bouillir. Puis rincez à fond. Pour votre fer à repasser, versez-y la solution et laissez reposer pendant 30 minutes, puis rincez plusieurs fois.

Les détergents

Dans les années 60 et 70, au moyen de nombreux reportages à la télévision, on a mis en garde les responsables gouvernementaux et le public contre le danger des phosphates dans les détersifs utilisés pour le linge et la vaisselle.

En eux-mêmes, les phosphates ne sont pas dangereux. En fait, ce sont des engrais qui favorisent la croissance des plantes. Mais nous avons rejeté dans l'eau une telle quantité de ces substances qu'elles ont fini par poser un problème sérieux. Là où l'on ne traite pas les eaux usées, les détersifs phosphatés causent un excès de substances nutritives, ce qui conduit à la prolifération d'algues dans l'eau. En croissant et en se multipliant, ces algues consomment l'oxygène de l'eau, ce qui entraîne la disparition de la vie aquatique.

On pourrait croire que les protestations des consommateurs ont porté fruit et que les fabricants n'y ont pas été insensibles. Ce n'est pas tout à fait le cas. On n'a pas supprimé les phosphates dans les détergents, on a seulement imposé quelques restrictions, ce qui fait que la plupart continuent de menacer notre environnement.

De toute façon, les phosphates ne représentent qu'une partie du problème. À moins que l'on indique sur l'étiquette que le produit en est exempt, le détergent que vous achetez contient probablement plusieurs agents chimiques qui vont donner plus d'éclat à votre linge, mais qui vont aussi contribuer à polluer les cours d'eau. Le nitrilotriacétate (NTA) et l'éthylène diamine-tétra-acétate (EDTA), par exemple, sont deux substances qui se combinent avec les métaux lourds dans l'eau, pour former des composés qui se dégradent très lentement et qui ne s'enlèvent pas facilement dans les usines de traitement des eaux usées.

❖❖❖❖❖❖❖❖❖❖❖❖❖❖

La lessive

Au Canada, les détersifs pour la lessive ne peuvent contenir plus de 5 % de phosphates. Le savon Ivory n'a jamais contenu de phosphate. Quant à Ivory Snow, il ne contient pas d'enzymes.

Aux États-Unis, les détersifs de certaines grandes marques ne contiennent pas de phosphates, ce qui n'est pas le cas au Canada. Donc si vous pouvez vous procurer des produits américains, choisissez des marques comme All-Temperature Cheer, Tide Liquid, Wisk et All. Le détersif en poudre Tide dont l'étiquette porte le code «O» contient moins de 0,5 % de phosphates. Cependant, les boîtes portant le code «L» ou «P» contiennent plus de phosphates que le même produit vendu au Canada.

À la compagnie Amway, on produit un détergent pour tissus délicats, Kool Wash, qui est biodégradable et sans phosphate. Leur détersif pour tissus ordinaires contient 1,8 % de phosphates. Pour plus

d'informations, reportez-vous à la page 103.

Si vous voulez délaisser les détergents offerts dans le commerce pour adopter une solution plus respectueuse de l'environnement, il vous faut d'abord enlever tous les résidus de détersifs sur vos vêtements. Pour chaque brassée de linge, utilisez de l'eau très chaude dans laquelle vous diluerez 50 ml de cristaux de soude. Par la suite, utilisez le produit suivant :

DÉTERGENT À LESSIVE	
250 ml	de savon en paillettes ou en poudre
25 à 50 ml	de cristaux de soude

Si l'eau est très dure chez vous, augmentez la quantité de cristaux de soude ; c'est un très bon adoucisseur d'eau.

Presque tous les produits de nettoyage domestique, à l'exception du savon pur, sont toxiques à divers degrés.

Certains sont des poisons mortels et pourtant bien peu sont présentés dans des contenants sécuritaires. Pire encore, selon certaines études, la plupart des produits de nettoyage portent des étiquettes sur lesquelles se trouvent des informations inadéquates, et même fausses dans certains cas, sur les premiers soins à apporter et sur les antidotes à administrer. Ne vous y fiez donc pas si votre enfant a avalé ou inhalé un de ces produits, ou encore s'il en a répandu sur sa peau ou dans ses yeux : ayez recours immédiatement à de l'assistance médicale. Ayez le produit ou son emballage avec vous quand vous téléphonez ou quand vous vous rendez à l'hôpital, si vous devez y aller.

Prenez le temps dès aujourd'hui, au moment où vous n'êtes pas confrontés à une urgence, de trouver le numéro de téléphone du centre antipoison le plus près de chez vous. Si vous ne trouvez pas ce numéro dans l'annuaire du téléphone, informez-vous auprès de votre médecin de famille ou de l'hôpital le plus proche. Gardez ce numéro bien en vue près de l'appareil téléphonique et assurez-vous que chaque membre de votre famille sait quoi faire en cas d'urgence.

LES ENZYMES

Certains fabricants ont remplacé une partie ou la totalité des phosphates dans leurs détergents par des enzymes. Les enzymes sont biodégradables et ne causent pas de tort à l'environnement. Ils ne constituent normalement pas une menace pour la santé, mais certaines personnes y sont allergiques. Les détersifs en poudre qui contiennent des enzymes produisent une fine poussière qui affecte ceux qui souffrent d'asthme. Puisque les fabricants ne sont pas tenus d'indiquer sur les étiquettes si leurs produits contiennent des enzymes, les foyers dont certains membres souffrent d'asthme ou d'allergie grave devraient bannir les détersifs en poudre au profit des détergents liquides.

✤✤✤✤✤✤✤✤✤✤✤✤✤✤

Les détergents pour la vaisselle

Comme normalement les détergents pour la vaisselle ne contiennent pas de phosphates, le gouvernement canadien n'a pas imposé de restrictions sur leur présence dans ces produits.

Cependant, le consommateur consciencieux pourra fabriquer son propre détergent à vaisselle sans phosphate et biodégradable. En voici la recette :

DÉTERGENT À VAISSELLE
500 ml de savon râpé ou en paillettes
4 L d'eau

Attention : n'utilisez pas ce mélange dans un lave-vaisselle.

Enduisez la râpe d'huile à salade avant de râper le savon : elle sera plus facile à nettoyer après.

Dans une casserole, bien mélanger l'eau et le savon. Porter à ébullition à feu moyen, en brassant pour que le savon se dissolve bien. Réduire le feu et laisser mijoter à feu doux pendant 10 minutes, en remuant de temps à autre. Puis laisser refroidir ; conserver dans un contenant hermétique.

Vous pouvez également acheter des détergents qui ne sont pas dommageables pour l'environnement. Par exemple,

le produit Dishdrops d'Amway est biodégradable et ne contient ni solvants ni phosphates. Le Bio-D-910 de Sopren possède également ces deux qualités essentielles.

◆◆◆◆◆◆◆◆◆◆◆◆◆◆

Les détergents pour lave-vaisselle

Le contenu de phosphates dans les détergents pour lave-vaisselle n'est soumis à aucune restriction. De plus, il n'est pas obligatoire de mentionner sur l'étiquette si un produit en contient.

Au magazine *Protégez-vous*, on a analysé certaines marques de détergents en poudre pour lave-vaisselle en 1985. Voici les résultats de l'analyse :

Nom du produit	Phosphates (en %)
Électrasol	18
Calgonite	19
Steinberg	27
Provigo	27
Cascade	28
Métro	28
Pharmaprix	28
All	30
Sunlight	31

Comme on peut le constater, tous ces produits ont un contenu en phosphates qui dépasse de loin celui qui est permis dans les détersifs pour le linge, et si certains d'entre eux ont un contenu moindre dans leur version américaine, ils se situent néanmoins loin au-dessus de 5 %.

Le détergent Dish-a-matic de la compagnie The Soap Factory ne contient ni phosphates ni enzymes. La marque Green Automatic Dishwashing Detergent fabriquée par President's Choice ne contient pas de phosphates. Quant à la compagnie vancouvéroise Prime Pacific, elle offre Bio-Dish, un détergent biodégradable qui ne contient ni phosphates ni chlore.

Si votre épicier n'offre pas ces produits, utilisez votre pouvoir d'achat et demandez-lui de les commander.

◇◇◇◇◇◇◇◇◇◇◇◇◇◇

Pour dégager les renvois obstrués

Les produits pour déboucher les renvois, qu'ils soient liquides ou en poudre, contiennent une substance corrosive, l'hydroxyde de sodium (soude caustique). Avec les nettoyants pour les fours électriques, ce sont les produits les plus dangereux de toute la panoplie domestique, aussi bien pour vous que pour l'environnement.

Si un renvoi est obstrué, essayez d'abord de le déboucher avec la ventouse. Si ça ne marche pas, ce produit de remplacement devrait faire l'affaire:

PRODUIT NON CAUSTIQUE POUR RENVOI

250	ml de bicarbonate de sodium
250	ml de sel
25	ml de vinaigre blanc
1	bouilloire d'eau bouillante

Verser le bicarbonate de sodium, le sel et le vinaigre dans le renvoi et laisser agir pendant 15 minutes. Puis verser de l'eau bouillante dans le renvoi.

Pour garder vos renvois dégagés, y verser une fois ou deux par semaine 50 ml de sel et une bouilloire d'eau bouillante. Vous pouvez remplacer le sel par 50 ml de cristaux de soude ou 50 ml de bicarbonate de sodium avec 50 ml de vinaigre.

❖❖❖❖❖❖❖❖❖❖❖❖❖❖

Les assouplisseurs pour tissus

Vous pouvez **remplacer les coûteux assouplisseurs** pour le linge vendus dans le commerce par 50 ml de bicarbonate de sodium ajoutés au moment du lavage ou 50 ml de vinaigre versés dans l'eau au moment du rinçage.

Quant aux assouplisseurs en feuilles, ils sont faits de plastique (habituellement de la rayonne) imbibé de produits chimiques non identifiés sur l'étiquette. Si vous voulez **éliminer l'électricité statique** sans ces produits, il suffit d'ajouter un linge mouillé dans la sécheuse quelques minutes avant la fin du séchage. Pour éviter les faux plis, suspendez les vêtements aussitôt qu'ils sortent de l'appareil.

Si l'**électricité statique** s'accumule dans vos vêtements pendant que vous les portez, retournez la bordure et vaporisez l'intérieur de quelques gouttes d'eau. Si vous l'avez à portée de la main, utilisez le vaporisateur dont vous vous servez pour arroser les plantes. L'électricité statique s'accumule davantage dans les tissus synthétiques tels que la rayonne, le nylon et le polyester. Vous résoudrez donc le problème en portant des produits fabriqués avec des fibres naturelles, coton, laine ou soie : vos vêtements tomberont mieux et vous vous sentirez plus à l'aise.

◆◆◆◆◆◆◆◆◆◆◆◆◆

Les cires à meuble ou à parquet

Ces produits peuvent être dangereux pour la santé parce que en les appliquant, vous inhalez du naphte et d'autres produits chimiques. Employez plutôt de la cire d'abeille si vous voulez un fini lustré. On peut aussi fabriquer sa propre cire.

CIRE À MEUBLE À L'HUILE D'OLIVE

Cette recette convient aux meubles déjà couverts de vernis, de laque ou de gomme laque *(shellac).*

25 ml d'huile d'olive
15 ml de vinaigre blanc
1 L d'eau chaude

Dans un bol, bien mélanger les ingrédients et les mettre dans un vaporisateur. La cire s'applique mieux quand elle est chaude : pour la réchauffer, placer le contenant dans un bol d'eau chaude. Après avoir appliqué la cire, bien frotter avec un linge doux.

CIRE À MEUBLE À L'HUILE DE CITRON

Utilisez cette cire sur les meubles qui ne sont pas déjà recouverts d'une couche protectrice.

15 ml d'huile de citron
1 L d'huile minérale

Mélanger les ingrédients dans un vaporisateur. Appliquer, puis frotter pour faire pénétrer et pour assécher la surface enduite.

CIRE ULTRA-RÉSISTANTE POUR LES MEUBLES ET LES PARQUETS

15 ml de cire de carnauba
500 ml d'huile minérale

Chauffer les ingrédients à feu doux dans un bain-marie et mélanger. Laisser refroidir, puis appliquer à l'aide d'un morceau de tissu doux. On trouve l'huile de carnauba dans les magasins de pièces d'auto ou de bricolage.

Les chasse-mites

Au lieu des boules ou des flocons contre les mites, lesquels sentent très fort et sont toxiques, placez dans vos tiroirs et garde-robes des copeaux de cèdre ou de la lavande séchée.

POUR BIEN NETTOYER

N'utilisez pas le papier essuie-tout : c'est du gaspillage et en plus il est fait de papier blanchi, ce qui veut dire qu'il a été fabriqué selon des procédés dommageables pour l'environnement.

Il est préférable de se servir de chiffons réutilisables qu'on appelle Chiffons J. Mieux encore, utilisez des éponges ou des morceaux de tissu comme les vieux linges à vaisselle, parce qu'ils sont réutilisables plus longtemps.

Ne mélangez jamais l'eau de Javel avec de l'ammoniaque. Les vapeurs d'un tel mélange sont mortelles.
Il en va de même pour les acides comme le vinaigre : ils ne doivent jamais être mélangés à l'eau de Javel.

◇◇◇◇◇◇◇◇◇◇◇◇◇
Les nettoyants pour le four

Pour nettoyer le four des cuisinières électriques, on a recours à des produits qui sont parmi les pires, surtout ceux qui sont vendus en aérosol. Ils brûlent la peau, irritent les poumons et causent du dommage à l'environnement. Vous devriez donc vous débarrasser de ces produits. Une fois que ce sera fait de façon appropriée tel qu'indiqué au chapitre 7, essayez ce produit de remplacement :

NETTOYANT POUR LE FOUR ÉLECTRIQUE

250 ml d'ammoniaque
750 ml d'eau bouillante

(Les vapeurs d'ammoniaque sont dangereuses, mais pas autant que les gaz émis par les nettoyants en aérosol pour le four. Ouvrez portes et fenêtres quand vous utilisez de l'ammoniaque.)

Chauffer le four à 100 °C. Verser l'eau bouillante dans un récipient que vous placerez à la base du four. Placer l'ammoniaque dans un plat sur la grille la plus haute du four. Fermer la porte du four et laisser reposer pendant plusieurs heures. Avant de rouvrir la porte du four, ouvrir portes et fenêtres et quitter la pièce pendant que les vapeurs se dissipent. Ensuite laver le four avec un détergent liquide et de l'eau.

Pour **nettoyer les grilles du four**, placez-les dans un sac à déchets dans lequel vous verserez de 250 ml à 500 ml d'ammoniaque. Fermez le sac hermétiquement et laissez-le hors de la maison pendant quelques heures. Ensuite, sortez les grilles du sac et rincez-les avec un boyau d'arrosage. Si vous habitez un appartement et si celui-ci a un bon système de ventilation dans la salle de bains, au moment d'ouvrir le sac, placez-le dans le bain que vous remplirez d'eau .

Pour nettoyer les tapis

Les nettoyants à tapis vendus dans le commerce, comme les nettoyants à meuble et les détachants, contiennent de nombreuses substances toxiques, et plusieurs d'entre elles sont soupçonnées (dans certains cas c'est même prouvé) d'être mutagènes ou cancérigènes.

Les mauvaises odeurs et les taches de graisse peuvent être enlevées des tapis simplement en les saupoudrant géné-reusement d'un mélange de deux tiers de farine de maïs et d'un tiers de borax. Attendez une heure, puis passez l'aspirateur à fond. Si un liquide, de la nourriture ou un produit quelconque est renversé sur un tapis, il faut nettoyer immédiatement avec un mélange de vinaigre et d'eau, puis avec de l'eau seulement. Ensuite, il faut éponger pour assécher le mieux possible.

◇◇◇◇◇◇◇◇◇◇◇◇

Pour polir l'argenterie

Pour polir l'argenterie, vous pouvez utiliser un produit de remplacement peu coûteux dans lequel vous ferez tremper les pièces jusqu'à ce qu'elles soient propres. Voici la recette de ce produit :

NETTOYANT À ARGENTERIE
1 L d'eau chaude
5 ml de bicarbonate de sodium
5 ml de sel
1 petit morceau de papier d'aluminium

Remplacer le papier d'aluminium quand il noircit.

Les détachants

Ces produits sont très toxiques : certains sont cancé-

rigènes et d'autres sont soup-
çonnés de l'être. Si une chemi-
se est tachée, il vaut mieux
l'enlever tout de suite et la
laver aussitôt que possible.
Voici quelques **trucs** pour enlever les taches.

La **graisse** peut être enle-
vée à l'aide d'un linge mouillé
trempé dans le borax. Vous
pouvez aussi appliquer une
pâte faite de fécule de maïs et
d'eau : laissez-la sécher puis
enlevez-la avec une brosse.

Pour enlever une **tache
d'encre** sur un tissu blanc,
mouillez le tissu avec de l'eau
et appliquez sur la tache une
pâte faite de jus de citron et de
crème de tartre. Attendez une
heure, puis lavez comme à
l'accoutumée.

Les **taches de vin** peuvent
s'enlever avec de l'eau de seltz
(club soda).

❖❖❖❖❖❖❖❖❖❖❖❖❖

Les empois

Vous pouvez remplacer les
empois en aérosol par un
mélange peu coûteux de fécule
de maïs et d'eau.

EMPOIS
15 ml de fécule de maïs 250 ml d'eau

Mélanger les ingrédients
dans un vaporisateur et agiter
vigoureusement. Vous pouvez
varier les concentrations pour
obtenir du linge plus ou moins
empesé.

❖❖❖❖❖❖❖❖❖❖❖❖❖❖❖❖❖

Pour la cuvette
des toilettes

Les nettoyants liquides pour
les cuvettes des toilettes
contiennent souvent des substances toxiques telles que les
composés quaternaires
d'ammonium. Les pastilles et
les produits qu'on accroche à
la cuvette contiennent du
bisulphite de sodium et du
désinfectant de même que de
bien inutiles teintures. Un nettoyant tout-usage comme ceux
dont nous avons donné la
recette à la page 92 fera tout
aussi bien l'affaire si vous nettoyez régulièrement.

Pour enlever les taches,
fabriquez une pâte avec du
borax et du jus de citron.
Mouillez les côtés de la cuvette, frottez avec la pâte, puis
laissez reposer pendant quelques heures avant de l'enlever
et de rincer.

Pour l'entretien régulier,
utilisez le produit suivant :

NETTOYANT POUR CUVETTES À L'AMMONIAQUE ET AU PEROXYDE

5 ml d'ammoniaque à
    usage domestique
250 ml de peroxyde
    d'hydrogène
2 L d'eau

Mélanger tous les ingré-
dients dans un seau, puis
vider le nettoyant dans la

cuvette des toilettes. Après avoir laissé reposer pendant 30 minutes, frotter avec une brosse à long manche, puis actionner la chasse d'eau. Le produit nettoyant peut être laissé dans la cuvette pendant plusieurs heures si des taches tenaces résistent aux premiers efforts.

❖❖❖❖❖❖❖❖❖❖❖❖❖❖❖

Les nettoyants pour carreaux de céramique et pour le bain

Les mousses et les nettoyants liquides utilisés dans les salles de bains peuvent être remplacés par les nettoyants maison (voir page 92). Pour nettoyer le bain efficacement, utilisez du bicarbonate de sodium et un linge mouillé. Vous verrez, les résultats seront aussi bons qu'avec les poudres à récurer, lesquelles peuvent contenir de l'eau de Javel, des agents de renforcement au phosphate et des substances corrosives. Pour nettoyer les joints de mortier, employez une vieille brosse à dents hors d'usage.

Voici une recette de poudre à récurer tout-usage:

POUDRE À RÉCURER

50 ml de savon en paillettes ou en poudre
10 ml de borax
375 ml d'eau bouillante
50 ml de poudre de craie

Dissoudre le borax et le savon dans l'eau bouillante. Laisser refroidir à la température ambiante. Ajouter la poudre de craie, puis verser dans un contenant hermétique de plastique ou de verre. Bien agiter avant d'utiliser. Pour que le produit soit davantage abrasif, ajouter de la poudre de craie, 15 ml à la fois, jusqu'à l'obtention de l'effet désiré.

◆◆◆◆◆◆◆◆◆◆◆◆◆◆◆

Pour la vitre et le verre

Les produits du commerce contiennent surtout de l'ammoniaque, un poison, comme agent actif. Le vinaigre est un substitut éprouvé, de même que les vieux journaux.

S'il vous faut quelque chose d'extra-fort, pour les fenêtres de la cuisine enduites de graisse ou pour le dessus de la cuisinière électrique par exemple, voici une recette qui devrait vous permettre de vous tirer d'affaire honorablement:

NETTOYANT POUR LA VITRE ET LE VERRE

30 ml de fécule de maïs
250 ml d'ammoniaque à usage domestique
250 ml de vinaigre blanc
4,5 L d'eau

La plupart des nettoyants liquides contiennent 95 % d'eau, pourtant ils coûtent cher ! Parmi les 5 % de supposés ingrédients actifs, on trouve des substances tout à fait inutiles et coûteuses, tels les parfums et les teintures.

◆◆◆◆◆◆◆◆◆◆◆◆◆◆◆◆◆◆◆◆◆◆◆◆◆◆◆◆◆◆◆◆◆

POUR MIEUX CHOISIR

Dans certains supermarchés et dans les magasins d'aliments naturels, on offre maintenant une grande variété de produits de nettoyage qui ne portent pas atteinte à l'environnement. Vous pouvez également vous les procurer auprès de certains distributeurs ou par catalogue. Parlez-en à votre détaillant si vous ne trouvez pas les produits que vous recherchez. Faites-lui savoir qu'il y a des produits de nettoyage qui sont meilleurs pour l'environnement et pour la santé.

Amway

L'annuaire du téléphone vous permettra de trouver facilement les représentants d'Amway. Cependant, il faut savoir que leurs produits ne sont pas vendus au détail. Le nettoyant liquide biologique d'Amway est biodégradable et peut servir à tout, aussi bien aux planchers qu'aux vêtements. Amway offre aussi des détergents à vaisselle et d'autres pour la lessive.

Les nettoyants Écover,
biodégradables et sans danger pour l'environnement

Cette gamme de produits fabriqués en Belgique est très populaire auprès des environnementalistes d'Europe de l'Ouest et d'Angleterre. La plupart sont à base de végétaux, ce qui fait qu'ils sont très facilement biodégradables. Ces produits sont offerts dans plusieurs magasins d'aliments naturels.

Sopren

C'est une toute nouvelle gamme de produits de conception et de fabrication québécoises comprenant le shampoing, le savon à linge, le savon à plancher, le savon à vaisselle et le nettoyeur à vitre. Le fabricant garantit ses produits comme non toxiques et biodégradables en cinq jours. Pour plus d'informations, on peut communiquer avec Sopren Canada, 10 261, Renaude-Lapointe, Ville d'Anjou, Québec (Qc) H1J 2T4.

Shaklee

Ces produits, comme ceux d'Amway, ne sont pas vendus en magasin : il faut s'adresser à des représentants. Si vous n'en trouvez pas dans votre annuaire du téléphone, vous pouvez vous procurer leur catalogue à l'adresse suivante : Shaklee, 1291, Richard Turner, Sainte-Foy, G1W 3N4.

Les nettoyants Basic L, Basic H et Basic I de Shaklee ne contiennent ni phosphates, ni borates, ni enzymes.

The Soap Factory

Chez Soap Factory, on offre toute une gamme de produits écologiques tels que des détersifs, des détergents à vaisselle, de la poudre pour lave-vaisselle, des nettoyants pour salle de bains et un nettoyant tout-usage. Ces produits sont exempts de phosphates et d'enzymes ; on les trouve partout au Canada dans les magasins d'aliments naturels et dans certains supermarchés IGA.

Pur et Simple

Dans les magasins Pur et Simple, la clientèle peut trouver des insecticides non toxiques pour les plantes et les animaux ainsi que des engrais naturels. Une grande variété de produits faits à base de produits naturels de marques réputées y sont distribués. Vous pouvez commander le catalogue Pur et Simple en vous adressant au 5709, avenue Monkland, Montréal, Québec, H4A 1E7.

Des États-Unis nous viennent aussi les produits Double Team, tandis que les nettoyants Auro sont fabriqués en Allemagne. On trouve également certains produits sous la marque Coopérative La Balance de Montréal.

❖❖❖❖❖❖❖❖❖❖❖❖❖❖❖❖❖❖❖❖❖❖❖❖❖❖❖❖❖❖❖❖

LE NETTOYAGE À SEC

Dans les nettoyeurs à sec se trouvent des solvants dangereux pour l'environnement, particulièrement pour les eaux souterraines. Dans 80 % des cas, il s'agit de perchloréthylène (familièrement appelé «perc»), un produit chimique toxique et potentiellement cancérigène. Ils contiennent aussi du varsol, un distillat de pétrole, ou encore un fluorocarbure appelé F-113 dommageable pour la couche d'ozone qui entoure la Terre.

Ces solvants sont régulièrement recyclés pour servir de nouveau, mais une partie du perc se perd néanmoins dans les eaux d'égout et dans l'air. De plus, le recyclage produit des résidus de distillation, et ces boues sont ensuite jetées dans les sites d'enfouissement sanitaire avec les filtres sales. Là le perc continue d'agir comme solvant et dissout les produits toxiques contenus dans les autres déchets, lesquels vont ensuite contaminer le sol et les eaux souterraines.

Il est possible actuellement de récupérer et de réutiliser 99 % du perc; ceux qui le font réalisent ainsi des économies appréciables. Le peu de résidus qui reste peut être facilement brûlé par des spécialistes dans des incinérateurs à déchets, à condition que le perc ne soit pas mêlé aux autres déchets avant sa combustion.

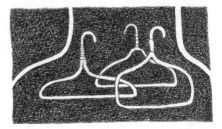

Au Québec, selon la réglementation, les entreprises de nettoyage à sec doivent se débarrasser de leurs déchets industriels par les services spécialisés de récupération. On a passé ce règlement parce qu'il y a quelques années on a découvert de sérieux problèmes de contamination des eaux souterraines. Il leur est interdit de jeter les déchets dans les sites d'enfouissement et ils doivent faire la preuve qu'ils s'en sont débarrassés de manière correcte et légale. Les consommateurs québécois peuvent donc en toute quiétude utiliser le nettoyage à sec pour leurs vêtements.

Chapitre 4

LES VÊTEMENTS
ET LES ARTICLES
DE TOILETTE

L'habillement pose un sérieux problème à toute personne désireuse de faire des choix appropriés qui n'auront aucun effet négatif sur l'environnement. Les vêtements offerts dans les magasins ont beau être accompagnés de diverses étiquettes (marque, fibres, entretien ou parfois même une étiquette syndicale), il est extrêmement rare que vous y trouviez des renseignements sur la façon dont les fibres ont été cultivées et sur l'endroit où le tissu a été fabriqué. Difficile aussi de se faire une idée de ce que contiennent les articles de toilette.

« Votre tenue vestimentaire compte autant que votre conversation pour révéler qui vous êtes. »

Catherine Parr Traill

C e sont les renseignements que vous ne trouvez pas sur les étiquettes qui vous permettraient de savoir, par exemple, si tel vêtement a été fabriqué à partir de matières et selon certains procédés de fabrication dommageables pour l'environnement. Certains fabricants de textiles sont des pollueurs reconnus.

Au départ, vous devez donc faire certains choix empiriques, comme opter pour des vêtements faits de fibres naturelles (coton, laine, soie et lin) plutôt que de fibres synthétiques comme l'acrylique. Les fibres de cellulose comme la rayonne sont faites à partir du bois ou d'autres matières naturelles, mais leur fabrication requiert beaucoup de transformation en usine. La plupart des fibres synthétiques sont à base de pétrole, une ressource non renouvelable et qui doit être transformée dans des usines complexes et polluantes avant de pouvoir être utilisée comme textile.

Les fibres naturelles, par ailleurs, sont souvent cultivées sur des terres arrosées d'herbicides et de pesticides. Peu de produits chimiques sont utilisés pour produire la laine. L'industrie du coton, pour sa part, est la troisième au monde pour ce qui est de l'utilisation des pesticides. Certains producteurs de coton se tournent vers l'agriculture biologique et méritent d'être encouragés. Aussitôt que les détaillants québécois pourront offrir des vêtements fabriqués avec ce coton, les consommateurs devraient les acheter de préférence aux autres. Au Canada, les dirigeants de la chaîne de magasins Roots Canada sont présentement à la recherche de tels producteurs et ils espèrent pouvoir offrir dans un avenir rapproché des vêtements fabriqués avec du coton biologique.

Voici **quelques conseils** pour vous inciter à développer de meilleures habitudes de consommation dans le domaine des vêtements:

● Essayez de modifier, si tel est le cas, votre tendance à vous débarrasser de vos vêtements alors qu'ils sont encore en bon état ou qu'ils pourraient l'être moyennant quelques retouches ou de légères réparations.

● S'ils ne sont vraiment plus mettables, pensez à les recycler en chiffons. Cela vaudra mieux que de les jeter et par ailleurs de faire usage de papier essuie-tout.

● Si un vêtement est encore bon, mais que vous ne vouliez plus le porter, offrez-le à un parent ou un ami, ou encore donnez-le à un comptoir de vente de vêtements usagés au lieu de le jeter tout simplement.

❖❖❖❖❖❖❖❖❖❖❖❖❖❖❖❖❖❖❖❖❖❖❖❖❖❖❖❖❖❖❖❖❖

LES BIJOUX

Il va de soi que l'on doit éviter d'acheter et de porter des bijoux faits en partie ou en totalité de produits provenant d'espèces menacées. Si les coûts environnementaux reliés à de tels objets sont évidents, il n'en va pas toujours ainsi.

Les perles, qu'elles soient naturelles ou de culture, ne posent pas de problème à l'environnement, mais dans le cas des métaux précieux, la situation est différente. Le raffinage de l'or, par exemple, cause de nombreux et très sérieux problèmes de pollution. Ainsi on y utilise de grandes quantités de cyanure et ce poison pollue les cours d'eau, tuant les poissons qui y vivent. Les sulfures que l'on brûle à la fin des opérations de raffinage produisent de l'anhydride sulfureux, lequel contribue aux précipitations acides.

L'extraction des diamants et des autres pierres précieuses est souvent associée à la déforestation (pour dégager le terrain, pour fabriquer le bois de charpente dans les mines ou pour fournir le carburant), à l'érosion des sols, à l'accumulation des boues dans les cours d'eau, à la pollution de l'air et à l'utilisation abusive de l'eau. Dans le delta de l'Okavango, au Botswana, un projet de mine de diamant menace d'altérer l'écosystème aquatique de toute une région à la faune très abondante et très variée.

◆◆◆◆◆◆◆◆◆◆◆◆◆◆◆◆◆◆◆◆◆◆◆◆◆◆◆◆◆◆◆◆◆◆

LES ARTICLES DE TOILETTE ET LES PRODUITS DE BEAUTÉ

Les pressions exercées par les environnementalistes dans les années 70 et 80 ont eu un impact certain sur les produits offerts en pharmacie partout au Canada. Ainsi, quoiqu'on puisse encore observer certains excès d'emballage, cette pratique est moins fréquente, pour des raisons économiques. Il reste cependant que beaucoup de ces produits causent des problèmes à l'environnement et que le consommateur avisé, là comme ailleurs, doit être vigilant et faire les bons choix.

On s'est beaucoup inquiété ces derniers temps du mauvais traitement imposé aux animaux de laboratoire. Dans le domaine des produits de beauté, ces pratiques sont perçues comme étant d'autant plus cruelles que ces produits ne sont pas essentiels. Il ne faut pas se le cacher : à peu près tous les ingrédients entrant dans la fabrication des produits de beauté ont été testés sur des animaux. Par ces tests, on vise à vérifier essentiellement trois choses :

◆ Le produit est-il toxique ? Le test le plus fréquent est le LD50, par lequel on cherche à déterminer la dose mortelle (LD pour *Lethal Dose* en anglais) d'une substance. On nourrit de force un groupe de petits mammifères, généralement des souris ou des rats, avec des doses de plus en plus fortes de la substance qu'on veut évaluer, jusqu'à ce que 50 % des animaux en meurent.

◆ Est-il irritant pour les yeux ? Le test pour les yeux Draize est le plus connu de ceux qui font campagne en faveur des droits des animaux. Les yeux de lapins non anesthésiés sont aspergés de produits comme les shampoings et les fixatifs à cheveux. Les conduits lacrymaux de ces animaux sont modifiés pour éviter que les pauvres bêtes ne puissent diluer et éliminer ces substances. L'expérience peut s'étendre sur plusieurs jours au cours desquels les expérimentateurs tentent de déceler si les yeux des cobayes sont endommagés.

◆ Est-il irritant pour la peau ? On rase des cochons d'Inde ou des lapins pour appliquer sur leur peau des produits tels que des désodorisants ou des crèmes pour le visage. On vérifie si, avec le temps, leur peau ne souffre pas d'irritation, d'inflammation ou si elle n'enfle pas.

À mesure que les pressions augmentent pour interdire les tests sur les animaux de laboratoire, les fabricants se tournent vers d'autres méthodes pour expérimenter leurs nouveaux produits. De fait, une partie du financement des travaux de recherche effectués au Centre for Alternatives to Animal Testing (Centre de recherche de solutions de remplacement aux essais effectués sur des animaux) de l'Université Johns Hopkins de Baltimore aux

```
┌─────────────────────────────────────────────┐
        GUIDE DE L'ACHETEUR
      DE PRODUITS NON TESTÉS
        SUR DES ANIMAUX
```

À la Fédération canadienne des groupes de protection des animaux de même qu'au Groupe de protection des animaux de Toronto, on a dressé la liste des produits de beauté qui n'ont pas été testés sur des animaux :

Abracadabra, Aditi-Nutri-Sentials, Aloengen, Aloette, Annemarie Borlind, Aubrey Organics, Bare Escentuals, Beauty Without Cruelty, Biokosma, Body Shop, Savon naturel du Canada, Carme, Produits de beauté aux herbes Chello, Chenti, Country Comfort, Clientele, Derma, Desert Essence, Dr Grandel, Dr Hauschka, Faces, Produits aux herbes Faunus, Produits General Nutrition Care, Germination/Buschwacky, Goldwell, Compagnie Gruene Kosmetik Hain Pure Food, Soins naturels pour la peau I+M, Infinity, Innoxa, Isis, Jamieson's, Produits naturels Jason, John Paul Mitchell Systems, Fermes Jojoba, Jurlique, Kappus, Kiss My Face, KMS Inc., La Coupe, Maquillage de scène Leichner, L'Occitane, Marks and Spencer, Soins pour les ongles Mavala, Micro Balanced, Mill Creek, Mira Linder, Naturade, Natural Care, Nature Clean, Nature Cosmetics, Nature de France, Nexxus, Ombra, O'Naturel, Oriflame, Produits naturels Orjene, Paul Penders, Dentifrice Peelu, Phytoderm, Rachel Perry, Schiff, Schwarzkopf, Shikai, Sleepy Hollow Naturals, Soapberry, Soap Works, Sombra, Substance International, Sunshine Fragrance Therapy, Swiss Herbal, Produits de beauté Tiki, Tom's of Maine, Produits Vita-Wave, Weleda, Produits aux herbes Wolf.

États-Unis provient de plusieurs grandes compagnies. Chez Avon, le plus grand fabricant de produits de beauté au monde, on y contribue largement et, de plus, on a mis fin aux tests sur des animaux en juin 1989. «Je suis heureuse qu'on ait mis fin à ces pratiques, a dit Mme Christina Gold, présidente d'Avon du Canada inc. Ce n'était pas de gaieté de coeur que nous faisions ces essais, ils étaient essentiels pour nous assurer que nos produits étaient sans danger pour ceux qui les utilisaient.» Il faut préciser cependant que si chez Avon on a renoncé aux expériences sur les animaux, on n'oblige pas les fournisseurs à en faire autant, ce qui fait que les ingrédients utilisés dans la fabrication de leurs produits pourraient bien avoir été testés sur des animaux.

Les fabricants de la compagnie Marks and Spencer ont renoncé aux essais sur des animaux pour leurs produits de beauté il y a plus de 10 ans. C'est la seule chaîne de magasins à rayons au Canada où l'on offre une gamme complète de produits non testés sur des animaux. On trouve plus de 300 produits de beauté et articles de toilette dans ses 73 succursales au Canada. On n'y utilise que des ingrédients dont l'innocuité a déjà été démontrée, ce qui fait qu'on a pu renoncer aux recours à des animaux. Bien sûr, cela n'exclut pas que dans le passé on ait eu recours à de telles expériences pour les ingrédients utilisés. Quoi qu'il en soit, chez Marks and Spencer, contrairement à bien d'autres compagnies, on a au moins le mérite de garantir que les fournisseurs n'effectuent pas de tests sur les animaux.

Il n'est pas facile pour les fabricants de ces compagnies de renoncer à ce genre de procédé. L'innovation s'en trouve ralentie, les coûts de production sont plus élevés, il est plus difficile de remplacer un ingrédient qui n'est plus en vente, enfin ils ne peuvent pratiquement plus développer une nouvelle substance dont ils auraient l'exclusivité. Par ailleurs, il ne faut pas croire un fabricant qui clame que les produits ou l'ingrédient qu'il offre «n'a jamais été testé sur des animaux». La plupart du temps, tout ce que cela signifie, c'est que lui-même ne l'a pas évalué avec cette méthode au cours des cinq dernières années.

De plus en plus de fournisseurs évitent d'offrir des produits contenant des substances animales, qu'elles proviennent ou pas d'espèces menacées. Parmi ces ingrédients, on compte le suif qu'on utilise dans certains savons et baumes pour les lèvres et qui provient de gras animal, l'acide stéarique, un corps gras solide qu'on trouve dans les savons, les crèmes à raser et les fonds de teint, ainsi que le collagène et la gélatine qu'on obtient en faisant bouillir des os, de la peau, des tendons et du tissu conjonctif.

Un certain nombre de fabricants de produits de beauté utilisent encore des substances tirées d'espèces rares ou menacées. Maintenant que les produits prélevés sur des baleines comme le spermacéti (aussi appelée blanc de baleine, cette substance blanche et huileuse contenue dans le crâne du cachalot entrait dans la fabrica-

Le coût des produits de beauté.

tion de certains produits de beauté) sont interdits au Canada, on se tourne vers le requin pèlerin, un animal inoffensif qui se nourrit de plancton. On tire du foie de ces requins une huile légère appelée squalène dont le point de congélation est très bas. Un requin de 6 tonnes peut fournir jusqu'à 1 000 litres d'une telle huile. On s'en sert pour une grande variété de produits, y compris certaines crèmes pour le visage. Dans les entreprises où cette huile est utilisée, telle Esthée Lauder, on reconnaît qu'on pourrait prendre l'huile de certains autres poissons ou de certaines graines, mais on se défend en disant qu'il n'est pas prouvé que ces huiles de remplacement sont aussi efficaces que la squalène.

L'emballage excessif des produits de toilette et de beauté en fait sensiblement augmenter le prix. Supposément, tout ce papier et ce plastique d'empaquetage sont là pour assurer la «fraîcheur» et la «salubrité» du produit, mais en fait, ils servent surtout à soigner l'image de l'entreprise savamment entretenue par la publicité. On estime d'ailleurs que les dépenses reliées à la publicité et à la promotion d'un produit font qu'il peut coûter jusqu'à 10 fois plus cher !

❖❖❖❖❖❖❖❖❖❖❖❖❖❖❖❖❖❖❖❖❖❖❖❖❖❖❖❖❖❖

Les antisudoraux et les désodorisants corporels

L'usage des CFC dans les bombes aérosol des antisudoraux et des désodorisants corporels est interdit au Canada depuis 1980. Cependant, on peut toujours les utiliser comme liant (lequel sert à garder les poudres en suspension dans les gaz) dans les aérosols antisudoraux en poudre. Évitez donc d'utiliser les produits en aérosols : utilisez de préférence les bâtons ou les crèmes.

◆◆◆◆◆◆◆◆◆◆◆◆◆◆◆◆◆◆◆◆◆◆◆◆◆◆◆◆◆◆

Les soins pour bébés

Ce dont on discute le plus présentement à propos des produits pour bébés, c'est de savoir si l'on doit préférer les **couches lavables** et réutilisables aux **couches jetables**. On ne peut nier que les couches jetables soient bien pratiques. Toutefois ce petit pas en avant dans la consommation constitue un pas de géant en arrière du point de vue de l'environnement, et les papas et les mamans ont raison d'avoir mauvaise conscience d'utiliser de telles couches.

◆ Les couches jetables constituent un gaspillage des ressources.

Pour produire les 600 millions de couches jetables que les bébés utilisent chaque année au Québec, il faut abattre 800 000 arbres pour fabriquer environ 25 000 tonnes de bourres à base de papier et transformer plusieurs milliers de mètres cubes de gaz naturel non renouvelable en plastique (3 000 tonnes) polypropylène non dégradable.

◆ Les couches jetables encombrent les sites d'enfouissement.

Représentant de 2 % à 5 % du poids total des déchets jetés dans les sites d'enfouissement au Québec, soit à peu près 80 000 tonnes par année, elles sont quantitativement en tête de tous les déchets domestiques non recyclables.

Si nous réunissions toutes les couches jetées au Québec en une année, il faudrait un édifice de 22 étages pour les entreposer, soit l'équivalent du Complexe G à Québec. Pour transporter les 60 000 tonnes qu'elles représentent, cela nécessiterait 525 camions à remorque. Autres comparaisons : si ces couches étaient empilées, elles formeraient une colonne de 16 000 km de hauteur et mises bout à bout, elles feraient trois fois le tour de la terre.

◆ Les couches jetables constituent un risque pour la santé.

On ne devrait pas jeter d'excréments humains dans les sites d'enfouissement : nous avons des égouts pour cela. En fait, il est illégal de jeter des excréments humains ailleurs que dans les lieux prévus à cette fin. Les travailleurs des sites d'enfouissement sont exposés chaque jour à toute cette contamination. La santé communautaire peut être menacée là où se trouvent des sites d'enfouissement plus anciens : la population risque d'être affectée par la contamination des sols et des eaux souterraines.

Mais ce n'est pas tout, il y a des risques pour les bébés aussi. Parce qu'on change moins souvent les couches jetables que les couches de tissu, les bébés sont davantage exposés aux éruptions cutanées. De plus, si les couches que vous achetez contiennent de la bourre javellisée, votre bébé risque d'absorber par la peau des substances hautement toxiques telles que les dioxines et les furanes.

◆ Les couches jetables coûtent plus cher que les couches de tissu.

Dans *Protégez-vous*, on évalue ainsi les coûts moyens des couches pour une période de deux ans et demi :

1 Les couches de tissu lavées à la maison (incluant les couches elles-mêmes, le détersif pour la lessive, les protège-matelas, le seau à couches ainsi que les coûts de l'électricité pour le lavage) : 1 000 $;

2 Les couches de tissu confiées à un service spécialisé (incluant les enveloppes de couche) : 1 500 $;

3 Les couches jetables : 2 000 $.

Les services de couches à domicile font un retour en force. Cela s'explique par le fait que l'utilisation des couches de tissu augmente de 11 % par année. Vous trouverez ces services dans les pages jaunes de votre annuaire du téléphone régional ou en vous adressant aux CLSC ; aucun de ces organismes n'est tenu de vous renseigner au sujet des services de couches à domicile, cependant, dans certains CLSC, on se fera un plaisir de le faire.

Ceux et celles qui veulent utiliser des couches de tissu ont le choix entre plusieurs sortes, des plus modestes couches rectangulaires à l'ancienne jusqu'aux modèles plus sophistiqués ajustés et fermés par des attaches incorporées. Les culottes porte-couche, les Nikky Pants par exemple, permettent de remplacer les épingles et les bandes élastiques, ce qui simplifie le travail des parents et assure le confort du bébé.

❖❖❖❖❖❖❖❖❖❖❖❖❖❖❖❖❖❖❖❖❖❖❖❖❖❖❖❖❖❖

Les produits pour le bain

Les gels, les huiles et les produits moussants pour le bain ont souvent été testés sur des animaux : consultez la page 111 pour connaître les marques des compagnies dont les produits n'ont pas subi de tels tests. Certaines mousses pour le bain contiennent du formaldéhyde, lequel peut irriter la peau.

◇◇◇◇◇◇◇◇◇◇◇◇◇

Les contraceptifs

Les premiers contraceptifs oraux, faut-il le rappeler, furent fabriqués à l'aide de substances qu'on trouve dans l'igname sauvage, une plante tropicale qui, en raison de l'exploitation qu'on en a fait, est maintenant disparue dans certaines parties de son aire de croissance. Les Amérindiens d'Amérique centrale connaissaient les effets contraceptifs de cette plante bien avant que les scientifiques blancs en découvrent les vertus particulières, au moment où le contrôle des populations est devenu une priorité à travers le monde.

Certaines formes de contraception cependant peuvent causer des problèmes. C'est le cas du condom. Dans le *Sunday Times* de Londres, on rapporte que les condoms, très populaires surtout depuis que le SIDA s'est répandu dans le pays, salissent la campagne anglaise. Les fermiers se plaignent de ce que le bétail risque de s'étouffer en les avalant. Si vous avez recours à cette méthode contraceptive au cours de vos promenades au grand air, vous savez ce qui vous reste à faire: jetez vos condoms usagés dans les poubelles, pas dans la nature.

◆◆◆◆◆◆◆◆◆◆◆◆◆◆

Les tampons de coton hydrophile et les coton-tige

Ce qu'on appelle coton dans ces produits est en réalité de la rayonne, laquelle met beaucoup de temps à se décomposer. De plus, du bisulphite de carbone est relâché dans l'air au cours de la fabrication de cette substance. Au lieu de ces produits jetables, utilisez une débarbouillette.

Les dépilatoires

Évitez d'utiliser des produits en aérosol, ceux-ci pourraient contenir des CFC dommageables pour la couche d'ozone.

Les soins du visage

On peut se faire soi-même des masques faciaux et des produits de beauté pour le visage avec des ingrédients naturels. Pour nettoyer à fond en frottant la peau du visage, par exemple, vous pouvez employer les flocons d'avoine et les amandes moulues : ils conviennent très bien pour enlever l'excès de gras de la peau.

Si vous désirez des recettes maison pour des produits de beauté naturels, procurez-vous *Kitty Little's Book of Herbal Beauty* (Éditions Penguin, 1987, 12,95 $) ou bien *Cosmetics from the Earth : A Guide to Natural Beauty* de Roy Genders (Éditions Alfred Van Der Merck, 1986, 24,99 $).

Les fixatifs à cheveux

Les fixatifs en aérosol vendus au Canada ne contiennent plus de CFC. Les gels sont offerts dans des emballages plus simples : songez à les utiliser.

Le maquillage

Consultez la page 111 pour connaître la liste des produits de beauté qui n'ont pas été testés sur des animaux.

Certains fards contiennent des extraits de plantes ou d'animaux rares, mais l'absence de réglementation sur l'étiquetage au Canada fait qu'il est très difficile de faire des choix judicieux pour cette sorte de produits.

Les crèmes hydratantes

Recherchez les crèmes hydratantes qui n'ont pas été testées sur des animaux (voir la liste à la page 111).

Les vernis à ongles

Les vernis à ongles et les dissolvants contiennent plusieurs produits chimiques dont l'acétone et le toluène. Les dissolvants, en particulier, sont très toxiques. Si vous utilisez ces produits, assurez-vous qu'ils ne seront pas plus tard déversés dans l'eau, car ils représentent un sérieux danger de contamination.

❖❖❖❖❖❖❖❖❖❖❖❖❖❖

Les parfums et les eaux de toilette

Pour produire les parfums, on utilise les animaux de deux manières différentes : on s'en sert pour fabriquer les substances fixatrices d'odeurs et pour tester l'innocuité des produits.

Parmi les substances animales utilisées comme fixatifs, il y a le musc du cerf porte-musc, le castoréum du castor, la civette de l'animal du même nom ainsi que l'ambre gris (sécrétion du système digestif des cachalots). Le cerf porte-musc et le cachalot sont classés parmi les espèces menacées. Malheureusement, parce que les fabricants ne sont pas obligés d'inscrire sur leurs étiquet-tes de quoi est fait leur produit, il est en général impossible de savoir ce que contiennent réellement les parfums et les eaux de toilette offerts sur le marché canadien.

Issus d'une longue tradition, fabriqués à partir de vieilles recettes depuis long-temps éprouvées, les parfums français sont davantage susceptibles de contenir ces substances animales rares et coû-teuses. Les autres fabricants de parfums n'utilisent générale-ment pas ces substances, bien plus en raison de leur rareté et de leur coût que pour des rai-sons humanitaires. Depuis une vingtaine d'années, ils se sont tournés vers des produits de remplacement, végétaux ou synthétiques.

Les parfums des compa-gnies The Body Shop et Beauty Without Cruelty n'ont pas été testés sur des animaux. Il en va de même pour les parfums Passion d'Elizabeth Taylor et Unhibited de Cher.

QUE CONTIENNENT-ILS ?

De nombreux consommateurs sont allergiques à certains ingré-dients contenus dans les produits de beauté et les articles de toilette.

Au Canada, l'absence de réglementation en matière d'étiquetage fait que l'acheteur ne peut jamais vraiment savoir ce que contient le produit qui lui est offert.

Aux États-Unis, la situation est différente : les fabricants sont tenus de donner la liste des ingrédients sur les étiquettes. Or, beaucoup de produits en vente au Canada sont les mêmes que chez nos voisins du Sud. Donc, la prochaine fois que vous irez là-bas, notez ce qui est inscrit sur les étiquettes. Il est possible que les produits offerts au Canada ne soient pas tout à fait identiques (les fabricants refusent de le garantir), toutefois il est probable qu'ils le sont.

Si vous désirez plus de renseignements sur les produits de beauté en général, consultez le *Consumer's Dictionary of Cosmetic Ingredients* de Ruth Winter (Éditions Crown, 1984).

◆◆◆◆◆◆◆◆◆◆◆◆◆◆◆◆◆◆◆◆◆◆◆◆◆◆◆◆◆◆◆◆◆

LES SHAMPOINGS
ET LES LOTIONS CAPILLAIRES

Recherchez les produits qui n'ont pas été testés sur les animaux (voir la liste à la page 111)

◇◇◇◇◇◇◇◇◇◇◇◇◇◇

Le rasage

Si vous ne craignez pas les solutions extrêmes, pour résoudre la question du rasage de la barbe, laissez-la pousser tout simplement. Quant à ceux qui préfèrent encore se raser (90 % des hommes en fait), voici quelques conseils :

Si vous vous rasez avec une lame, évitez d'employer les crèmes à raser en aérosol qui pourraient contenir des CFC, les rasoirs jetables et les produits offerts dans des emballages trop élaborés. À ce chapitre, les paquets de rasoirs jetables sont vraiment à éviter. N'utilisez pas non plus les blaireaux à manche d'ivoire ou faits de vrais poils de blaireau (petit mammifère carnivore). En utilisant des rasoirs électriques, par ailleurs, on consomme de l'énergie électrique dont on connaît l'impact sur l'environnement, quelle qu'en soit la source. À tout prendre cependant, le rasoir électrique représente un moindre mal.

La compagnie **The Body Shop**, créée par Anita Roddick en 1976, constitue un bon exemple de réussite aussi bien commerciale qu'environnementale. Au Canada seulement, on offre dans 72 boutiques les produits de beauté et les articles de toilette de ce fabricant, produits maison qui sont respectueux de l'environnement.

Les consommateurs vigilants apprécieront chez ce fabriquant :

• L'utilisation d'ingrédients naturels, dont plusieurs proviennent de pays en voie de développement.

• Le refus de vendre des produits dont les ingrédients ont été testés sur des animaux depuis cinq ans ou moins.

• L'emballage réduit au minimum.

• L'appui donné à des programmes et à des projets éducatifs réalisés partout dans le monde et relatifs aux questions environnementales et à la situation qui prévaut au Tiers monde.

À chaque succursale de cette compagnie, on peut trouver un cahier contenant la liste des ingrédients de tous les produits qui y sont vendus. Si un ingrédient en particulier est protégé par le secret industriel, il n'apparaîtra pas dans ce cahier. Cependant, si un médecin en fait la demande en vue d'aider un patient qui pourrait présenter des symptômes d'allergie à certains produits, alors on lui fournira les renseignements sur ces ingrédients secrets.

Les savons

Il est relativement facile de se procurer des savons faits d'ingrédients naturels et qui n'ont pas été testés sur des animaux.

Au Canada, il existe un excellent savon appelé Canada's All Natural Soap.

Facile à trouver dans les magasins d'aliments naturels, il ne contient que de la lessive, de l'eau, de l'huile végétale et des essences naturelles comme la camomille et l'oeillet. Il ne contient ni teintures, ni agents de blanchiment, ni parfums artificiels. Sa fabrication ne cause pas de pollution. Les produits offerts par Pur et Simple de même que les produits Druide entrent également dans cette catégorie.

Les tampons et les serviettes hygiéniques

Contrairement à ce que prétendent certains fabri-cants, il ne faut jamais jeter ces produits dans la cuvette des toilettes. Les matières absorbantes et les liquides menstruels qui se retrouvent dans les égouts polluent l'eau et bouchent les filtres des usines de traitement des eaux usées. Jetez-les dans votre poubelle, avec les autres déchets domestiques non recyclables.

On peut maintenant trouver des serviettes hygiéniques fabriquées avec des fibres non blanchies à l'eau de Javel. Ainsi la bourre des serviettes Green Maxi Pads fabriquées par la compagnie President's Choice n'est pas blanchie au chlore. Surveillez aussi l'emballage : les tubes de plastique et les emballages individuels sont à éviter.

Les mouchoirs en papier

Utilisez de préférence les vrais mouchoirs en tissu lavables plutôt que les mouchoirs en papier. Pour enlever le maquillage, utilisez une débarbouillette ou une éponge.

Le papier hygiénique

Achetez de préférence le papier hygiénique fait de papier recyclé non coloré.

◆◆◆◆◆◆◆◆◆◆◆◆◆◆◆

Les dentifrices

Cela peut surprendre, mais les dentifrices peuvent causer de la pollution, principalement à cause des pigments de blanc de titane (dioxyde de titane) utilisés pour fabriquer des pâtes plus blanches. Les effluents acides produits au cours de la fabrication de ces pigments rendent les eaux trop acides aux abords des usines.

Il ne faut cependant pas condamner trop vite l'utilisation de ces pigments de titane. Dans les peintures, le papier, les plastiques, les encres et les fibres synthétiques, ils ont remplacé l'oxide de zinc et le plomb. Contrairement à ce dernier, ils ne sont pas toxiques, ce qui constitue une amélioration importante tant sur le plan de la santé que sur le plan de l'environnement. De plus, les deux fabricants du blanc de titane au Canada, N. L. Chem Canada et Tioxide Canada ont annoncé qu'ils allaient installer des équipements pour neutraliser l'acidité de leurs eaux usées. On peut donc espérer que ce produit sera bientôt réhabilité aux yeux des environnementalistes.

Entre-temps, vous pouvez utiliser des gels dentifrices, lesquels contiennent moins de blanc de titane, ou des pâtes dentifrices faites à partir d'ingrédients naturels tels que l'huile de fenouil, la glycérine, la poudre de craie et le sulfate de sodium (extrait de l'huile de noix de coco). Les marques Weleda et Peelu, entre autres, sont en vente dans les magasins d'aliments naturels.

Vous obtiendrez des renseignements supplémentaires en vous adressant aux organismes suivants :
Canadian Cosmetic, Toiletry and Fragrance Association (Association canadienne des fabricants de produits de beauté, articles de toilette et parfums)
24, rue Merton, Toronto (Ontario) M4S 1A1
Canadian Animal Rights Network (Réseau canadien des droits des animaux)
C. P. 66, succursale O, Toronto (Ontario) M4S 2M8
Canadian Federation of Humane Societies (Fédération canadienne des sociétés protectrices des animaux)
102-30, Concourse Gate, Nepean (Ontario) K2E 7V7

Chapitre 5

LA MAISON

Une maison au Québec engloutit en moyenne environ 40 000 kW/h d'électricité par année. De plus, tout dans la maison, des matériaux de construction aux objets et aux meubles qui s'y trouvent, a été fabriqué à l'aide de procédés énergivores. En plus, beaucoup des produits qu'on y utilise sont aussi des polluants potentiels. Toutes ces raisons font que nos maisons contribuent à faire augmenter les pressions sur l'environnement.

« À quoi bon posséder une maison si vous n'avez pas une planète convenable où la mettre ? »

Dire que le Québec se situe parmi les plus grands producteurs d'électricité au monde n'apprendra rien à personne. De même en est-il de sa consommation énergétique, pour laquelle il occupe le deuxième rang des pays industrialisés après les États-Unis. Il est également possible d'affirmer sans trop exagérer que le Québec possède une expertise unique au monde en matière d'hydro-électricité et qu'en ce domaine, il devance bien d'autres pays. Or, en cette fin de siècle, les développements énergétiques gigantesques grâce auxquels il s'est acquis cette réputation font l'objet d'une sévère remise en question. Les populations nordiques, qui disent être affectées dans leur habitat et menacées dans leur survie à cause des problèmes occasionnés par les dérangements territoriaux, de concert avec certains écologistes qui y voient une menace pour l'écosystème du Grand Nord, contestent vivement ces projets de grande envergure.

Face à ces résistances, le gouvernement du Québec signifiait en 1991 son intention d'amorcer un virage qui lui fera peut-être considérer d'autres formes de production d'électricité pour être en mesure de respecter certains engagements envers les États de la Nouvelle-Angleterre. Cela se traduira-t-il par des décisions favorisant les énergies douces plutôt que le recours au nucléaire ou au gaz naturel? Nous le saurons dans quelques années. Le plus important, c'est que l'on en vienne à faire une campagne d'éducation en vue de convaincre la population de réduire sa consommation énergétique et d'adopter des attitudes de consommation favorisant le respect de l'environnement.

Au printemps de 1991, Hydro-Québec lançait un projet d'efficacité énergétique accompagné d'un programme destiné à la promotion de produits permettant d'économiser l'énergie. La société d'État a retenu 75 produits de marques différentes qu'elle considère valables sur le plan de l'efficacité énergétique et a signé une entente avec 35 chaînes de détaillants, soit environ 2 000 magasins implantés partout au Québec, pour qu'elles en fassent la promotion et la distribu-

Hydro-Québec: promouvoir des produits qui économisent l'énergie.

tion. L'Hydro compte ainsi réduire la consommation d'énergie au Québec de 13 milliards de kilowatts-heures par année d'ici 1999, ce qui équivaudrait à économiser la valeur de la consommation totale de la ville de Montréal en 1990 ou de la production d'électricité d'un complexe comme Grande Baleine.

◆◆◆◆◆◆◆◆◆◆◆◆◆◆◆◆◆◆◆◆◆◆◆◆◆◆◆◆◆◆◆◆◆◆

L'ÉNERGIE DÉPENSÉE À LA MAISON

L'énergie dépensée à la maison se répartit comme suit :	
Chauffage	67 %
Eau chaude	17 %
Appareils ménagers	14 %
Éclairage	2 %

Une bonne partie de cette énergie est tout simplement gaspillée, à cause des défauts de conception et de construction des maisons et à cause du mauvais fonctionnement des appareils de chauffage, des chauffe-eau et des appareils ménagers.

Ironiquement les Québécois et les Canadiens en général, tout en étant les champions de la consommation d'énergie par habitant, sont aussi ceux qui ont le mieux résolu le problème de l'isolation des maisons. La maison R 2000 par exemple, mise au point grâce à des subventions du gouvernement fédéral, fait baisser la dépense d'énergie annuelle à 25 000 kW/h, soit un peu plus de la moitié de la quantité nécessaire pour une maison traditionnelle. Elle y parvient grâce à des techniques de construction qui la rendent étanche à l'air, ce qui réduit considérablement les pertes de chaleur en hiver.

Il y a aussi des maisons à très haut rendement, comme à Brampton, en Ontario, où l'on a mis sur pied un projet pilote financé conjointement par les ministères de l'Énergie fédéral et provincial, le Groupe de construction Fram, l'Hydro-Ontario et l'Association canadienne des constructeurs de maisons. Il s'agit de maisons d'apparence ordinaire d'une superficie de 250 m² chacune. Leur particularité, c'est de ne consommer annuellement que 10 500 kW/h d'énergie, soit environ le quart seulement de ce qui est nécessaire pour des maisons traditionnelles. La différence provient de l'utilisation d'une technologie de pointe dans leur conception et leur construction.

Ces deux exemples montrent qu'il est possible de réduire de

façon radicale la consommation d'énergie dans nos maisons. Cela ne veut pas dire cependant que vous devez vous précipiter dès demain pour acheter une maison R 2000 ou refaire votre maison à neuf. Il y a plusieurs petites améliorations que vous pouvez apporter qui pourraient réduire votre facture énergétique de 20 % à 30 % : sceller les fenêtres, isoler le chauffe-eau, faire faire la mise au point du chauffage central par exemple. L'achat de panneaux de gypse, de tentures et de revêtements plus isolants contribue également à réduire la consommation d'énergie.

Les efforts de chacun devraient porter sur le point le plus douloureux pour le portefeuille : le chauffage.

❖❖❖❖❖❖❖❖❖❖❖❖❖❖❖❖❖❖❖❖❖❖❖❖❖❖❖❖❖❖

LE CHAUFFAGE

L e chauffage absorbe les deux tiers de l'énergie dépensée dans nos maisons. Cela signifie que durant les mois d'hiver, les appareils de chauffage central au gaz ou au mazout rejettent dans l'environnement d'énormes quantités de gaz carbonique et d'anhydride sulfureux, causes principales de l'effet de serre et des précipitations acides.

Or, une bonne partie de la chaleur produite est tout simplement perdue. Elle fuit sous les portes, à travers les murs ou par le grenier, ou disparaît tout bonnement par la cheminée. Contrairement à ce que pensent beaucoup de gens, l'hiver n'est pas automatiquement synonyme de courants d'air et de pieds froids. Nous y échapperions, en fait, si nos maisons n'étaient pas construites selon une technologie héritée d'une époque pas si lointaine où l'énergie ne coûtait pas cher et où la conscience environnementale n'était pas très éveillée.

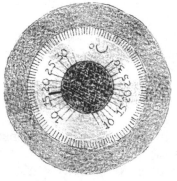

Nous pouvons faire beaucoup pour protéger l'environnement, tout en réduisant notre facture d'énergie à la maison et en augmentant notre confort.

On peut corriger certains défauts en bouchant les fuites d'air et on peut procéder à des travaux de rénovation pour améliorer l'isolation, réparer ou remplacer les fenêtres. L'économie d'énergie au cours d'un hiver normal peut atteindre 40 %, ce qui est plus qu'appréciable. En tout premier lieu, il faut calfeutrer tous les endroits par où l'air chaud s'échappe de la maison.

◇◇◇◇◇◇◇◇◇◇◇◇◇◇◇◇◇◇◇◇◇◇◇◇◇◇◇◇◇◇◇◇◇

Pour conserver la chaleur

Si vous faisiez l'addition de toutes les petites fuites d'air d'une maison type, vous vous retrouveriez avec un trou d'aération de la taille d'une fenêtre. La circulation d'air, autour des fenêtres et des portes, dans les murs du sous-sol et ailleurs compte pour 25 % à 30 % des pertes de chaleur totales. Si votre maison a des fuites importantes, vous pouvez les réduire de 25 % simplement en achetant pour quelque 150 $ de produits de calfeutrage et en les appliquant vous-même.

Pour rendre votre maison plus étanche, vous devrez cependant vous résoudre à des compromis : vous économiserez de l'énergie, mais vous ferez usage de produits polluants. Les pâtes à calfeutrer (enduits étanches) sont des produits chimiques ; la plupart contiennent des solvants et tous sont nuisibles pour l'environnement, que ce soit au moment de leur production ou quand ils sont jetés au rebut. Ils constituent également une menace pour la santé : combien de gens savent qu'il faut au moins trois jours d'une bonne ventilation pour se débarrasser des vapeurs toxiques qu'ils dégagent au moment de leur application ?

La pose de coupe-froid n'entraîne pas ces inconvénients, mais elle ne peut être faite qu'autour des parties mobiles des portes et des fenêtres. Les coupe-froid de caoutchouc procurent une bonne étanchéité et durent longtemps. Quant aux rubans de feutre ou de mousse de vinyle, ils ne donnent pas un aussi bon rendement. Deux produits en particulier sont très efficaces et ne coûtent pas trop cher : les joints de mousse installés dans les prises électriques et les coupe-froid fixés au bas des portes extérieures.

Si vos projets d'économie d'énergie comprennent l'ajout d'isolant, pensez à un coupe-vapeur. C'est beaucoup de travail, mais c'est profitable : cela réduira considérablement les courants d'air ainsi que les pertes d'énergie. Cette pellicule, généralement de plastique, élimine les fuites d'air et retient l'humidité à l'intérieur de la maison. La cuisson, le lavage, le bain et la douche produisent chaque jour en moyenne 20 litres de vapeur d'eau à l'intérieur de la maison. Si cette humidité pénètre dans les murs, elle peut faire pourrir la charpente, en plus de causer le compactage des matériaux isolants, ce qui leur enlève leurs propriétés isolantes.

Calfeutrage des fuites d'air

Endroit	Perte de chaleur (en %)	Produits étanches
Lisse d'assise du sous-sol	25	acrylique au latex, caoutchouc butyle, mousse de polyuréthane
Prises de courant extérieures	20	acrylique au latex, caoutchouc butyle
Fenêtres	13	silicone, mousse de polyuréthane
Entrées des tuyaux et des fils électriques	13	mousse de polyuréthane
Évents	10	caoutchouc butyle
Plinthes, commutateurs, prises de courant intérieures, plafonniers, trappes d'accès au grenier	7	acrylique au latex, silcone
Portes ouvrant sur l'extérieur	6	silicone, coupe-froid
Foyers	6	hotte isolée

◆◆◆◆◆◆◆◆◆◆◆◆◆◆◆◆◆◆◆◆◆◆◆◆◆◆◆◆◆◆◆

L'isolation

Après avoir bien calfeutré votre maison pour prévenir les fuites d'air, vous devrez songer ensuite à augmenter son isolation afin de limiter les pertes de chaleur par les murs, le toit, les fondations et les plafonds.

Avant la crise pétrolière des années 70, peu de gens se préoccupaient de bien isoler leur maison. Depuis, cependant, on voit tous les cinq ans les experts réviser à la hausse les niveaux minimaux de valeur isolante recommandée.

Comme pour la plupart des matériaux de construction, le choix des isolants oblige à faire des compromis sur le plan environnemental. Pour les fabriquer, il faut en effet utiliser des ressources non renouvelables et de grandes quantités d'énergie. La seule exception est la cellulose. Elle est faite de papier recyclé, de sciure ou de copeaux de bois et le procédé de fabrication est relativement simple. Le problème, c'est que la cellulose ne convient bien qu'aux greniers et à certains murs.

Pour chaque partie de la maison qui doit être isolée, il convient donc d'acheter la substance appropriée. Il faut aussi la mettre en place adéquatement et la préserver de l'humidité intérieure par une pellicule étanche. Évidemment, sur le plan environnemental, l'avantage d'une bonne isolation est la réalisation d'économies d'énergie substantielles pendant une longue période.

On peut classer les matériaux d'isolation en trois catégories :

1 Les polymères organiques. Ce sont les pires. C'est dans cette catégorie qu'on trouve la célèbre et désormais interdite MIUF (mousse isolante d'urée formaldéhyde), les mousses de polyuréthane et de polyisocyanurate, ainsi que les panneaux de polystyrène. Ces matériaux sont soufflés à l'aide de divers agents de gonflement. Certains polystyrènes utilisent de l'air ; d'autres (qu'on appelle «extrudés») emploient des CFC, lesquels sont dommageables pour l'environnement. (On a annoncé qu'ils seraient bientôt interdits, mais on ne sait pas exactement quand.) Aussi vaudrait-il mieux, quand c'est possible, ne pas utiliser de tels matériaux. Ils représentent un certain danger, tant pour la santé que pour la protection de l'environnement.

2 Les matériaux inorganiques. Ce groupe comprend une autre substance maintenant interdite, l'amiante, matériau d'isolation qu'on risque de retrouver sur les maisons construites avant 1970. Si c'est ce que vous avez chez vous, ne faites rien avant d'avoir consulté un spécialiste. Il vous indiquera s'il faut l'enlever ou s'il est préférable de ne toucher à rien. La fibre de verre contient du formaldéhyde comme liant. Dans cette catégorie de matériaux, les meilleurs choix sont la laine minérale et les micas expansés comme la vermiculite et la perlite. Toutefois, ces matériaux peuvent irriter la peau, les yeux et les voies respiratoires à cause de la poussière et des fibres fines qu'ils contiennent. Quand vous les installez, prenez certaines précautions pour vous protéger et veillez à ce qu'ils soient bien scellés pour qu'ils ne polluent pas l'air de la maison. Une fois l'installation complétée, il est très important de bien aérer les pièces.

3 La cellulose. Les produits de cette catégorie sont les meilleurs sur le plan environnemental. Ils comprennent la sciure et les copeaux de bois, ainsi que la fibre de cellulose fabriquée à partir de papier journal recyclé, tous des ingrédients extraits de ressources renouvelables et non toxiques. Ils représentent votre meilleur choix pour les cavités des murs, les plafonds, les entre-toits et les greniers.

Il est très important de bien séparer les matériaux d'isolation, quels qu'ils soient, de l'intérieur de la maison par une pellicule étanche. Ils con-tiennent tous diverses substan-ces qui servent de liant, de stabilisateur ou d'ignifuge, sans compter les produits ajoutés pour prévenir la moi-sissure et l'invasion des insectes et autres animaux nuisibles.

❖❖❖❖❖❖❖❖❖❖❖❖❖❖❖❖❖❖❖❖❖❖❖❖❖❖❖❖❖

Les fenêtres

Au Québec, une maison perd en moyenne 25 % de sa chaleur par les fenêtres, ce qui constitue une perte appré-ciable d'énergie en hiver. Comme la moitié de cette cha-leur perdue provient des fuites d'air, un bon calfeutrage per-met de réduire sensiblement ces pertes coûteuses. Quant à l'autre moitié, elle est perdue par le passage de la chaleur à travers les cadres et les vitres des fenêtres. Pour réduire ces pertes, il faut augmenter sensi-blement la valeur isolante des fenêtres.

Les doubles fenêtres ordi-naires ne retiennent pas bien la chaleur. Leur valeur de résis-tance au passage de la chaleur (R ou RSI) n'est que le dixième de celle des murs adjacents. Aussi, les efforts que vous ferez pour augmenter leur per-formance vous feront réaliser des économies importantes, tout en rendant votre maison plus confortable.

Il est possible d'améliorer sensiblement les doubles fenê-tres en y ajoutant des contre-fenêtres de plastique rigide à l'intérieur. La compagnie 3M vend un ensemble composé d'une pellicule de polythène transparent qu'on coupe à la grandeur désirée et d'un ruban adhésif pour la faire tenir en place. On s'assure que le plastique sera bien tendu en le réchauffant, avec un séchoir à cheveux par exemple. Cet ajout permet d'emprisonner une couche d'air supplémen-taire, ce qui augmente la valeur isolante de la fenêtre. Pour 20 $, vous avez assez de pellicule pour couvrir cinq fenêtres de 1 m sur 1,6 m. Aujourd'hui, on trouve facile-ment ces produits dans les quincailleries à grande surface.

Une autre façon de con-server la chaleur à l'intérieur, c'est d'utiliser un système qui vous permet de laisser entrer le soleil durant le jour et d'empêcher la chaleur de sor-tir durant les longues nuits froides. Il peut s'agir de rideaux, de tentures, de stores couverts d'un matériau iso-lant, et même de volets contenant du polyuréthane. Pour être efficaces, ces écrans doivent agir également comme coupe-vapeur, avoir une surface réfléchissante et s'ajuster parfaitement au cadre des fenêtres. Quand vous achetez ces produits, assurez-vous bien que vous obtiendrez un bon rendement, pas seulement une belle apparence.

Des produits tels que Window Warmers et Window Quilts ont une valeur isolante de R5,5 à R5,8. Le premier coûte environ 235 $ pour une fenêtre de 1,3 m sur 1,6 m, ce qui ne comprend pas le tissu décoratif sur sa face intérieure. Quant au second, son prix est plus élevé : 340 $ pour une fenêtre de 1 m sur 1,3 m (comprenant le coût de l'installation). Certains fabricants vendent des ensembles qu'on peut assembler soi-même.

Que vous répariez une vieille maison ou que vous en construisiez une neuve, vous devriez songer à installer des fenêtres ayant une très grande valeur isolante. Depuis 15 ans, on a fait des progrès énormes dans la technologie des fenêtres. Ainsi on a découvert qu'on pouvait réduire de beaucoup les pertes de chaleur par radiation en appliquant une mince couche d'un métal et d'un oxyde de métal peu radiants sur la vitre. Pour prévenir les pertes de chaleur par convexion et par conduction, les espaces d'air entre les car-

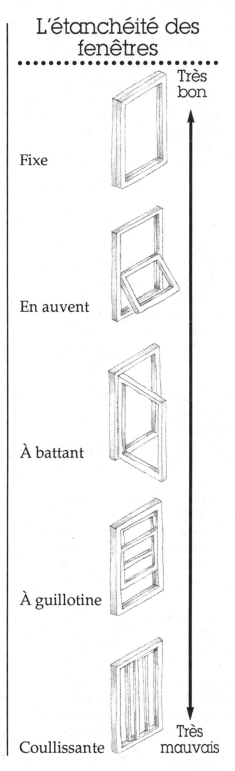

L'étanchéité des fenêtres

• •

Très bon

Fixe

En auvent

À battant

À guillotine

Coullissante

Très mauvais

reaux ont été remplis avec des gaz inertes plus lourds tels que le krypton et l'argon. Pour les blocs d'espacement entre les différentes épaisseurs de vitre, on a remplacé l'aluminium par des matériaux qui ne conduisent pas la chaleur, comme la mousse de polybutylène, la fibre de verre ou le silicone. Un enduit étanche supplémentaire a été ajouté pour prévenir les fuites d'air. Enfin, les cadres et les châssis ont été fabriqués avec du bois, qui est un mauvais conducteur. Ces fenêtres sont d'autant plus intéressantes que la même technologie qui vous protège du froid en hiver vous garde au frais pendant la canicule de l'été.

La meilleure des doubles fenêtres traditionnelles présente une résistance au passage de la chaleur qui ne dépasse pas R2 (ou RSI 0,35). Cette valeur peut doubler avec les doubles fenêtres de haute technologie et même quadrupler si vous installez des triples fenêtres de première qualité. Les doubles fenêtres plus performantes coûtent 8 % de plus que les doubles fenêtres ordinaires; quant aux triples fenêtres de première qualité, elles vous coûteront 50 % plus cher que les doubles fenêtres ordinaires. Il faut toutefois s'attendre à voir les prix baisser à mesure que la technologie progressera, de sorte que vous récupérerez l'argent investi plus rapide-

ment grâce aux économies d'énergie qu'elles vous permettront de faire. Évidemment tout dépend de la rigueur du climat dans la région que vous habitez, mais de toute façon, vos coûts de chauffage diminueront.

Pour des produits haut de gamme, vous pouvez vous renseigner auprès de fabricants réputés comme le Centre de portes et fenêtres Laflamme, 710, Bouvier, bureau 110, Québec (Québec) G2J 1A7, tél.: (418) 627-5152 ou Arcon Canada, 12 345, boulevard Métropolitain Est, Montréal (Québec) H1B 5R3, tél.: (514) 493-7602. De plus, si vous écrivez à l'Association canadienne des fabricants de verre isolé, C. P. 1681, Brantford (Ontario) N3T 5V7, ils vous fourniront d'autres adresses.

Quels que soient les choix que vous ferez, si vos moyens sont limités, donnez la priorité aux fenêtres les plus importantes, celles qui laissent passer le soleil au sud et celles qui retiennent moins bien la chaleur (les grandes fenêtres, celles qui sont situées au nord et celles qui subissent les assauts des vents dominants).

Améliorez
votre vieux système de chauffage

Plusieurs facteurs peuvent réduire l'efficacité de votre vieux système de chauffage : combustion incomplète quand le brûleur n'est pas bien ajusté ; mauvais échange de chaleur si l'échangeur est sale ; pertes de chaleur dans les conduits d'air chaud ; pertes de chaleur dans la cheminée quand le chauffage ne fonctionne pas. Vous pouvez améliorer le rendement de votre système de chauffage en suivant un programme d'entretien rigoureux, en vous assurant que la chaleur circule bien, en le modernisant ou en réduisant sa puissance.

L'entretien. Pour des raisons d'efficacité et de sécurité, il est très important de faire effectuer régulièrement l'entretien de votre système de chauffage. Les brûleurs au mazout doivent être inspectés chaque année par un mécanicien compétent. Il lui suffira de deux heures environ pour nettoyer et lubrifier les parties qui en ont besoin, pour vérifier les instruments de contrôle et pour faire la mise au point du brûleur. Si vous utilisez le gaz au lieu du mazout, un entretien tous les deux ans suffira, car les brûleurs au gaz s'encrassent moins vite que ceux au mazout. Le technicien vérifiera entre autres la veilleuse, la flamme principale et le brûleur.

La circulation de la chaleur. Vous pouvez faire vous-même quelques opérations faciles qui permettront à la chaleur de mieux circuler dans les conduits. Les filtres sales ne laissent pas bien passer l'air : vous devriez les nettoyer ou les remplacer une fois par mois. Vérifiez si la courroie du ventilateur est suffisamment tendue pour bien le faire tourner. Ajustez les trappes dans les conduits et les registres dans les différentes pièces de la maison pour vous assurer que la chaleur se rend bien là où vous voulez qu'elle se rende. Fermez-les dans les pièces ou les parties de la maison que vous n'avez pas besoin de chauffer. Réduisez vos pertes de chaleur en rendant vos conduits étanches à l'aide d'un ruban spécial ou avec de la pâte à calfeutrer au silicone.

La modernisation. Il est possible d'installer sur les vieilles chaudières au mazout certains dispositifs qui en augmentent le rendement et contribuent ainsi à réduire la consommation d'énergie. Les brûleurs munis d'un système de rétention peuvent réduire votre facture de mazout de 10 % à 25 %. Une valve solénoïde à action différée permet une combustion plus complète et un registre installé dans le conduit d'air empêche la chaleur de s'échapper par la cheminée. Consultez un spécialiste avant de décider si l'un ou l'autre de ces dispositifs peut vous être utile. Il est possible que l'âge de votre chaudière ou des problèmes de compatibilité vous privent de ces moyens d'améliorer votre chauffage à la maison.

La réduction de la puissance. Si votre chaudière ne fonctionne pas presque continuellement pendant les périodes de grand froid, c'est qu'elle est probablement trop puissante pour vos besoins, de sorte que votre système n'est pas efficace. En fonctionnant au ralenti la plupart du temps, les grosses chaudières installées dans les maisons n'atteignent jamais leur niveau optimal de rendement. Lorsqu'elles sont éteintes (et cela arrive souvent), la chaleur se perd par la cheminée. Pour réduire la puissance de la chaudière, il faut faire en sorte que ses démarrages soient moins fréquents. Un gicleur plus petit réduira le débit du combustible. Vous pouvez ainsi diminuer de 10 % votre consommation. Toutefois, consultez un spécialiste avant de faire quoi que ce soit, afin de vous assurer que de tels dispositifs peuvent être installés sur votre chaudière.

❖❖❖❖❖❖❖❖❖❖❖❖❖❖❖❖❖❖❖❖❖❖❖❖❖❖❖❖❖

Les chaudières à haut rendement

Si votre sous-sol abrite un monstre d'acier en forme de pieuvre ou quelque autre chaudière d'un autre âge, il est peut-être temps que vous songiez à la remplacer par une chaudière moins énergivore et plus efficace. N'oubliez pas une chose cependant : si vous avez amélioré l'isolation de votre maison et si vous avez réduit les pertes de chaleur en calfeutrant adéquatement, vos besoins en chauffage seront beaucoup plus modestes et votre consommation d'énergie sera diminuée d'autant.

L'efficacité d'une chaudière s'évalue par le rendement annuel du combustible utilisé. Celui d'une chaudière ordinaire atteint environ 60 %. Une chaudière à rendement amélioré atteint entre 75 % et 88 % d'efficacité. Celle-ci grimpe à plus de 90 % dans le cas des chaudières à haut rendement. Ces rendements améliorés sont dus à ce qu'on appelle dans l'industrie du chauffage domestique l'«équipement d'efficacité accrue», lequel comprend les dispositifs décrits dans les pages précédentes, en plus des condensateurs, des registres automatiques, des chambres à combustion en céramique ou en acier inoxydable et des échangeurs de chaleur améliorés.

Rendement de la chaudière

Rendement annuel du combustible utilisé (en %)	
Chaudière au mazout ordinaire	60
Chaudière au mazout à rendement amélioré	75-88
Chaudière au mazout à haut rendement	90

◆◆◆◆◆◆◆◆◆◆◆◆◆◆◆◆◆◆◆◆◆◆◆◆◆◆◆◆◆◆◆◆

Les systèmes intégrés

Si en plus de votre chaudière, votre chauffe-eau montre également des signes d'usure, alors vous pourriez songer à les remplacer tous les deux par un système intégré de chauffage eau-maison. Un tel système ne comprend qu'un seul appareil au lieu de deux, donc moins de quincaillerie et moins de consommation énergétique pour les maisons bien isolées qui ne requièrent pas un gros système de chauffage.

❖❖❖❖❖❖❖❖❖❖❖❖❖❖❖❖❖❖❖❖❖❖❖❖❖❖❖❖❖❖❖❖

Les thermostats

Ces dernières années, les consommateurs ont pris l'habitude de baisser la température la nuit et au cours d'absences prolongées. Une baisse de température de seulement 5 °C réduit de 14 % la consommation d'énergie.

L'achat d'un dispositif permettant de programmer la température sur une période de 24 heures constitue un bon investissement pour toutes les maisons, qu'elles soient neuves ou pas. Un tel dispositif vous permet de programmer jusqu'à quatre températures différentes selon le moment de la journée. Ainsi vous ne chauffez que le minimum requis pour garder votre maison confortable. On trouve dans le commerce un grand choix de tels dispositifs pour tous les types de systèmes de chauffage. Certains modèles plus raffinés permettent une programmation différente la semaine et la fin de semaine, le suivi du temps qu'il fait et ils sont munis de réducteurs de puissance ainsi que d'interrupteurs pour chauffe-eau et appareils de climatisation.

Parmi les dispositifs haut de gamme offerts sur le marché, il y a le Centratherm W, un produit fabriqué en Allemagne et distribué par CanHort Engineering (475, rue Mud West, Grassie [Ontario] L0R 1M0); le Pem Energy Myzer fabriqué par Pem Energy Systems (90, Pale Moon Crescent, Scarborough [Ontario] M1W 3H5); l'Enerstat de Valera Electronics (1733, boul. Saint-Laurent, Ottawa [Ontario] K1G 3V4); enfin, le Chronotherm Series 8000 d'Honeywell (en vente chez les distributeurs des produits Honeywell partout au Canada). Signalons que les compagnies Valera et Honeywell offrent aussi des thermostats pour thermopompes.

Il est important de bien choisir l'endroit où vous installerez votre thermostat ou votre dispositif programmable de contrôle de la température. Il ne faut pas les mettre là où ils sont directement exposés au soleil ni près des radiateurs, des conduits d'air chaud, des appareils ménagers, des portes donnant sur l'extérieur ou des cages d'escalier. Le mieux, c'est de les placer sur une cloison intérieure où ils enregistreront correctement la température de l'air dans la maison.

✧✧✧✧✧✧✧✧✧✧✧✧✧✧✧✧✧✧✧✧✧✧✧✧✧✧✧✧✧✧✧

Les thermopompes

Les thermopompes ou pompes à chaleur constituent de très bonnes solutions de remplacement pour les systèmes de chauffage et de climatisation, parce que l'énergie qu'elles produisent est propre, gratuite et inépuisable.

Les pompes à chaleur air-air, les plus courantes, ont un rendement excellent en automne et au printemps, ce qui veut dire qu'au Québec il vous faudra encore un système de chauffage pour affronter le temps froid de l'hiver. Quand il fait chaud, la pompe rejette la chaleur à l'extérieur; quand il fait froid, elle extrait de la chaleur de l'air extérieur et la rejette à l'intérieur.

Les thermopompes air-sol extraient la faible chaleur du sol (entre -2 °C et 10 °C) qui se trouve à quelques mètres de profondeur en y faisant circuler un gaz réfrigérant à l'aide d'un compresseur. Ce gaz passe également dans deux échangeurs de chaleur. Dans le premier, le gaz s'évapore en absorbant la chaleur du sol. Puis il passe dans le compresseur où il est réchauffé davantage. Enfin, il circule dans un deuxième échangeur où sa chaleur est transférée dans des conduits de chauffage qui alimentent la maison en air chaud. En été, le système est inversé, de sorte que la chaleur contenue dans la maison est rejetée à l'extérieur. En ajoutant un troisième échangeur de chaleur, on peut même chauffer l'eau de la maison. Une pompe à chaleur air-eau fonctionne sur le même principe que la pompe air-sol, sauf qu'elle extrait sa chaleur des nappes d'eau souterraines.

Si vous faites des rénovations importantes à votre maison ou si vous en construisez une neuve, alors vous devriez songer à y installer une pompe à chaleur, surtout si en plus d'un système de chauffage, vous prévoyez acheter un ou des appareils de climatisation.

Vous pourrez ainsi réaliser des économies d'énergie de l'ordre de 65 %, ce qui n'est pas négligeable.

Les thermopompes air-air coûtent entre 2 000 $ et 3 000 $, installation comprise. Les thermopompes air-sol coûtent pour leur part entre 8 000 $ et 12 000 $, installation comprise également. À l'Association canadienne de l'énergie de la Terre (228, Barlow Crescent, Dunrobin [Ontario] K0A 1T0), on peut vous renseigner sur les thermopompes air-eau et vous donner une liste de distributeurs.

La ventilation

Si votre maison est une véritable passoire où les fuites d'air abondent, vous n'avez aucun problème de ventilation : l'air dans votre maison est entièrement renouvelé en moins de deux heures.

Cependant, comme nous venons de le voir, l'économie d'énergie incite à rendre les maisons aussi étanches que possible. Cela aura pour conséquence que l'air frais ne pourra pénétrer à l'intérieur et l'air vicié n'en sortira pas. Vous vous trouvez donc face à un dilemme : vous voulez bien économiser de l'énergie, mais vous ne désirez pas respirer un air chargé de différentes substances polluantes.

Examinez vos fenêtres

pour savoir si votre maison reçoit suffisamment d'air frais de l'extérieur : s'il s'y forme beaucoup de condensation, la ventilation est insuffisante. Si le problème n'est pas très grave, tout ce que vous aurez à faire, c'est de faire fonctionner les ventilateurs de la cuisine et de la salle de bains de temps à autre. Ouvrir une porte ou une fenêtre pendant quelques secondes n'est pas une bonne solution, car cela irait à l'encontre de tous vos efforts pour rendre votre maison plus hermétique, donc moins énergivore, et ça ne réglerait même pas efficacement vos problèmes de ventilation.

Si vous désirez connaître avec précision le degré

d'étanchéité de votre maison, vous pourriez demander à un spécialiste en chauffage ou en aération de procéder à un test à l'aide d'un ventilateur à dépressurisation (ce test coûte environ 250 $). Si, selon les résultats, l'air est renouvelé moins de deux à trois fois par heure lorsqu'il y a une différence de pression de 50 pascals, alors il vous faudra installer un système de ventilation pour contrôler les entrées et les sorties d'air dans votre maison.

Les concepteurs de mai-sons bien isolées, donc peu énergivores, ont résolu le problème de la qualité de l'air et de la ventilation en y installant des ventilateurs récupérateurs de chaleur. Ces échangeurs de chaleur air-air permettent de récupérer 75 % de la chaleur contenue dans l'air vicié et de la transmettre à l'air frais qu'un système de contrôle fait pénétrer dans la maison. Ainsi, la température de cet air renouvelé n'est plus qu'à quelques degrés au-dessous de celle de la maison au moment de sa dis-

Un regard vers l'avenir : les énergies renouvelables

Au Québec, très peu de maisons tirent actuellement leur énergie directement du soleil. Cependant, à mesure que les sources d'énergie non renouvelable s'épuisent, l'énergie solaire et les autres sources d'énergie renouvelable vont être davantage employées. Selon le groupe écologiste *Les Ami-e-s de la Terre*, en l'an 2025 environ 80 % de l'énergie utilisée au Québec sera de l'énergie renouvelable. Quelles possibilités existent et lesquelles sont applicables dès maintenant dans ce domaine ?

Si vous habitez une zone rurale, en Gaspésie ou aux Îles-de-la-Madeleine, par exemple, vous avez de la chance, énergétiquement parlant, car le vent peut devenir pour vous une bonne source d'énergie renouvelable et combler au moins en partie vos besoins énergétiques. Les petites génératrices électriques actionnées par le vent sont de plus en plus populaires, surtout pour alimenter en électricité les chalets situés trop loin des lignes électriques. Pour des renseignements sur l'énergie éolienne, contactez l'Association canadienne de l'énergie éolienne.

L'énergie solaire demeure cependant la source d'énergie renouvelable la plus accessible et la plus pratique pour répondre à des besoins limités, même dans une région nordique comme le Québec. L'ensoleillement dans notre province est suffisant pour chauffer notre eau et, avec des méthodes de construction appropriées, il peut fournir un fort pourcentage de nos besoins énergétiques. La technologie existe ; en fait les Québécois suivent la vague et y travaillent depuis la fin des années 70 en collaboration avec le reste du Canada. Si vous désirez avoir la liste des fabricants de systèmes de production d'énergie solaire, adressez-vous à l'Association Québec Solaire, à Montréal.

Les fabricants de maisons à haut rendement énergétique ont appris à tirer profit de ce qu'on appelle le solaire passif grâce auquel on peut combler jusqu'à 40 % de ses besoins en chauffage. Au Québec, les maisons R 2000,

persion à l'intérieur. Cet appareil offre également l'avantage d'expulser l'excès d'humidité causé par la cuisson ou la douche par exemple, excès qui peut entraîner la condensation sur la vitre des fenêtres.

Les ventilateurs récupérateurs de chaleur sont efficaces aussi bien dans les maisons à haut rendement énergétique que dans les maisons plus anciennes qui ont été rénovées pour augmenter leur rendement énergétique. Dans l'un et l'autre cas, l'économie annuelle se chiffre aux environs de 100 $. Recherchez ceux qui sont approuvés pour les maisons de type R 2000. Le taux de rendement devrait être au minimum de 75 % à 0 °C. Un bon entrepreneur vous guidera dans votre choix du meilleur appareil. Parmi les marques reconnues, il y a le Van EE 2000 Plus, le Air Changer DRA 275, le Star 300 MPC-DV et le Nutech Lifebreath, 195-DCS et 300. Ces appareils coûtent entre 2 000 $ et 2 500 $, installation comprise.

---

par exemple, captent l'énergie solaire passive de la façon suivante : elles sont d'abord construites là où elles peuvent recevoir le maximum d'ensoleillement tout en restant à l'ombre l'été ; la fenestration est concentrée du côté sud (au nord, les murs sont aveugles ou percés de très peu de fenêtres) ; les fenêtres sont de type à très haut rendement ; l'isolation de la maison est maximale ; le plan prévoit que la salle de séjour et les autres pièces les plus occupées seront placées du côté le mieux éclairé par le soleil.

Donc, qu'il s'agisse de rénover une maison ou d'en construire une neuve, vous pouvez appliquer ces quelques principes et économiser substantiellement sur le chauffage. Avant même de dessiner les plans de votre maison ou de contacter un architecte, procurez-vous de l'information au sujet de l'énergie solaire passive du ministère de l'Énergie, des Ressources et de la Technologie ou auprès d'Hydro-Québec.

Organismes qui travaillent dans le domaine des énergies renouvelables :

- Association Québec Solaire, 4222, rue Saint-Denis, Montréal (Québec) H2J 2K8.
- Canadian Solar Industries Association [Association canadienne des industries solaires], 67 A, rue Sparks, Ottawa (Ontario) K1P 5A5.
- Canadian Earth Energy Association [Association canadienne des énergies de la Terre], 228, Barlow Crescent, Dunrobin (Ontario) K0A 1T0.
- Canadian Wind Energy Association [Association canadienne de l'énergie éolienne], C. P. 4165, Ottawa (Ontario) K1S 5B2.
- Canadian Photovoltaic Industry Association [Association canadienne de l'industrie photovoltaïque], 15, rue York, bureau 3, Ottawa (Ontario) K1N 5S7.
- Biomass Energy Institute [Institut de l'énergie de la biomasse], 1329, Niakwa Road, Winnipeg (Manitoba) R2J 3T4.
- Conservation and Renewable Energy Industry Council [Conseil canadien des industries de la conservation et des énergies renouvelables], 135, rue York, bureau 209, Ottawa (Ontario) K1N 5T4.
- Solar Energy Society of Canada [Société canadienne de l'énergie solaire], 15, rue York, Ottawa (Ontario).

LE CHAUFFAGE
DE L'EAU

Au Québec, les chauffe-eau domestiques viennent au second rang derrière les appareils de chauffage pour la consommation d'énergie dans les maisons. De 17 % à 20 % de toute l'énergie utilisée dans nos maisons est dépensée pour nous fournir de l'eau chaude en abondance dès que nous ouvrons le robinet.

Une famille de quatre personnes consomme, selon certaines estimations très conservatrices, entre 125 et 250 litres d'eau chaude par jour. En fait, il y a de fortes chances que votre consommation d'eau chaude dépasse cette quantité, juste pour répondre aux besoins de chacun au moment du réveil. Trois douches de cinq minutes, la préparation du petit déjeuner et la mise en marche du lave-vaisselle consomment par exemple 225 litres d'eau chaude, soit 8,7 kW/h d'électricité.

Combien d'eau chaude votre famille consomme-t-elle par jour ?	
Usage	**Litres**
Douche de 15 minutes	160
Bain à demi rempli	42 à 65
Baignoire à remous	400 à 1 200
Soins personnels	15
Lavage de la vaisselle à la main	7 à 16
Lave-vaisselle	42 à 65
Lavage des vêtements (1 lavage à l'eau chaude avec rinçage à l'eau froide)	87

Source : Hydro-Ontario

Vos efforts pour économiser l'énergie devraient donc se tourner vers les économies d'eau chaude. Une douche rapide, par exemple, consomme moins d'eau chaude qu'un bain bien rempli ; le lavage du linge à l'eau tiède consomme trois fois moins d'énergie que le lavage à l'eau chaude et donne un rendement égal.

Faire couler l'eau chaude du robinet coûte cher ; pour différentes tâches telles que se laver les mains ou rincer la vaisselle, utilisez l'eau froide quand c'est possible et assurez-vous que le bouchon de l'évier est en place avant d'ouvrir les robinets. Si vous avez besoin d'un récipient d'eau tiède, ajoutez de l'eau chaude à l'eau froide plutôt que le contraire.

Après avoir réduit votre consommation d'eau chaude le plus possible, portez votre attention sur votre réservoir à eau chaude. Voici quelques trucs faciles à faire et peu coûteux.

LA BOUILLOIRE ÉLECTRIQUE

La bouilloire électrique chauffe l'eau plus efficacement qu'une casserole ou une bouilloire ordinaire. N'y faites bouillir que la quantité d'eau désirée et débranchez-la aussitôt que l'eau bout. Vous pouvez aussi utiliser une bouilloire électrique qui s'arrête automatiquement dès que l'eau se met à bouillir. Pour lui conserver toute son efficacité, enlevez régulièrement le tartre accumulé, à l'aide d'un détartrant (voir au chapitre 4 pour les détartrants), puis rincez à fond.

La température de l'eau

Vérifiez le thermostat de votre chauffe-eau : il devrait être réglé entre 54 °C et 60 °C. Vous pouvez même le régler plus bas que cela si vous n'utilisez pas un lave-vaisselle qui nécessite une eau à 60 °C.

Les chauffe-eau à haut rendement voir à la page 164.

L'isolation des tuyaux

Les tuyaux d'eau chaude, s'ils courent sur une assez longue distance et s'ils traversent des parties non chauffées de la maison, occasionnent des pertes de chaleur. Isoler ces tuyaux représente une solution rapide et efficace. On trouve facilement les produits isolants qui s'adaptent aux tuyaux dans les quincailleries à grande surface.

Une enveloppe isolante autour du réservoir

Les réservoirs à eau chaude sont isolés. Cependant les 50 mm à 75 mm d'isolant qui les entourent ne suffisent pas à prévenir les pertes de chaleur. Aussi vaut-il la peine d'installer une enveloppe de fibre de verre qui ajoutera de 37 mm et 55 mm d'isolant. Elle pourra vous faire économiser jusqu'à 300 kW/h par année pour un chauffe-eau contenant 180 litres, alors qu'un appareil de 280 litres représentera une économie pouvant atteindre 375 kW/h (source : Hydro-Québec). Cette enveloppe est enroulée autour du réservoir auquel elle est attachée avec du ruban adhésif. Si vous avez un chauffe-eau au gaz, il est très important que vous laissiez la

LES APPAREILS DE TRAITEMENT DE L'EAU

Il se vend chaque année à peu près 100 000 dispositifs de traitement de l'eau au Canada. Les gens qui se sentent concernés par le problème de la qualité de l'eau potable espèrent ainsi obtenir une excellente eau potable. Malheureusement, ce n'est pas le cas. Ces appareils coûteux ne sont pas soumis à suffisamment de contrôles : non seulement n'offrent-ils pas un rendement satisfaisant, mais dans bien des cas, ils créent plus de problèmes qu'ils n'en résolvent.

Il y a tellement de matières indésirables en suspension dans l'eau qu'il est pratiquement impossible qu'un seul appareil puisse les éliminer toutes. D'abord, il y a les micro-organismes tels que les bactéries, les virus et les parasites ; puis les métaux lourds comme le mercure, le fer et le plomb ; les polluants organiques qui comprennent les engrais azotés ; enfin les toxines et les substances cancérigènes telles que les benzènes, les résidus de pesticides et les trihalométhanes.

Les dispositifs de traitement de l'eau sont munis généralement d'un filtre au charbon, lequel n'est pas très efficace contre les polluants organiques ; en fait, il risque même d'augmenter le nombre de bactéries dans l'eau. Il semble aussi qu'il est la cause d'une augmentation de la quantité de trihalométhanes. On peut se prémunir contre ces effets indésirables en changeant le filtre aussitôt qu'il perd de son efficacité. Le problème, c'est qu'il n'y a aucun moyen de savoir quand cela se produit.

Des problèmes du même genre affectent les appareils à osmose inversée. Les meilleurs filtreront bien les micro-organismes et les sels inorganiques aussi longtemps que les membranes internes resteront en bon état. La plupart de ces appareils ne permettent cependant pas de connaître le moment où les membranes sont percées ni quand les joints étanches sont décollés. Or, il est évident qu'un appareil dans un tel état n'est plus très efficace. De plus, seulement 10 % de l'eau qui passe dans ces appareils est conservée : le reste est renvoyé à l'égout, ce qui constitue un gaspillage d'eau énorme .

Il existe d'autres types d'appareils de traitement de l'eau — à l'ozone, aux radiations ultraviolettes, avec filtre de céramique et par distillation —, mais il n'y en a aucun jusqu'à maintenant qui soit une bonne affaire. Les coûts et les risques encourus pour le portefeuille, pour la santé ou pour l'environnement dépassent encore les avantages qu'ils procurent. Si malgré tout vous êtes décidé à investir des centaines, voire des milliers de dollars pour une eau de bonne qualité, alors pourquoi ne pas employer cette somme (et un peu de votre temps) pour combattre la pollution ? Toute votre communauté bénéficiera de vos efforts pour faire pression sur les industries polluantes et le gouvernement afin que cesse la contamination des eaux et que s'améliore la qualité de l'eau potable offerte par les réseaux publics de distribution.

prise d'air à la base bien dégagée. Attachez l'enveloppe très serrée pour qu'elle n'ait pas tendance à glisser vers le bas et à obstruer cette ouverture.

◇◇◇◇◇◇◇◇◇◇◇◇◇◇

La trappe à chaleur

La chaleur s'échappe aussi du réservoir par les conduites d'eau qui en sortent. Vous auriez donc avantage à faire installer par un plombier une trappe à chaleur. Ce dispositif très simple consiste en plusieurs petits bouts de tuyaux à angle droit posés à la sortie du chauffe-eau et qui empêchent la chaleur de s'échapper.

❖❖❖❖❖❖❖❖❖❖❖❖❖❖❖❖❖❖❖❖❖❖❖❖❖❖❖❖

L'UTILISATION DE L'EAU

On a calculé qu'au Québec nous consommons à la maison 44 % de toute l'eau fournie par les réseaux municipaux de distribution, soit 1 % de plus que toute la consommation des édifices publics, des commerces et des usines (43 %). Les 13 % qui restent se perdent dans les fuites le long des réseaux.

À la maison, ce sont la douche et les toilettes qui consomment le plus d'eau. Cependant, il ne faut pas oublier les robinets qui fuient : n'est-il pas agaçant de penser qu'ils constituent une source importante de gaspillage d'eau potable ?

Les Québécois consomment en moyenne 1 200 litres d'eau par jour. Les Anglais d'Angleterre en consomment 840 litres et les Suisses seulement 350. Comment pouvons-nous expliquer de tels écarts ? En partie par la pratique européenne de facturer l'eau au compteur.

Des tarifs fixes pour l'eau encouragent le gaspillage parce qu'ils font paraître cette ressource peu coûteuse. Ce bas prix est artificiel pourtant : le coût réel est dissimulé dans les taxes qui servent à financer la construction, le fonctionnement et l'entretien de nos réseaux de distribution d'eau. Selon certaines études, il semble que lorsqu'on installe un compteur d'eau dans une maison, même si cette mesure n'entraîne aucune hausse des tarifs, ses habitants vont quand même faire davantage attention et réduire leur consommation de 10 % à 40 %. Ainsi, à Edmonton en Alberta, toutes les résidences sont équipées de compteurs d'eau et la consommation par famille n'est que la moitié de celle des habitants de Calgary où l'usage de compteurs d'eau n'est pas généralisé.

Si le gaspillage de l'eau vous préoccupe, alors vous devriez faire des pressions auprès de vos élus municipaux pour qu'ils installent des compteurs d'eau dans les résidences.

◆◆◆◆◆◆◆◆◆◆◆◆◆◆◆◆◆◆◆◆◆◆◆◆◆◆◆◆

Les robinets qui fuient

Un robinet qui laisse fuir une seule goutte par seconde constitue un gaspillage de plus de 25 litres d'eau par jour, soit 9 000 litres par année. Or, le problème, la plupart du temps, peut être résolu en remplaçant la rondelle d'étanchéité, une dépense d'à peine 10 cents.

❖❖❖❖❖❖❖❖❖❖❖❖❖

Des toilettes qui permettent des économies d'eau

À chaque fois qu'on actionne la chasse d'eau des toilettes, on consomme en moyenne 20 litres d'eau. On peut réduire quelque peu cette quantité en plaçant dans le réservoir une brique ou une bouteille de plastique pleine d'eau ou de sable. Il existe sur le marché des toilettes qui permettent des économies d'eau : elles fonctionnent parfaitement bien en n'utilisant que de 11 à 13 litres d'eau au lieu de 20 chaque fois qu'on actionne la chasse. Les modèles suivants sont fabriqués au Canada, ils sont approuvés par l'Association canadienne de normalisation (CSA) et ils sont offerts chez la plupart des grossistes : Radcliffe (modèle 3-147), fabriqué par la compa-

gnie Crane à Montréal ; Trent (modèle 101) et Welland (modèle 501), fabriqués par Waltec Bathware à Cornwall en Ontario ; Plebe Water Saver (modèle Af-2132-WS), de la compagnie American Standard de Toronto. Il y a aussi certains appareils haut de gamme tels que le 303 Royal Flush-o-matic, des toilettes qui font le travail de toilettes ordinaires en n'utilisant qu'un seul litre d'eau. Elles coûtent 150 $ et on peut se les procurer chez Sanitation Equipment Ltd., 35, Citron Court, Concord (Ontario) L4K 2S7.

❖◆❖◆❖◆❖◆❖◆❖◆❖◆❖◆❖

Les régulateurs de débit pour douches et robinets

Les robinets et les pommes d'arrosage de douche traditionnelles occasionnent un certain gaspillage d'eau. Une pomme d'arrosage ordinaire laisse couler de 15 à 30 litres d'eau à la minute. Songez donc à la remplacer par un modèle plus économique : l'incroyable pomme d'arrosage de douche (avec ou sans interrupteur d'eau) fabriquée par Ressources Conservation Inc., du Connecticut, distribuée au Québec par Pur et simple, Nova d'Ecological Water Products d'Ildetron en Ontario, Shower Mate de Trans

Continental Energy Saving Products de Burlington en Ontario, Clear-Flo de la compagnie Symmons (distribué au Canada par R. G. Dobbins de Downsview en Ontario), ou encore la marque Bubble Stream de Jenkinson and Company de Toronto. Ces pommes d'arrosage, reconnues par la CSA, n'utilisent que de 7 à 10 litres d'eau par minute. Vous pouvez économiser encore davantage si votre douche est munie d'un dispositif qui vous permet de couper l'eau sans fermer les robinets, pour le temps où vous n'en avez pas besoin.

Les robinets, pour leur part, peuvent avoir un débit de 11 à 13 litres par minute. Les aérateurs d'eau peuvent réduire cette consommation de moitié, mais il y a moyen de faire encore mieux, en ayant recours à des dispositifs qui combinent l'aération de l'eau, la réduction du débit maximal et l'arrêt automatique. Ces ajouts discrets sont efficaces et présentent peu d'inconvénients : il est probable que vous ne vous apercevrez même pas de la différence après les avoir installés. Pour trouver ce qui se vend dans votre région, consultez un grossiste en plomberie : il est le mieux placé pour bien vous conseiller.

◆◆◆◆◆◆◆◆◆◆◆◆◆◆◆◆◆◆◆◆◆◆◆◆◆◆◆◆◆◆◆◆

LES APPAREILS ÉLECTROMÉNAGERS

Généralement, on n'y prête pas attention, mais nos appareils électroménagers tels que réfrigérateurs, lave-vaisselle et cuisinières sont des sources de pollution importantes. D'abord, la fabrication même de ces appareils exige l'emploi de matières premières et d'énergie, ce qui est évidemment polluant. Ensuite, considérez toute l'énergie nécessaire pour les faire fonctionner, et pour pomper ou chauffer l'eau qu'ils utilisent. Le réfrigérateur par exemple produit 13 kg de pollution acide par année, ce qui donne un total d'un cinquième de tonne après une vie utile moyenne de 17 ans.

Les six principaux appareils électroménagers — réfrigérateur, congélateur, cuisinière, lave-vaisselle, laveuse et sécheuse — consomment 14 % de toute l'énergie dépensée à la maison. Cela représente au bout d'une année (pour des appareils de rendement inférieur) une consommation totale annuelle de 6 500 kW/h d'énergie. Si tous les six cependant étaient des appareils à haut rendement énergétique, cette consommation serait réduite de 50 %, permettant une économie annuelle d'à peu près 145 $ (en se basant sur une moyenne de 4,5 cents par kilowatt-heure). Ce montant grimpe à 2 680 $ si l'on considère toute la durée de vie utile de ces appareils.

DURÉE DE VIE DES APPAREILS ÉLECTROMÉNAGERS EN NOMBRE D'ANNÉES

Lave-vaisselle	13	Cuisinières électriques	18
Laveuses	14	Congélateurs	21
Réfrigérateurs	17	Sécheuses électriques	28

❖❖❖❖❖❖❖❖❖❖❖❖❖❖❖❖❖❖❖❖❖❖❖❖❖❖❖

L'Énerguide

Qu'est-ce que l'Énerguide ? C'est un programme mis sur pied par Consommation et Corporations Canada pour réduire la consommation d'énergie qui découle de l'utilisation des appareils électroménagers. Au moyen d'une étiquette accolée sur les appareils neufs ou usagés vendus au Canada, on indique la consommation moyenne d'énergie en kilowatts-heures par mois. Plus le chiffre est bas, meilleur est le rendement énergétique de l'appareil. Ainsi l'acheteur peut comparer non seulement le prix de deux différents modèles, mais aussi leur consommation d'énergie, laquelle en définitive constitue un «coût secondaire» qu'il faut bien ajouter au coût de l'appareil à l'achat. Voici comment calculer ce coût secondaire. Multipliez le chiffre indiqué sur l'étiquette Énerguide par 12 mois, par le nombre d'années de vie utile de l'appareil et par le coût du kilowatt-heure (0,045 $/kW/h).

Le résultat de ce calcul peut parfois faire toute la différence et vous inciter à choisir un appareil plutôt qu'un autre. Prenons l'exemple d'un réfrigérateur à haut rendement qui se vendrait 800 $. Si, sur l'étiquette Énerguide, on indique 50, cela signifie qu'au bout de 17 ans, le coût total de l'énergie nécessaire pour le faire fonctionner sera de 459 $. Ajoutez ce montant au prix d'achat et cela vous donne le coût réel total de 1 259 $. Comparons maintenant avec un réfrigérateur moins cher et moins performant. Ce dernier pourrait se vendre 700 $, mais selon l'étiquette Énerguide sa cote serait de 145, c'est donc 2 031 $ que cet appareil vous aura réellement coûté au bout de 17 ans, soit 772 $ de plus que le premier, plus cher mais moins énergivore.

Dans les répertoires d'Énerguide, on donne la liste de toutes les marques des appareils électroménagers vendus au Canada et l'on indique pour chacun sa cote de rendement énergétique. Vous pouvez obtenir gratuitement des copies de ces listes en écrivant à Publications EMR, 580, rue Booth, Ottawa (Ontario) K1A 0E4.

◆◆◆◆◆◆◆◆◆◆◆◆◆◆◆◆◆◆◆◆◆◆◆◆◆◆◆◆◆◆◆

Les réfrigérateurs

Les points à surveiller dans le cas des réfrigérateurs sont la consommation d'énergie et l'emploi de chlorofluorocarbures comme réfrigérants et dans les matériaux d'isolation. Du côté des CFC, il n'y a pas grand chose que vous puissiez faire, à moins que vous ne soyez prêt à vous passer de réfrigérateur ! Les fabricants ont obtenu un sursis pour trouver des produits de remplacement et ces substances destructrices de la couche d'ozone ne seront pas interdites avant quelques années. Toutefois, du côté des économies d'énergie, vous n'êtes pas sans recours.

Disons d'abord que les réfrigérateurs sont de gros consommateurs d'énergie, car à ce titre, ils occupent le troisième rang dans la maison, après le système de chauffage et le chauffe-eau : leur utilisation requiert jusqu'à 150 kW/h par mois. Si vous utilisez les étiquettes Énerguide pour faire votre choix, vous pouvez éventuellement couper cette consommation de moitié par l'achat d'un appareil à haut rendement énergétique. De plus, il vous est encore possible de réaliser des économies d'énergie en appliquant certaines règles au moment de l'achat et en cours d'utilisation :

◆ Achetez un appareil dont la capacité vous convient. Avec un appareil trop petit, la consommation d'énergie sera plus importante parce que les aliments y seront trop à l'étroit et avec un appareil trop grand qui restera à moitié vide, il y aura aussi gaspillage d'énergie. Pour une ou deux personnes, un appareil de 340 litres (12 pieds cubes) suffit. Pour trois ou quatre personnes, il faut augmenter à 395 ou à 400 litres (de 14 à 17 pieds cubes). Pour toute personne additionnelle, prévoyez un volume supplémentaire de 55 litres (2 pieds cubes).

◆ Les appareils à meilleur rendement énergétique sont ceux qui n'ont qu'une seule porte et dont le congélateur se trouve à l'intérieur du compartiment principal. Les appareils qui ont plusieurs portes avec un compartiment à part pour la congélation sont moins efficaces.

◆ Ne laissez pas la porte du réfrigérateur ouverte trop longtemps : l'air froid s'en échappe et vous gaspillez ainsi de l'énergie.

◆ Vous avez avantage à faire décongeler votre réfrigérateur régulièrement. Contrairement à ce que vous pouvez penser, l'accumulation de givre dans votre appareil n'augmente pas son rendement, elle le diminue.

◆ Ajustez les thermostats à la température qui permet le meilleur rendement énergétique : 3 °C pour la partie réfrigérée et -18 °C pour le congélateur (si vous avez deux thermostats différents pour ces deux compartiments).

◆ Si possible, installez votre réfrigérateur loin des sources de chaleur. Si ce n'est pas possible, au moins conservez une distance minimale entre l'appareil et les sources de chaleur.

◆ Au moins deux fois par année, passez l'aspirateur sur les conduits de refroidissement à l'arrière de l'appareil, après l'avoir débranché. L'accumulation de saleté peut diminuer son rendement.

◆ Vérifiez de temps à autre si le joint d'étanchéité de la porte est en bon état. Placez une feuille de papier sur le joint au moment de refermer la porte. Si la feuille n'est pas bien coincée, c'est que le joint n'est plus étanche. Le remplacer ne coûte pas cher et permet des économies appréciables.

Quand on remplace un vieux réfrigérateur par un neuf, on ne sait souvent pas ce qu'il faut faire avec le vieux. Si les éboueurs l'emportent vers le dépotoir municipal, alors tôt ou tard les CFC qu'il contient seront relâchés dans l'atmosphère, et l'on sait que ces gaz s'attaquent à la couche d'ozone protectrice qui entoure la Terre. Heureusement, on a mis au point une technologie nouvelle qu'on s'apprête à utiliser pour prévenir de telles fuites. Elle consiste à aspirer ces gaz nuisibles dans des sacs hermétiques pour ensuite les emporter vers des usines où ils seront détruits.

Nous ne recommandons pas de transporter le vieux frigo au chalet ou dans la remise pour s'en servir de glacière pour la bière. Il existe des moyens plus économiques de garder la bière au frais.

LES RÉFRIGÉRATEURS CHAMPIONS

Les réfrigérateurs Sun Frost représentent le fin du fin en matière de qualité et de rendement. Ils consomment aussi peu que 20 kW/h par mois, aussi incroyable que cela puisse paraître. Évidemment leur prix est aussi exceptionnel : 2 500 $ US, plus les frais d'installation. Voilà qui risque de décourager plus d'un acheteur potentiel. Néanmoins, vous pouvez toujours vous informer auprès de la compagnie Sun Frost en écrivant à C. P. 1101, Arcata, CA 95521, USA.

Parmi les modèles fabriqués au Canada, ceux de la compagnie Wood's ont le meilleur rendement énergétique (ils n'ont pas de congélateur cependant, seulement un petit compartiment à glace). Le modèle de 468 litres (16,4 pieds cubes) ne nécessite que 54 kW/h par mois ; trois modèles de 494 litres (17,3 pieds cubes) ne consomment que 40 kWh par mois. Pour contacter ce fabricant, écrivez à W. C. Wood Co. Ltd., 5, rue Arthur Sud, Guelph (Ontario) N2R 5W5.

Les congélateurs

Ce que nous venons de dire au sujet des réfrigérateurs s'applique également aux congélateurs. Les meilleurs modèles permettent de couper la consommation d'énergie en deux. Ici aussi, le choix du format est important : n'achetez pas un congélateur trop grand pour vos besoins. En général, 130 litres (4,5 pieds cubes) par personne suffisent.

Quant au modèle, le choix est assez évident : optez pour les congélateurs en forme de coffre, dont la porte est sur le dessus. L'air froid fuit par la porte des congélateurs verticaux et s'en échappe quand vous les ouvrez. Les congélateurs horizontaux s'ouvrent par le haut et l'air tend à rester à l'intérieur, même quand vous les ouvrez. Recherchez des congélateurs bien isolés, pouvant avoir jusqu'à 7,5 cm d'isolant dans les parois.

Les lave-vaisselle

Sur le plan de l'environnement, les lave-vaisselle posent le problème de la consommation de l'eau et de l'énergie. D'après un avis émis par le Conseil des sciences du Canada, les lave-vaisselle consomment de 1 200 à 2 000 litres d'eau par foyer par mois. De plus, un lave-vaisselle dépense en moyenne 100 kW/h chaque mois, dont 80 % servent à chauffer l'eau qu'il utilise (il faut de 42 à 65 litres d'eau chaude par lavage).

La question des détergents a son importance également, bien qu'un lave-vaisselle ne nécessite pas plus de savon qu'un lavage à la main. Le problème vient de ce que les détergents pour lave-vaisselle contiennent beaucoup de phosphates, produits chimiques qui peuvent avoir un effet dévastateur sur la vie dans les lacs et les cours d'eau, comme nous l'avons vu au chapitre 3. Utilisez autant que possible un détergent sans phosphates et faites des essais pour découvrir la quantité minimale nécessaire pour bien laver selon ce que vous avez à laver.

Au moment d'acheter un appareil neuf, comparez les rendements énergétiques des différents modèles en lisant l'étiquette Énerguide. Recherchez de plus les caractéristiques suivantes :

● Un commutateur pour annuler la phase de séchage à la chaleur : vous pouvez aussi bien laisser sécher votre vaisselle à l'air libre et ainsi économiser de l'énergie.

● Un chauffe-eau intégré qui fait monter la température de l'eau à 60 °C, ce qui vous permet de régler le chauffe-eau de la maison à une température inférieure, aux alentours de 55 °C. Vous réaliserez ainsi des économies substantielles.

● Un système de vaporisation de l'eau superpuissant permet d'en consommer moins. De tels dispositifs se trouvent sur les modèles plus récents.

Vous pouvez aussi réaliser des économies en vous servant de votre appareil de la bonne façon, c'est-à-dire en prenant soin de bien le remplir avant d'en faire usage et en sélectionnant le cycle «écono» chaque fois que vous le pouvez. Rincer les plats les plus sales à la main avant de les mettre dans le lave-vaisselle peut également vous faire épargner, si cela vous permet d'utiliser le cycle court plus souvent.

❖❖❖❖❖❖❖❖❖❖❖❖❖❖❖❖❖❖❖❖❖❖❖❖❖❖❖❖❖❖❖❖❖❖

Les cuisinières

On trouve sur le marché une très grande variété de cuisinières : au gaz, au propane, électriques, modulaires, à four autonettoyant et quoi encore, des fours à convection, à micro-ondes et mille façons de combiner ces éléments entre eux. Cela rend très difficile la tâche de comparer les différents modèles. On considère généralement que les cuisinières au gaz ont un rendement énergétique supérieur, mais l'Énerguide ne donne d'évaluation de rendement que pour les cuisinières électriques. Les modèles courants ont à peu près tous le même rendement, soit entre 59 et 73 kW/h par mois. Il vaut quand même la peine de rechercher les modèles moins énergivores.

Cela dit, les conseils suivants peuvent vous aider à réaliser des économies:

◆ Pour une cuisinière au gaz, ce qu'il faut surtout rechercher, c'est un dispositif d'allumage électronique. L'usage de veilleuses (souvent appelées «pilotes» d'après le terme anglais) entraîne un certain gaspillage d'énergie puisqu'elles doivent rester allumées en permanence. Si vous possédez une cuisinière au gaz munie de veilleuses, vous pouvez toujours les fermer (ne pas simplement souffler la flamme, car le gaz continue de s'échapper) et utiliser des allumettes pour allumer. Un four qui ferme bien et qui est bien isolé vous fera également faire des économies intéressantes.

◆ Les fours à convection sont les plus efficaces parmi les fours électriques (l'Énerguide toutefois ne mesure pas spécifiquement les rendements des fours). Ce type de four utilise un ventilateur pour faire circuler la chaleur, ce qui assure une bonne répartition de celle-ci et une cuisson plus rapide à des températures moins élevées.

◆ Les fours autonettoyants sont de bons choix parce que même s'ils fonctionnent à des températures élevées, ils sont généralement bien isolés, ce qui fait qu'ils consomment moins d'énergie. Pour économiser encore davantage avec ce type de four, ne le nettoyez que lorsque c'est bien nécessaire et faites-le juste après avoir fini de vous en servir, au moment où il est encore chaud.

◆ Les éléments (communément appelés les ronds) pleins consomment plus d'énergie que les éléments tubulaires.

◆ Les ventilateurs incorporés sont des gaspilleurs d'énergie en hiver parce qu'ils chassent l'air chaud à l'extérieur, ce qui oblige à chauffer davantage la maison.

◆ Lorsque vous cuisinez, utilisez des casseroles couvertes et de la bonne grandeur, couvrant entièrement l'élément. Employez le moins d'eau possible et ne faites pas trop cuire les aliments. Certains petits appareils peuvent vous faire réaliser des économies également : par exemple, si vous faites cuire un ragoût, utilisez une sauteuse électrique plutôt qu'une casserole ordinaire, vous aurez besoin de quatre fois moins d'énergie.

◆ Faites un bon usage de votre four : à moins que cela ne soit vraiment nécessaire (comme pour la cuisson du pain et des gâteaux), ne le préchauffez pas, du moins pas plus de 10 minutes. Efforcez-vous de faire cuire plusieurs plats en même temps. Éteignez le four quelques minutes avant la fin de la cuisson : la chaleur accumulée finira le travail.

LES FOURS À MICRO-ONDES

Plus de 60 % des cuisines canadiennes sont maintenant équipées de ce merveilleux économiseur d'énergie qu'est le four à micro-ondes. Non seulement il économise l'énergie en réduisant considérablement le temps de cuisson, mais aussi il utilise toute son énergie pour cuire les aliments, pas pour réchauffer l'air du four. Les économies réalisées sont de l'ordre de 50 % pour la plupart des plats. Toutefois, la majorité de ceux qui ont un four à micro-ondes ont également un four ordinaire. Alors le meilleur achat consiste à se procurer un four à micro-ondes qui cuit aussi par convection : cette combinaison permet le meilleur rendement énergétique qui se puisse trouver. Cependant, on considère que les fours à micro-ondes constituent un problème pour l'environnement. La consommation de plus en plus répandue de plats préparés pour être réchauffés au four à micro-ondes a entraîné dans son sillage le gaspillage dans l'emballage des aliments : boîtes, assiettes jetables, enveloppes de plastique et serviettes de papier ne sont pas réutilisables et encombrent les poubelles.

Les broyeurs à déchets

L es broyeurs à déchets gas-pillent de l'eau et de l'élec-tricité, en plus de contribuer à la pollution de l'eau, ce qui entraîne un surcroît de traite-ment dans les usines de traite-ment des eaux usées. Compos-tez plutôt vos déchets de table : vous ferez alors un geste favo-rable à l'environnement avec, en prime, un bel humus au bout de quelques mois.

◆◆◆◆◆◆◆◆◆◆◆◆◆◆◆◆

Les laveuses

C e que nous avons dit des problèmes reliés à l'utilisa-tion des lave-vaisselle (surcon-sommation de l'eau et de l'énergie) s'applique égale-ment aux laveuses. Aussi est-il d'une grande importance de choisir un appareil à très haut rendement énergétique, sinon le coût secondaire de la dépen-se d'énergie pourrait grimper très rapidement.

L'Énerguide donne des cotes de rendement qui se situent entre 54 et 136 kW/h par mois. Recherchez donc la meilleure cote et surveillez-bien ces quelques points :

◆ Les appareils ouvrant sur le devant plutôt que sur le des-sus (plus courants en Europe qu'ici) : ils consomment moins d'eau.

◆ Les modèles compacts :

ils peuvent vous faire écono-miser de l'énergie si vous n'avez pas beaucoup de linge à laver. Autrement ces modè-les ne conviennent pas, car vous devriez faire de trop nombreux lavages et vous dépenseriez plus d'énergie qu'avec un appareil plus gros.

◆ Une commande de lavage et de rinçage à l'eau froide : en l'utilisant fréquemment, vous réaliserez des économies intéressantes.

◆ Un contrôle du niveau d'eau pour les petites quanti-tés et un cycle court pour les tissus délicats ou peu sales.

◇◆◇◆◇◆◇◆◇◆◇◆◇◆◇◆

Les sécheuses

L e moyen le plus économi-que pour faire sécher le linge reste bien sûr la corde à linge. Si vous ne pouvez, ou ne voulez pas, l'utiliser, alors le mieux que vous puissiez faire, c'est de rechercher la sécheuse ayant le meilleur rendement énergétique. Les cotes de ren-dement d'Énerguide varient de 74 à 111 kW/h par mois pour les sécheuses. La diffé-rence est moins grande que pour certains autres appareils, néanmoins il vaut la peine d'y regarder de près avant d'ache-ter. Nous vous conseillons éga-lement de surveiller les points suivants :

● Si vos besoins sont modestes, procurez-vous un

modèle plus petit ; sinon vous feriez mieux d'acheter un modèle plus grand.

● Un détecteur d'humidité permettant d'arrêter le séchage quand le linge est sec constitue un dispositif intéressant pour économiser l'énergie.

● Un cycle de séchage qui remplace l'air chaud par de l'air frais à la fin.

● Un allumage électronique est préférable à une veilleuse dans une sécheuse au gaz.

● Deux petits conseils pour finir : ne faites fonctionner la sécheuse qu'avec une charge pleine et nettoyez le filtre entre les séchages.

◇◇◇◇◇◇◇◇◇◇◇◇◇

Les climatiseurs

Nombreux sont ceux qui tentent de passer l'été au frais dans leur maison ou leur auto à l'aide d'un climatiseur. Malheureusement, même les meilleurs parmi ces appareils consomment beaucoup d'énergie : 7 200 BTU à l'heure avec les climatiseurs de fenêtre et 24 000 avec les climatiseurs centraux. Tous ces climatiseurs qui fonctionnent à plein régime au coeur de l'été peuvent même causer une augmentation de la température dans les villes où des centrales thermiques doivent fonctionner à plein régime pour répondre à la demande en électricité et ce faisant, rejettent du gaz carbonique dans l'air !

Il y a pourtant des solutions naturelles non polluantes, moins chères, moins bruyantes et tout aussi efficaces pour combattre la chaleur excessive dans les maisons. Avant d'avoir recours à des machines énergivores qui feront éventuellement augmenter la quantité de CFC dans l'atmosphère, essayez ces solutions de remplacement :

◆ Plantez des arbres. Non seulement vous protégeront-ils de la chaleur en été, mais encore ils vous mettront à l'abri des vents d'hiver. La vigne grimpante peut, surtout sur les murs est et ouest, ombrager les fenêtres.

◆ Si vous avez installé une thermopompe pour le chauffage, vous avez pour le même prix acquis un système de climatisation (reportez-vous à la page 134 pour plus de renseignements sur ces appareils).

◆ Songez à faire installer des fenêtres à faible émission. Elles sont revêtues d'une mince couche de métal presque invisible qui repousse la chaleur extérieure en été et conserve la chaleur dans la maison en hiver.

◆ Fermez les stores. Les auvents au-dessus des fenêtres du côté sud vous protégeront des chauds rayons du milieu de la journée (choisissez de préférence ceux qui sont faits de fibre de verre et coton) et les stores verticaux, à l'est et à l'ouest, ne laisseront pas passer les rayons bas du matin et du soir.

◆ Des stores pare-soleil faits de fibre de verre et de polyvinyle réduisent l'éclat du soleil de 70 % à 85 %, d'après leurs manufacturiers. Les modèles Sun Project T-100 de Sun Project Canada Inc. (418, Hanlan Road, modules 17 et 18, Woodbridge [Ontario] L4L 3P6) et Lyverscreen d'Altex Inc. (3530, boul. des Entreprises, Terrebonne [Québec] J6W 5C7) sont vendus dans les magasins de draperies et de décoration. Un store du type à enroulement automatique pouvant couvrir une fenêtre de 1 m sur 1,6 m coûte entre 140 $ et 185 $, installation comprise.

◆ Installez des ventilateurs de plafond à basse vitesse. Un ventilateur qui pousse l'air à seulement trois kilomètres à l'heure peut faire toute la différence et vous procurer plus de confort qu'un ventilateur à rotation rapide, plus efficace, mais plus bruyant et plus énergivore.

◆ Vous pouvez aussi employer ces quelques moyens : gardez portes et fenêtres fermées jusqu'au soir, fermez les stores à l'est le matin et à l'ouest le soir et au lieu de vous servir de la cuisinière ou du four électrique, utilisez le four à micro-ondes, le barbecue ou quelque autre petit appareil de cuisson qui dégage moins de chaleur.

◆◆◆◆◆◆◆◆◆◆◆◆◆◆◆◆◆◆◆◆◆◆◆◆◆◆◆◆◆◆◆

L'ÉCLAIRAGE

Dans nos maisons, l'éclairage ne pose pas de véritable problème sur le plan de la consommation de l'énergie, ne constituant que 2 % de la consommation totale, soit à peu près 1 000 kW/h par année. Cependant, une technologie nouvelle permet de réduire la consommation de 70 % à 80 %, en plus de procurer certains autres avantages ; il vaut donc la peine de s'y arrêter.

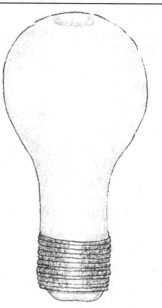

✧✧✧✧✧✧✧✧✧✧✧✧✧✧✧✧✧✧✧✧✧✧✧✧✧✧✧✧✧✧✧✧✧

Les lampes fluorescentes

La grande nouveauté dans l'éclairage des maisons et des bureaux, c'est la lampe fluorescente. Fini le temps de l'éclairage avec ces longs tubes fluorescents fragiles et encombrants qui donnaient une lumière clignotante teintée de bleu et de piètre qualité. Les nouvelles lampes fluorescentes non seulement sont plus efficaces que les lampes à incandescence, mais elles produisent aussi une luminosité agréable, de qualité équivalente pour la plupart des besoins et elles durent de 10 à 13 fois plus longtemps. On peut installer certains modèles directement dans les douilles d'ampoules ordinaires, mais la plupart exigent un adaptateur.

Elles coûtent cher, entre 24 $ et 27 $ chacune, alors qu'une ampoule ordinaire coûte moins d'un dollar : toutefois, cette différence est largement compensée par les économies réalisées sur le coût secondaire, celui de l'énergie utilisée pour les faire fonctionner.

Pour bien comprendre la consommation d'énergie qui découle de l'éclairage, il faut savoir que celui-ci se mesure en lumens tandis que l'énergie se mesure en watts. Le rapport lumens/watt est de quatre à cinq fois plus élevé pour les lampes fluorescentes que pour les lampes à incandescence. En d'autres mots, une lampe fluorescente de 18 watts procure autant de lumière qu'une lampe à incandescence de 75 watts, tout en durant 10 fois plus longtemps.

Les lampes fluorescentes sont offertes sous diverses formes parfois fantaisistes ou futuristes, ou simplement en forme d'ampoule ordinaire. Certaines ont besoin d'un adaptateur pour être branchées dans une douille de lampe à incandescence. Avant d'en acheter, assurez-vous toutefois qu'elles s'ajusteront bien à vos lampes et autres appareillages électriques ; ce n'est pas toujours le cas.

La technologie des lampes fluorescentes évolue très rapidement. Au moment d'acheter, recherchez les lampes qui sont intégrées, c'est-à-dire qui ont un ballast électronique jetable dans le culot de la lampe. Ces modèles plus récents permettent un meilleur éclairage qui élimine les pulsations ou le clignotement de la lumière caractéristique des premiers modèles de lampes fluorescentes munis de ballasts magnétiques. Les marques SL*18 de Philips et la série Dulux EL de la compagnie Osram constituent de bons choix.

Les principaux manufacturiers d'ampoules à haut rendement énergétique au Canada sont Canadian General Electric, Osram Canada Ltd., Philips Electronics Ltd. et GTE Sylvania Canada Ltd.

❖❖❖❖❖❖❖❖❖❖❖❖❖❖❖❖❖❖❖❖❖❖❖❖❖❖❖❖❖❖❖❖❖

Les lampes à incandescence à haut rendement énergétique

Les ampoules incandescentes à haut rendement énergétique constituent une bonne solution de remplacement. Les lampes halogènes au tungstène, par exemple, consomment deux fois moins d'énergie et durent deux fois et demie plus longtemps que les ampoules ordinaires. Dans ces lampes, un filament de tungstène est enfermé dans une gaine de quartz remplie de gaz halogène, comme dans les phares des automobiles. Ce gaz agit de telle sorte que le tungstène qui s'évapore, au lieu de se déposer sur la surface de l'ampoule et de l'obscurcir, se condense sur le filament, ce qui augmente sa durée de vie et permet en même temps une plus grande émission de lumière.

Les lampes halogènes au tungstène munies de réflecteurs paraboliques en aluminium remplacent efficacement les spots ou les lampes encastrées pour l'éclairage décoratif à la maison. Puisqu'elles durent jusqu'à 6 000 heures, elles sont très économiques au bout du compte. On les trouve dans une grande variété d'intensité lumineuse allant de 75 à 1 500 watts.

Quand vous achetez des lampes à incandescence, faites attention aux termes employés. Les ampoules longue durée sont en fait moins efficaces que les ampoules ordinaires. Quant aux ampoules économiques, elles consomment en effet moins d'énergie, mais c'est parce qu'elles sont moins puissantes : cela ne veut pas dire cependant qu'elles ont un meilleur rendement énergétique.

À part le choix des ampoules, il y a certaines habitudes à prendre qui pourraient vous faire économiser de l'énergie.

◆ N'utilisez que la puissance nécessaire à vos besoins. Une ampoule de 25 watts peut très bien suffire pour éclairer votre porche. Gardez les ampoules plus puissantes pour les lieux de lecture ou de travail.

◆ Songez à utiliser des dispositifs qui vous feront économiser de l'énergie, comme des minuteries qui éteignent les lumières au moment choisi, ou encore des cellules photo-électriques qui éteindront vos lumières durant la journée.

◆ Installez des gradateurs de lumière. Atténuer l'intensité se fait aussi bien avec les lampes fluorescentes qu'avec les lampes à incandescence, mais il vous faut un modèle récent muni d'un ballast électronique qui permet de varier l'intensité sans perte de rendement. Il y a plusieurs types de gradateurs : à variation prédéterminée (85 %, 70 %, 50 % et 35 %), manuels (variant de 100 % à 35 %) ou automatiques (avec contrôle par minuterie ou par cellule photo-électrique).

◆ N'oubliez pas les commutateurs : éteignez chaque fois que vous n'avez plus besoin d'éclairage. Ce principe vaut autant pour les lampes à incandescence que pour les lampes fluorescentes. Les économies d'énergie ainsi réalisées compenseront la réduction de la durée de vie des ampoules causée par la plus grande fréquence d'allumage.

◆ Enfin, un petit conseil tout simple : gardez les ampoules et les abat-jour propres ; plus ils sont sales, moins ils laissent passer la lumière.

LA RÉNOVATION

Les colles

La plupart des colles contiennent des solvants qui sont la cause d'une pollution grandissante. Ceux-ci contribuent, quoique modestement, à la formation du smog qui étouffe les grandes villes, causant des problèmes respiratoires à leurs habitants et tuant les arbres. Ils contiennent en outre des substances chimiques qui peuvent être toxiques si l'on ne prend pas certaines précautions au moment d'en faire usage.

La colle blanche et la colle de menuisier constituent les meilleurs choix. Chaque fois que vous utilisez de la colle dans la maison, assurez-vous d'une aération adéquate.

Bien que rénover une maison soit difficile et comporte de nombreux tracas, on en retire généralement une satisfaction et un plaisir qui effacent rapidement le souvenir des difficultés qu'on a connues au moment des travaux. Il ne faut pas oublier cependant que les matériaux qu'on enlève et ceux qu'on met en remplacement constituent des dangers potentiels pour vous et pour l'environnement. On emploie largement dans la construction des maisons contemporaines des matériaux synthétiques dont la plupart sont tirés de ressources non renouvelables ou rendent nécessaire l'emploi de telles ressources au moment de leur fabrication. Plusieurs de ces matériaux requièrent d'énormes quantités d'énergie pour être produits, en plus d'exiger l'emploi de produits chimiques toxiques qui causent des problèmes environnementaux à tous les stades de leur utilisation, depuis l'usine où on les fabrique jusqu'à leur traitement comme déchets.

Un principe général s'applique dès que vous envisagez de construire, rénover ou réparer votre maison : employez autant que possible des matériaux naturels plutôt que des matériaux synthétiques, et choisissez de préférence ceux qui sont produits avec des ressources renouvelables ou à l'aide de ces ressources.

Les conseils que nous allons vous donner sur les méthodes de travail et sur le choix des matériaux reposent sur des considérations environnementales et, en second lieu, sur des questions de santé. Cependant, certains des choix proposés pourraient se révéler non appropriés pour certaines personnes souffrant d'allergie ou de sensibilité particulière à certaines sub-stances chimiques. Une sub-stance naturelle comme le coton ou le bois peut avoir notre préférence sur le plan environnemental, cela n'exclut pas qu'elle puisse ne pas con-venir à des personnes souf-frant d'allergies. Celles-ci devraient se renseigner auprès d'Allergy Information Association (65, Tromley Dr., bureau 10, Etobicoke [Ontario] M9B 5Y7) pour être guidées dans leurs choix de matériaux.

❖❖❖❖❖❖❖❖❖❖❖❖❖❖❖❖❖❖❖❖❖❖❖❖❖❖❖❖❖❖❖

Le bois

Il y a peu de chances que vous soyez tentés par des bois tropicaux pour la char-pente de votre maison. Toutefois, vous pourriez vou-loir des portes ou des meubles de rangement en teck. Si c'est le cas, lisez ce qui est dit plus loin sur les essences à proscrire et les essences à privilégier. Pour le bois de charpente, le problème n'est pas la défores-tation des régions tropicales, mais l'emploi de produits chi-miques dangereux.

Les fenêtres en bois et les cadres de portes sont traités avec des insecticides, des fon-gicides, des produits contre le mildiou et d'autres substances qui risquent de laisser s'échap-per des vapeurs nocives dans votre maison pendant des mois, voire des années. Une fois qu'ils sont transformés en déchets, à l'usine, ou utilisés par le consommateur, ces bois risquent de contaminer l'eau et le sol.

Parmi les produits dange-reux, il faut signaler tout parti-culièrement le formaldéhyde, substance qui entre dans la composition de l'agent liant des panneaux de contre-plaqué, de fibres ou de copeaux agglomérés. Le for-maldéhyde peut causer le can-cer et affecter le système ner-veux central. Il serait donc plus sûr d'utiliser du bois plein, même si cela implique un surcroît de travail.

Il faut noter cependant que les panneaux de particules offrent l'avantage d'utiliser du bois qui, autrement, se retrou-verait au rebut. Si vous vous servez de ces panneaux, pre-nez ces quelques précautions.

Employez du contre-plaqué pour l'extérieur, car son agent liant est plus stable et dégagera moins de vapeur. Vous pouvez empêcher toute évaporation en utilisant un produit étanche. Enfin évitez de brûler les résidus.

Quel que soit le type de bois que vous comptez employer pour la charpente, vous pouvez réaliser des économies appréciables en vous servant des attaches de panneaux de gypse, de fermes et d'autres innovations techniques.

◆◆◆◆◆◆◆◆◆◆◆◆◆◆
Les plates-formes

Le bois traité sous pression résistera à la pourriture et aux insectes, mais les agents de conservation utilisés pour le traiter sont hautement toxiques. Si vous employez ce genre de bois traité pour vos clôtures ou une plate-forme, prenez des précautions. Ne vous en servez pas près d'un jardin et, si vous devez vous-même le traiter aux extrémités que vous venez de scier, portez des vêtements appropriés, des gants protecteurs et un masque. Attachez les poteaux à une base en béton à l'aide d'attaches de métal plutôt que de les enfouir directement dans le sol où les produits dangereux risquent de se répandre. Enfin ne brûlez pas les résidus.

Le cèdre résiste bien à la pourriture, aussi constitue-t-il une bonne solution de remplacement. Certains bois mous feront très bien l'affaire pour vos travaux extérieurs si vous les couvrez bien avec de la teinture ou de la peinture. Le bois pourrira moins vite s'il n'entre pas en contact direct avec le sol : posez-le donc sur une base en béton.

✧✧✧✧✧✧✧✧✧✧✧✧
Les toits

Les couvertures d'ardoise, de tuiles, en métal, en fibre de verre ou en asphalte ne laissent pas échapper de vapeurs toxiques, mais elles sont toutes fabriquées avec des matériaux pour lesquels on emploie des ressources non renouvelables. Parmi ces matériaux, les bardeaux d'asphalte, faits à partir de pétrole, sont les moins durables. Les bardeaux de cèdre, par contre, sont plus coûteux, mais ils sont plus durables et ils sont faits à partir de bois, une ressource renouvelable.

❖◆❖◆❖◆❖◆❖◆❖◆❖
Les revêtements extérieurs

Dans le choix d'un revêtement extérieur pour sa maison, le consommateur soucieux de protéger l'environnement doit faire des compromis, car il n'y a pas de choix idéal. Il y a quatre types de revêtements extérieurs : la pierre, le métal, le plastique et le bois. Les trois premiers utilisent des ressources non renouvelables. Les revêtements en métal ou en vinyle, bien qu'ils offrent l'avantage de ne nécessiter aucun entretien, sont très difficiles à réparer lorsqu'ils sont endommagés. Quant à l'aluminium, sa production est très énergivore.

Cela ne vous laisse guère de choix : il faut recourir au bois, le cèdre de préférence, qui offre une durabilité excellente sous tous les climats. Toutefois, avant d'en recouvrir votre maison, vérifiez auprès du service de la protection des incendies de votre localité : si la réglementation vous oblige à utiliser des matériaux ininflammables, alors optez pour le stuc, la brique ou la pierre.

◆◆◆◆◆◆◆◆◆◆◆◆◆◆

Les planchers

Ne couvrez pas vos planchers avec des carreaux d'asphalte ou de vinyle, car ils sont faits à partir de pétrole, une ressource non renouvelable. Utilisez plutôt du bois. Vous pouvez faire d'autres choix acceptables en optant pour des matériaux naturels comme les carreaux de céramique, le sol de mosaïque, la pierre ou la brique.

◇◇◇◇◇◇◇◇◇◇◇◇◇

Les comptoirs, les meubles de rangement
et autres aménagements intérieurs

Pour les meubles de rangement, évitez d'utiliser les panneaux de particules agglomérées ou le contre-plaqué d'intérieur, car il en émane du formaldéhyde. Si vous avez déjà des meubles faits avec de tels produits (pour le savoir, regardez bien sur les côtés, en dessous et en dessus des supposés placards en bois, de même que sous les comptoirs), appliquez un enduit étanche non toxique sur toutes les surfaces exposées. Le bois plein et le métal constituent de meilleurs choix pour les meubles de rangement.

❖❖❖❖❖❖❖❖❖❖❖❖❖

Comment se débarrasser des déchets

Les réparations ou les rénovations de la maison produisent de grandes quantités de déchets, et l'on ne sait pas toujours comment s'en débarrasser sans polluer l'environnement. Ne jetez pas les peintures, les solvants, les vernis ou les colles à l'égout. Ne les jetez pas non plus aux ordures, car tôt ou tard, ils iront immanquablement contaminer le sol et l'eau. Traitez-les comme des déchets dangereux (voir chapitre 7).

Faites de même pour le bois traité et pour les bois transformés. Ne les brûlez pas, car leur combustion polluerait l'air de fumées toxiques.

◇◇◇◇◇◇◇◇◇◇◇◇◇

Les meubles et la décoration

L es «mauvais» bois et les produits chimiques dangereux, voilà en résumé ce qui fait que les meubles et les éléments de décoration intérieure peuvent causer des problèmes pour l'environnement et pour la santé. La solution est simple, mais pas toujours facile à appliquer : utilisez les «bons» bois et choisissez de préférence le naturel au synthétique.

La maison type est pleine de produits chimiques dangereux : on les retrouve dans les peintures, les solvants, les teintures, les vernis, les colles à bois, les produits étanches pour planchers, les meubles, les matériaux de rembourrage, les tapis, les moquettes et le papier peint. S'ils ne sont pas correctement scellés, plusieurs de ces produits toxiques s'évaporent petit à petit dans la maison où ils sont forcément inhalés par ceux qui l'habitent. Et puis quand on veut les jeter, inévitablement ils se retrouvent dans l'environnement où ils causent

de la pollution. Le danger existe également au moment de la fabrication de tous ces matériaux : à la moindre négligence, ils se retrouvent dans le sol et peuvent même contaminer nos sources d'approvisionnement en eau potable.

◆◆◆◆◆◆◆◆◆◆◆◆◆◆

Les «bons» et les «mauvais» bois

L es écologistes sont généralement très préoccupés par la déforestation des forêts tropicales. L'Amérique du Nord, l'Europe et le Japon sont les principaux utilisateurs des bois durs tropicaux importés pour la plupart des Philippines, de la Malaisie, de l'Indonésie, de l'Amérique du Sud et de l'Afrique de l'Ouest. Chaque année, des millions de tonnes de bois sont exportées vers les pays grands consommateurs qui le transforment en meubles, en portes, en cadres de fenêtres, en matériaux de construction, en bateaux, même en cercueils !

La plupart des bois durs tropicaux nous viennent d'endroits où l'on ne fait aucune gestion de la ressource forestière : une fois que les arbres ont été abattus, c'est sans retour. La coupe de ces bois précieux entraîne de surcroît l'abattage de presque neuf fois plus d'arbres d'essences non commerciales qu'on laisse tout simplement pourrir sur place. De plus, les procédés d'exploitation entraînent un compactage des sols et endommagent les racines des arbres laissés debout. La disparition des forêts tropicales a d'autres conséquences : elle entraîne la disparition de nombreuses espèces animales et végétales, la détérioration des sols privés de leur couvert forestier et une baisse de l'humidité dans l'air. On calcule que, d'ici l'an 2000, la moitié des forêts tropicales auront été rasées, soit pour la production de bois d'oeuvre, soit pour l'agriculture.

Contre de telles pratiques, que peuvent donc faire les consommateurs qui se préoccupent de la qualité de l'environnement ? Ils doivent encourager une meilleure exploitation des ressources par l'industrie des bois tropicaux, pour qu'elle soit renouvelable. Comment ? En achetant le bois des compagnies qui font des efforts en ce sens et en se contentant de bois tendres ou de bois durs des régions tempérées chaque fois que c'est possible. Malheureusement, il est très difficile la plupart du temps, et parfois même impossible, de connaître précisément la provenance des bois durs tropicaux. Ainsi du bois de teck en provenance de Java, de la Thaïlande et de la Birmanie, de même que certains bois durs imputrescibles de Guyane, sont exploités de manière à protéger la ressource, mais il est toujours impossible à l'heure actuelle de savoir quel hévéa de Malaisie constitue un choix écologique.

Utilisez de préférence les bois durs des régions tempérées tels que l'érable, le cerisier, le chêne, le pommier, le bouleau, l'orme, le noyer, le tremble, l'aulne, le hêtre et le caryer. Parmi les bois tendres, le pin, l'épinette (épicéa), la pruche et le sapin de Douglas constituent de bons choix. Pour assurer au bois une plus grande durabilité, dans les compagnies de bois d'oeuvre, on traite les bois tendres avec du pentachlorophénol, du lindane, de l'oxyde d'étain tributylique et de la dieldrine. Aussi est-il important de demander du bois non traité au moment de faire vos achats.

❖❖❖❖❖❖❖❖❖❖❖❖❖❖

Les bois de placage

La plupart des bois de placage faits de bois durs tropicaux proviennent de compagnies qui ne renouvellent pas la ressource. Aussi, évitez les bois de placage en ébène, en acajou, en noyer africain, en tulipier, en bois de rose ou en teck. Choisissez plutôt les placages dans les essences suivantes : chêne, pommier, saule, tremble, hêtre, frêne, aulne, cerisier, châtaignier, orme, érable, poirier, peuplier, pin, mélèze ou platane.

◆◆◆◆◆◆◆◆◆◆◆◆◆◆
Tapis, moquettes, draperies et rembourrage

Pour les moquettes, les tapis, les tissus de rembourrage et les draperies, utilisez de préférence la laine, le coton et le lin. Les fibres synthétiques sont faites à partir de substances pétrochimiques et ne se dégradent pas facilement quand on les jette. Par ailleurs, les matériaux synthétiques pour tapis et rembourrage contiennent d'importantes quantités de produits toxiques tels que le formaldéhyde. La mousse employée dans les coussins, les matelas et sous les moquettes contient également du formaldéhyde et de

Les insectes nuisibles à la maison

Même si vous n'avez jamais utilisé d'insecticide dans votre maison, celle-ci en contient quand même, dans votre nouvelle moquette par exemple, ou dans la colle de la tapisserie que vous venez d'appliquer sur vos murs. Si vous désirez éviter de respirer les vapeurs toxiques des pesticides à la maison, voici comment vous passer d'eux pour combattre les insectes nuisibles.

D'abord la prévention. Appliquez des mesures d'hygiène très strictes, colmatez toutes les fissures et les autres ouvertures par lesquelles ces insectes se glissent à l'intérieur. Réparez les fuites de la plomberie et asséchez bien les endroits où l'humidité favorise leur prolifération.

Employez des produits naturels pour les éloigner. L'huile de cèdre, qu'on peut appliquer à l'aide d'un vaporisateur manuel, éloigne les puces et autres insectes. Le sel ou le piment rouge saupoudrés sur les comptoirs, répandus sur le seuil des portes ou placés au bas des fenêtres, repoussent les fourmis. Quant aux mites, vous pouvez vous en débarrasser en congelant les vêtements ou en les exposant à la chaleur du soleil durant deux jours. Pour ce qui est des mouches, elles délaisseront tables et comptoirs si vous y appliquez une solution à base de vinaigre (la tapette à mouches est aussi un moyen efficace contre les mouches). Pour les blattes (ces fameuses coquerelles !), le borax en poudre placé dans une trappe ou en pastilles est une bonne solution, mais ne l'utilisez pas là où vivent de jeunes enfants ou des animaux domestiques.

Vous devriez également rechercher ces nouveaux pesticides biologiques qui s'attaquent à certaines espèces nuisibles sans affecter d'autres formes de vie et sans polluer l'environnement, puisqu'ils sont biodégradables. Le méthoprène, par exemple, contrôle la croissance des puces en les maintenant au stade larvaire, de sorte qu'elles ne peuvent se reproduire.

plus, on a utilisé des CFC dans la fabrication de ce produit. La mousse d'Ultracel d'Union Carbide n'est pas produite à l'aide de CFC, toutefois nous ne savons pas si elle contient du formaldéhyde. Les meubles faits avec cette mousse d'uréthane sont bien identifiés. Le polyester, les plumes et le coton constituent également de bons choix pour la bourre des meubles, des matelas, des coussins et des oreillers.

❖❖❖❖❖❖❖❖❖❖❖❖❖❖❖

Les peintures et les solvants

L a plupart des gens préfèrent les peintures au latex aux peintures à l'alkyde. Ils ont raison en ce qui a trait à leur santé, mais sur le plan de l'environnement, on peut choisir l'un ou l'autre. Les solvants employés dans les décapants, la peinture, les vernis, les diluants et les enduits étanches contiennent des produits chimiques assez toxiques pour que leur application requière certaines précautions, principalement au niveau de l'aération des pièces où l'on travaille.

Si vous désirez vous procurer des produits naturels et non toxiques, recherchez ceux vendus par les compagnies Teekah et AFM Enterprises qui offrent toutes les deux la gamme complète des produits de finition pour la maison. Les enduits étanches Crystal Aire et Crystal Shield ne sont pas toxiques. Quant à la peinture Color Your World, elle est relativement peu toxique. Écolor, de Peinture Internationale Canada (1-800-361-2865 ou 2866) est une peinture formulée sans mercure (ECO-LATEX). Sico offre maintenant une gamme de peintures au latex reconnues par le ministère de l'Environnement du Canada.

Attention! Les travaux de décapage constituent un danger réel pour vous et pour l'environnement. Les bricoleurs doivent savoir que non

Les polluants de l'air les plus fréquents dans nos maisons

Polluant	Sources
Gaz formaldéhyde	mousse isolante d'urée formaldéhyde, contre-plaqué, panneaux de particules agglomérées, meubles, tapis et moquettes
Produits chimiques	produits de nettoyage, peinture et solvants domestiques
Monoxyde de carbone, gaz carbonique, oxydes d'azote	brûleurs au mazout ou au gaz, éléments de cuisson, sécheuses, foyers et poêles à bois

seulement toutes les méthodes et tous les produits de décapage, mais aussi les vieilles peintures qu'on enlève (dans les maisons construites avant 1950, elles contiennent du plomb, un produit très toxique) représentent un risque non négligeable pour la santé. Si vous devez faire de tels travaux, au moins assurez-vous de travailler dans une pièce bien aérée, sinon dehors.

Une fois vos travaux terminés, ne jetez pas les détritus, peintures, vernis, solvants et décapants comme n'importe quel autre déchet : considérez-les comme des déchets dangereux dont il faut se débarrasser de façon appropriée (voir le chapitre 7 pour plus de détails sur cette question).

Vous trouverez des produits non toxiques pour la décoration des maisons chez les détaillants suivants :

• Lowans and Stephan Environmental Product and Services, R. R. 1, Caledon East (Ontario) L0N 1E0.

• Teekah Inc., 5015, rue Yonge, North York (Ontario) M2N 5P1.

• Smith's Pharmacy, 3477, rue Yonge, Toronto (Ontario) M4N 2N3.

• De Groot's Only Organic, 1267 Weston Road, Toronto (Ontario) M6M 4R2.

Les chauffe-eau à haut rendement

Remplacer un vieux chauffe-eau coûte cher. D'abord il vous faut déterminer la capacité dont vous avez réellement besoin. Si chacun dans la famille fait sa part pour économiser l'eau chaude et si vous prenez certaines mesures pour prévenir les pertes de chaleur, un réservoir de 180 litres devrait suffire pour quatre personnes. Une fois sa capacité déterminée, vous vous mettrez à la recherche du chauffe-eau qui offre le meilleur rendement.

Pour les chauffe-eau au gaz ou au mazout, on n'a pas encore établi de standards de performance : il n'est donc pas possible de dire lequel des appareils sur le marché est le meilleur. On peut quand même affirmer que les meilleurs — et les plus coûteux évidemment — sont ceux à tirage forcé et à combustion condensée.

Quant aux chauffe-eau électriques, on connaît bien la performance des appareils vendus au Canada. En effet, chaque appareil qui satisfait aux exigences de l'association canadienne de normalisation (CSA) porte une étiquette bleue qui le confirme et qui indique son rendement énergétique. Voici une méthode empirique pour vous y retrouver facilement au moment de l'achat : un réservoir de 180 litres ne devrait pas avoir une cote de perte de chaleur au repos de plus de 100 W/h, alors que la cote d'un réservoir de 270 litres ne devrait pas dépasser 115 W/h

Ceux qui sont attirés par les produits haut de gamme peuvent contacter la compagnie Rheem Canada. Ce fabricant d'Hamilton en Ontario fabrique des chauffe-eau de différentes capacités qui consomment 40 % moins d'énergie que les chauffe-eau ordinaires.

❖❖❖❖❖❖❖❖❖❖❖❖❖❖❖❖❖❖❖❖❖❖❖❖❖❖❖❖❖❖❖❖❖❖❖❖❖❖❖

DE L'ÉNERGIE
EN BOÎTE

Plusieurs sortes de piles sèches contiennent des produits dangereux tels que le mercure et le cadmium. En fait, le tiers de la consommation mondiale de cadmium sert à fabriquer des piles. L'incinération ou l'enfouissement de piles usées parmi les autres déchets contribue à la pollution de l'eau et de l'air. Dans le but de résoudre au moins partiellement ce problème, les autorités danoises ont interdit la vente de piles à l'oxyde de mercure.

On identifie habituellement le type de pile vendu sur l'emballage. Ce n'est toutefois que rarement le cas avec les piles au zinc et au carbone, lesquelles contiennent différentes concentrations de produits dangereux :

Les **piles au zinc et au carbone,** telles les produits de Classic et Super Heavy Duty d'Eveready, de même que de Super Heavy Duty de Mallory, contiennent de petites quantités de mercure sous forme de chlorure de mercure et des traces de cadmium. Elles fournissent l'énergie à différents appareils : radios, lampes de poche et phares de bicyclettes, rasoirs, réveille-matin, calculatrices de poche et télécommandes pour télévisions.

Les **piles alcalines au manganèse** fabriquées par Duracell et Eveready sont les plus répandues au Canada. Elles offrent un rendement supérieur dans la plupart des cas. Bien que leur contenu en mercure ait été réduit de 90 %, il demeure cependant plus grand que celui des piles au zinc et au carbone.

Quand les fabricants proclament que leurs piles alcalines «durent six fois plus longtemps», ils les comparent aux piles au zinc et au carbone. Pour certaines utilisations où la demande en énergie est moins grande, ces dernières ont un meilleur rendement et alors, les piles alcalines ne sont plus que trois fois plus durables. On utilise les piles alcalines principalement dans les magnétocassettes, les caméras vidéo et les flashes.

Dans les **minipiles,** à cause de leur taille réduite, il faut utiliser des substances à haute densité énergétique telles que l'oxyde de mercure et l'oxyde d'argent. Toutefois, comme l'oxyde d'argent est plus coûteux et moins durable, c'est généralement de l'oxyde de mercure que l'on trouve dans ces petites piles non recyclables (l'argent contenu dans l'oxyde d'argent d'une pile pour montre ne vaut pas plus de deux cents). Quant aux piles à l'oxyde de mercure qu'on utilise dans les audiophones et dans certaines caméras, elles ne devraient pas être jetées n'importe où.

Les **piles rechargeables au nickel et au cadmium** contiennent évidemment du cadmium, une substance très toxique. De telles piles peuvent être rechargées jusqu'à 500 fois. Plus chères à l'achat, elles peuvent représenter une économie à long terme. Toutefois, elles se déchargent si rapidement qu'il faut les recharger souvent et de plus, si on ne les utilise pas avec beaucoup de précautions, elles ne durent pas longtemps. Cela explique pourquoi elles n'ont pas gagné la faveur populaire.

Les **piles au lithium** telles que la LithEon d'Eveready et la XL de Duracell coûtent plus cher mais durent plus longtemps. Le lithium offre de plus l'avantage d'un voltage plus élevé que le mercure ou l'argent dans les petites piles.

Que faire alors? Pas facile de s'y retrouver. Ces quelques conseils vous y aideront:

● Quand c'est possible, branchez vos appareils. La fabrication d'une pile sèche consomme 50 fois plus d'énergie que celle-ci n'en produit.

● Si vous devez absolument utiliser des piles, alors optez pour des piles rechargeables, surtout si vous utilisez un appareil qui consomme beaucoup d'énergie.

● Choisissez toujours les piles qui conviennent au type d'appareil que vous voulez faire fonctionner. N'utilisez pas ensemble des piles usées et des piles neuves: les piles neuves s'épuisent alors à recharger les vieilles et leur efficacité est ainsi considérablement réduite.

Chapitre 6

LE JARDINAGE

Les jardiniers biologiques recherchent des produits et des méthodes de culture qui donnent des tomates savoureuses et des roses exquises sans porter préjudice à l'environnement ou à leur propre santé !

« *Tous les jardins recèlent des trésors de sagesse.* »

Louis Dudek

D ans ce chapitre, nous allons surtout parler de jardinage biologique. La culture hydroponique — méthode aussi valable sur le plan de l'environnement — est plus compliquée, aussi nous la laisserons aux spécialistes en la matière. Si vous habitez une région où les bons produits sont rares et chers, où il est difficile de trouver un coin de bonne terre pour les faire pousser, alors il vaudrait la peine que vous vous intéressiez à la culture hydroponique. Il existe sur le sujet une documentation abondante qui devrait vous permettre de vous en tirer honorablement.

Les mêmes principes s'appliquent, qu'il s'agisse de faire pousser une pelouse, des fleurs, des légumes ou des fruits : il faut de la bonne terre, des semences de qualité, mais surtout des soins attentifs et une bonne protection.

Les jardiniers d'aujourd'hui ont le défaut de traiter leurs jardins extérieurs de la même façon que leurs pots de fleurs dans leurs maisons : ils cherchent à obtenir des résultats rapides ou des fleurs resplendissantes par l'ajout d'engrais chimiques et ils oublient que le sol a besoin d'être nourri si l'on veut qu'il demeure fertile. Les engrais chimiques sont comme une drogue qui procure un gain à court terme, mais à long terme ils laissent le sol en piteux état. À un certain moment, le sol appauvri ne peut plus se passer de sa dose régulière de stimulant : il n'est plus assez fertile pour favoriser par lui-même la croissance des plantes et sa dégénérescence le rend vulnérable aux ravages de l'érosion et des insectes indésirables.

Heureusement, les jardiniers amateurs ont une solution de remplacement pour éviter un tel résultat : le compostage.

❖❖❖❖❖❖❖❖❖❖❖❖❖❖❖❖❖❖❖❖❖❖❖❖❖❖❖❖❖❖

LE
COMPOSTAGE

L a terre sous la pelouse, autour des fleurs ou dans le potager est un organisme vivant. Elle absorbe de la nourriture et elle produit des déchets. Le cycle de vie de la terre nous ramène au vieux principe de la vie nouvelle naissant continuellement de l'ancienne. La matière organique vieillit, meurt, se décompose et est absorbée par de nouveaux êtres vivants. Les belles feuilles rouges de l'érable qui sont tombées et sont mortes l'automne dernier se transformeront le printemps prochain en vertes pousses de fougères ou de fleurs sauvages. Les jardiniers biologiques ne font qu'accélérer ce processus par la méthode du compostage.

Le compost, comme les engrais chimiques, apporte au sol les trois principaux éléments nutritifs nécessaires à la croissance des plantes : l'azote, le potassium et le phosphore. Toutefois, ces substances ne seront absorbées que peu à peu par les plantes, tandis qu'avec les engrais chimiques, les plantes souffrent d'un apport trop important et trop rapide ; de plus, une bonne partie de ces engrais sont emportés par la pluie et vont polluer les cours d'eau et les nappes phréatiques. Pour savoir exactement quelles substances nutritives manquent à la terre de votre jardin, vous pouvez la faire analyser (voir les pages 173 et 174 pour plus de détails sur ce sujet).

Le compost : une solution nouvelle, vieille comme la terre !

L'ajout de compost dans le jardin offre aussi l'avantage que ce dernier se draine bien et respire mieux. À mesure que les années passeront, votre terre deviendra plus foncée, plus riche, plus facile à travailler et de moins en moins envahie de larves ou d'insectes nuisibles.

Ces avantages que procure le compostage sont connus depuis des siècles. En notre ère de pollution, le compost est particulièrement précieux pour le jardinage. Il protège les plantes des dangereux métaux lourds qui se trouvent dans l'air et le sol en concentrations de plus en plus grandes. Prenons l'exemple du plomb contenu dans les gaz d'échappement des automobiles passant dans le voisinage. Le bon compost agit comme un filtre naturel en retenant ce plomb de sorte qu'il n'est pas absorbé par les plantes.

Tout en retenant certains métaux comme le plomb, le compost nourrit les plantes avec des minéraux essentiels. En plus de l'azote, du phosphore et du potassium, il libère de petites quantités de certains éléments nécessaires, éléments qu'on ne trouve pas dans les engrais chimiques : calcium, magnésium, soufre, fer, manganèse, zinc, cuivre, bore, molybdène et vanadium.

Les boîtes à compostage

Vous pouvez fabriquer vous-même votre boîte à compostage ou vous en procurer une toute faite.

Votre boîte devrait avoir au minimum 1 m sur 1 m et une hauteur de 1,5 m. Plus petite, elle risque de ne pas dégager suffisamment de chaleur pour permettre une bonne décomposition. Trop haute, elle causera un compactage des matières du dessous, ce qui entraînera une mauvaise oxygénation et une moins bonne décomposition.

Les côtés de la boîte peuvent être en bois, en lattes de clôture à neige disposées en cercle ou encore en clôture de broche doublée de carton pour retenir la chaleur et l'humidité. Si vous employez du bois ou des blocs de béton, assurez-vous de laisser des espaces pour que l'air circule. Placez quelques briques, pierres ou pièces de bois dans le fond pour permettre à l'air de circuler sous le tas de compost. Laissez une ouverture sur le devant pour retourner le compost et pour le retirer quand il est prêt. Placez sur le dessus de la boîte un couvercle de bois ou de fibre de verre pour protéger le compost des pluies abondantes. Vous pouvez vous contenter de couvrir le compost avec une pellicule de plastique. Si c'est possible, divisez votre boîte en deux compartiments : vous pourrez continuer d'ajouter des déchets dans l'un pendant que le compost achèvera de se décomposer dans l'autre.

Les boîtes à compostage toutes faites sont généralement en plastique, avec un couvercle sur le dessus et une ouverture à la base pour retirer le compost quand il est prêt. Elles couvrent généralement une surface de 60 cm² et ont une hauteur de 75 cm. Le modèle le plus vendu au Canada s'appelle Soil Saver et on le trouve dans les jardineries, partout au pays. Fabriqué par Barclay Horticultural Manufacturers, il se vend 129,95 $. Dans le numéro d'avril 1988 de la revue *Organic Gardening*, publiée par Rodale Press, on accorde le premier rang au Soil Saver parmi les différents modèles de boîtes à compostage.

Les trous à compostage

On peut très bien se contenter d'un trou à compostage, surtout si l'on n'aime pas les travaux de menuiserie et que l'on n'est pas maniaque de perfection géométrique dans le jardin. Voici ce qu'en dit Mme Mary Perlmutter de l'association Canadian Organic Growers :

«Creusez un trou et jetez-y vos déchets de table. Recouvrez-les de feuilles mortes ou de gazon et d'un peu de la terre obtenue en creusant le trou. Quand vous avez besoin de compost, fouillez à la base du tas.»

Le trou à compostage doit être bien arrosé. Le compost est mûr quand vous pouvez le pétrir en petites boules dans vos mains (comme vous le faites avec des boulettes de riz cuit). Si, à la suite de fortes pluies, il devient détrempé, couvrez-le pendant quelque temps pour lui permettre de s'assécher un peu.

◆◆◆◆◆◆◆◆◆◆◆◆◆◆◆

La méthode de compostage

Commencez par déposer au fond, sur les briques, les pierres ou les morceaux de bois que vous y avez placés, des matériaux grossiers tels que petites branches, paille ou herbe. Couvrez-les, pour bien amorcer la décomposition, de vieux compost, de terre, de fumier ou d'algues (les algues constituent l'une des meilleures sources de substances nutritives pour le sol).

Ensuite viennent les déchets de table, les meilleurs étant les restes de légumes verts en feuilles. Vous pouvez y ajouter la mouture de café, les feuilles de thé, les coquilles d'oeufs, la pelure des fruits et même des retailles de papier si elles ne sont pas trop grosses. Même les restes de fruits de mer feront l'affaire à condition que vous écrasiez d'abord les coquilles et les carapaces de homard avec un marteau, après les avoir enveloppées dans du papier.

Voici une RECETTE DE COMPOST INSTANTANÉ ou de nourriture instantanée pour les plantes. Cette recette nous est donnée par Mary Perlmutter de l'association Canadian Organic Growers : «Je n'ai pas de grandes quantités de restes de table. Alors je les passe tout simplement au mélangeur avec une tasse d'eau pendant que je nettoie la cuisine. Il suffit de quelques secondes pour obtenir un liquide homogène que je m'empresse alors de répandre dans le jardin ou sur les plantes d'intérieur. Ainsi je nourris le sol et je ne suis pas embarrassée pas les déchets ou leurs odeurs.»

Ne mettez pas de plastique, de verre, de papier d'aluminium ou de métal dans votre compost. Pour éviter les visites d'animaux indésirables, n'y mettez pas non plus de déchets de poisson ou de viande, de graisse ou d'huile, d'os ou de produits laitiers.

En jetant vos déchets de table sur votre tas de compost, vous vous trouvez à récupérer des éléments nutritifs qui sinon sont gaspillés. Par exemple, une famille canadienne jette en moyenne chaque année l'équivalent du fer contenu dans 500 oeufs, des protéines que procurent 60 steaks et une quantité de vitamines correspondant à 95 verres de jus d'orange, seulement dans ses pelures de pommes de terre! Grâce au compostage, vous recyclez ces matières nutritives et vous les consommerez avec la récolte de la prochaine année.

Continuez d'ajouter des déchets de table, entrecoupés de terre, de feuilles ou d'herbe. Cependant, si vous désirez manger dès l'année suivante des aliments produits à l'aide de ce compost, n'y jetez pas de feuilles ou d'herbe qui auraient été arrosées avec des herbicides ou des pesticides. Si vous manquez de matière première, allez récupérer les cheveux coupés par le coiffeur du coin : ils sont riches en azote. Cependant, évitez autant que possible d'utiliser des retailles de cheveux teints ou décolorés.

Si vous êtes pressé et qu'il fait chaud, vous pouvez composter vos déchets en deux semaines, à la condition de retourner le tas de compost avec une fourche tous les deux ou trois jours, pour qu'il soit bien aéré et qu'il chauffe également. Si vous ne retournez pas votre tas, vous obtiendrez un bon humus bien décomposé, sec et friable, seulement au bout de deux à six mois. Piquez-le ou retournez-le de temps à autre, quand vous y ajoutez de nouvelles couches.

La vitesse de décomposition dépend de l'humidité et de l'aération du tas de compost. Mélanger des matériaux plus fins à des matériaux grossiers aide à lui donner une bonne texture. Les feuilles mortes peuvent, par exemple, s'agglutiner pour former une croûte semblable à du carton qui ralentira le processus de décomposition. Pour éviter cela, percez des trous dans le tas de compost à l'aide d'un manche à balai dont vous aurez aiguisé l'un des bouts ou, mieux encore, passez les feuilles mortes à la déchiqueteuse en automne au moment de commencer votre compost. Si l'herbe et les feuilles ont été placées dans des sacs de papier, jetez ceux-ci également : ils sont biodégradables et se mêleront au compost en formation.

La température à l'intérieur du tas de compost vous permet de savoir comment vont les choses. À environ 25 cm de profondeur, une fois que le tas est formé, la température devrait se situer entre 60 °C et 70 °C. Quand la décomposition est achevée, la température descend aux alentours de 40 °C. De la vapeur s'échappe du tas de compost au cours du processus, car il dégage de l'humidité et de la chaleur. Au toucher, il sera chaud pendant la décomposition et tiède une fois que celle-ci sera terminée. Si vous voulez mesurer la température avec plus de précision, vous pouvez vous procurer un thermomètre à sol dans une jardinerie.

Une fois le compost à point, épandez-le sur vos plantes d'intérieur, dans votre potager ou encore sur votre pelouse, après l'avoir tamisé à l'aide d'un grillage dont les mailles sont espacées de 0,5 cm. Il n'y a pas de meilleur engrais ou revitalisant pour le sol.

Compostage sur mesure

De la même façon que les engrais chimiques offrent diverses concentrations d'azote, de phosphore et de potassium, vous pouvez fabriquer un compost qui contiendra ces trois éléments en différentes proportions pour compenser les manques de votre sol. Pour connaître la composition de votre sol et savoir de quoi il a le plus besoin, vous pouvez le faire analyser : au Québec, dans la plupart des jardineries, on offre le service d'analyse des sols, sinon, on vous donne l'information requise. Vous pouvez aussi vous adresser au laboratoire indiqué à la page suivante.

Taux de présence des principaux éléments dans différents déchets

	Azote	Phosphore	Potassium
Racines de betteraves	faible	faible	élevé
Poudre d'os	élevé	élevé	faible
Mouture de café	élevé	faible	moyen
Épis de maïs moulus	-	-	très élevé
Coquilles d'oeufs	élevé	moyen	faible
Plumes	très élevé	-	-
Cheveux	très élevé	-	-
Carapaces de homards	très élevé	élevé	-
Feuilles de chêne	moyen	moyen	faible
Écailles d'arachides	moyen	faible	élevé
Aiguilles de pin	faible	faible	faible
Chair de citrouille	faible	faible	faible
Tiges de rhubarbe	faible	faible	moyen
Algues	élevé	moyen	très élevé

Les trucs de compostage

● Si votre tas de compost sent mauvais, c'est qu'il est trop humide. Retournez-le et ajoutez-y des matériaux secs.

● Si la température ne monte pas, c'est que votre tas de compost n'est pas assez humide. Arrosez-le donc avec le boyau du jardin. Peut-être aussi n'a-t-il pas suffisamment d'azote pour amorcer la décomposition: alors, ajoutez-y de la poudre d'os, du sang séché, des algues, de l'herbe coupée ou du fumier.

● On peut pratiquer le compostage en toute saison. En hiver, jetez-y vos déchets de table. S'ils gèlent, cela ne pose pas de problème: ils ne se décomposeront que plus rapidement le printemps venu.

● On trouve dans le commerce des produits pour accélérer la décomposition, mais si vous suivez tous les conseils que nous vous donnons, vous ne devriez pas en avoir besoin. En dernier recours, vous pouvez ajouter à votre tas de compost une boîte ou deux de vers de terre.

Services d'analyse des sols

Pour améliorer la qualité de votre sol, vous avez besoin de connaître sa composition. Les services d'analyse des sols vous diront si votre sol manque d'azote, de phosphore ou de potassium, s'il est acide ou alcalin, si sa salinité est trop élevée. De plus, certains services peuvent déterminer si votre sol contient des toxines et des contaminants, notamment du plomb.

Vous pouvez donc écrire à l'adresse ci-dessous et préciser ce que vous voulez savoir. Les coûts d'une analyse varient d'un service à l'autre.

Laboratoire d'analyse des sols
Édifice Macdonald Stewart, bureau 2-099
Collège Macdonald
Sainte-Anne-de-Bellevue
(Québec) H9X 1C0

Même si vous utilisez du compost, vous devrez prendre certaines précautions contre les dépôts, sur vos fruits et vos légumes, du plomb contenu dans l'air. Heureusement, le plomb n'est pas absorbé et demeure à la surface. Donc, si votre potager se trouve à moins de 100 m d'une voie de circulation passante, vous devriez bien laver vos fruits et vos légumes avant de les manger. Pour enlever complètement le dépôt de plomb, ajoutez un peu de vinaigre ou de savon à vaisselle à l'eau de lavage. Frottez bien, puis rincez.

Une haie ou une clôture, agissant comme brise-vent, peuvent réduire grandement le dépôt de plomb en provenance des véhicules circulant à proximité. Toutefois, ne mettez pas les feuilles (ou les rameaux quand vous la taillez) de la haie ainsi placée dans le compost. Jetez-les tout simplement.

❖❖❖❖❖❖❖❖❖❖❖❖❖❖❖❖❖❖❖❖❖❖❖❖❖❖❖❖❖❖❖

LE PAILLIS

L e paillis est le moyen utilisé par la nature pour produire du compost. Promenez-vous à l'automne et vous constaterez qu'on ne voit presque jamais de sol nu dans les buissons et les forêts au Québec. Un tapis de feuilles mortes et d'aiguilles de pin le recouvre, le protégeant de l'érosion due au vent et à l'eau, et lui assurant une bonne provision d'éléments nutritifs pour le printemps suivant. Les vers de terre et les insectes fouisseurs y creusent des galeries près de la surface, ce qui assure une bonne aération en même temps qu'un bon drainage du sol. De plus, leur activité empêche les racines des arbres de pourrir ou d'être exposées en surface. À mesure que les oiseaux et les petits animaux grugent le paillis à la recherche d'insectes et de graines, les feuilles sont déchiquetées et petit à petit elles se mélangent au sol des sous-bois.

Le paillis est aussi précieux pour votre pelouse et votre potager que pour la forêt. Les avantages du paillis ou de la couverture végétale sont nombreux :

◆ Le paillis aide à contrôler les mauvaises herbes. Toutefois, celles qui ont plus d'une dizaine de centimètres de hauteur doivent être arrachées à la main avant d'épandre le paillis.

◆ Le paillis retient l'eau et les éléments nutritifs dans le sol, réduisant les pertes par évaporation ou par érosion. À mesure qu'il se décompose, il ajoute des éléments nutritifs au sol.

◆ En formant une couche isolante, le paillis atténue les variations de température. Le sol reste plus frais l'été et il refroidit moins la nuit ou l'automne. En hiver, le paillis prévient les brûlures par le froid et le crevassement du sol.

◆ Le paillis attire les vers de terre, lesquels contribuent à assurer une bonne aération et un bon drainage du sol. De plus, ils fournissent avec leurs excréments le meilleur des engrais. On y trouve aussi des bactéries et des champignons qui nourrissent les plantes, favorisent la décomposition de la matière végétale et aident à repousser les insectes nuisibles et les maladies.

◆ Le paillis protège les racines fragiles qui poussent près de la surface. Il empêche les fruits et les légumes des plantes rampantes comme le concombre et le melon de pourrir sur un sol mouillé et il les garde propres. En fait, tous les fruits et les légumes seront plus propres, car le paillis empêche les éclaboussures dues à l'impact des gouttes de pluie sur le sol.

◆ Le paillis attire les oiseaux qui viennent picorer à la recherche de vers de terre, d'insectes ou de graines.

Le seul désavantage du paillis est qu'il attire les limaces et les souris. Pour se débarrasser des limaces, il suffit de retirer le paillis et de les cueillir à la main pour ensuite les jeter dans un seau d'eau bouillante. (Pour d'autres renseignements sur la lutte aux indésirables, voir page 182.) Quant aux souris, elles fuiront si vous enlevez le paillis et que vous faites du bruit.

Si vous vous apercevez qu'à cause de votre paillis vos plantes vivaces pourrissent à la base, faites en sorte de laisser un espace libre tout autour, surtout dans les périodes où il pleut beaucoup.

❖❖❖❖❖❖❖❖❖❖❖❖❖❖❖❖❖❖❖❖❖❖❖❖❖❖❖❖❖❖

Les sortes de paillis

Il faut tenir compte de ce dont on dispose, du coût et de l'apparence du paillis quand on veut choisir une couverture pour le sol :

● **L'herbe et les feuilles.** Les feuilles devraient être déchiquetées. Cela peut se faire avec la tondeuse à gazon. Épandez une couche de 5 cm à 8 cm d'épaisseur.

● **Les algues.** Elles sont extraordinaires comme paillis. Si vous pouvez vous en procurer, elles contiennent beaucoup de minéraux précieux. Mettez une épaisseur de 5 cm à 8 cm, après une bonne pluie de préférence, pour éviter de trop augmenter la salinité du sol.

● **Le bran de scie ou les copeaux de bois.** Les deux tirent de l'azote du sol, aussi vaut-il mieux les épandre par-dessus une couche de matière riche en azote. Les deux sont riches en carbone. Le bran de scie, en se décomposant, améliore la texture du sol. Assurez-vous toutefois qu'il ne provient pas de bois traité. Les copeaux de bois sont esthétiques. Laissez-les exposés un an aux intempéries avant de les utiliser. Épandez une couche de 2 cm à 5 cm d'épaisseur.

● **Les épis de maïs.** Les meuneries vous les fourniront gratuitement ; certaines les broieront même pour vous, ce qui accélérera leur décomposition. Eux aussi tirent de l'azote du sol. Mettez une couche de 10 cm d'épaisseur.

● **La paille et le foin.** Ce sont les matériaux les plus courants. La paille enlève de l'azote au sol. Si vous employez du foin, choisissez plutôt du vieux foin de l'an dernier pour éviter d'ensemencer votre potager de graines indésirables. Il faut en épandre une épaisse couche de 10 cm à 15 cm.

● **La mousse de tourbe.** Elle est propre, convenable et de belle apparence. De plus, elle aide le sol à retenir l'humidité. Toutefois, elle coûte cher et elle est très acide. Pour éviter que le vent ne l'emporte, mouillez la tourbe au moment de l'épandre. Une épaisseur de 2 cm à 5 cm suffira.

● **Le papier et le carton.** Le carton est pratique et biodégradable, mais évitez d'employer des cartons couverts de couleurs brillantes. Quant aux journaux, ce n'est pas une bonne idée de les utiliser comme couvre-sol: les encres contiennent des métaux et des produits chimiques que vous n'aimeriez pas retrouver dans vos aliments.

● **Une pellicule de plastique noir.** Le plastique ne coûte pas cher, retient bien l'humidité et la chaleur, et dure longtemps. Il n'est pas très esthétique cependant. Quand vous l'installez, percez des trous afin de permettre au sol de respirer.

● **Les panneaux, les pierres et les vieux tapis.** Ils constituent de bons couvre-sol. Évitez cependant d'employer des tapis traités avec des produits chimiques, c'est-à-dire tous ceux qui ne sont pas faits exclusivement de coton, de laine ou de soie. Enlevez ces couvre-sol à l'automne pour pouvoir travailler la terre.

Les feux à ciel ouvert sont interdits dans la plupart des municipalités. Dans certaines, on les tolère, mais de toute façon, cette pratique est nuisible sur le plan de l'environnement. D'abord, cela constitue un gaspillage de matières premières pour le compostage ou le paillage, ce qui prive votre potager d'un humus précieux. Ensuite, cette pratique est dangereuse, car la fumée qui s'en dégage contient 350 fois plus de benzopyrènes que la fumée des cigarettes. Or, les benzopyrènes sont des cancérigènes reconnus.

◆◆◆◆◆◆◆◆◆◆◆◆◆◆◆◆◆◆◆◆◆◆◆◆◆◆◆◆◆◆◆◆

LES ENGRAIS VENDUS DANS LE COMMERCE

Nous vous recommandons d'acheter des produits qui nourriront votre sol sans porter atteinte à l'environnement. La plupart des jardineries vendent maintenant du fumier composté, du sang séché, de la poudre d'os, de la farine de poisson et des algues. Ce sont là de bons produits de remplacement si vous ne faites pas vous-même votre compost. Les entreprises suivantes fabriquent des produits pour le potager qui ne sont pas dommageables pour l'environnement :

◆ Compost Québec fabrique un compost qu'elle distribue à travers tout le Québec et ses produits sont en vente dans la plupart des jardineries. Il est possible d'obtenir de l'information au sujet de ces produits en s'adressant au 415, chemin Plaisance, C.P. 448, Saint-Henri-de-Lévis, G0R 3E0.

◆ C. I. L., comme plusieurs autres fournisseurs, offre de la poudre d'os apparemment exempte de produits chimiques. Elle fabrique aussi un engrais biologique appelé Fortified Organic.

◆ Safer Ltd, une compagnie canadienne, fabrique divers

produits qu'elle dit «naturels» pour le soin des plantes, y compris plusieurs suppléments alimentaires pour les plantes d'intérieur notamment. Ses herbicides, pesticides et engrais sont vendus dans les magasins d'aliments naturels aussi bien que dans certains grands magasins.

◆ Vigoro, des produits Ontario Industries de Toronto, sans doute l'une des marques de commerce les plus connues au Québec, vient de mettre sur le marché une gamme de produits naturels et biologiques.

◆ La compagnie Wen-Hal offre une grande variété de produits, du fumier de mouton composté (parfait pour les fraisiers) à la terre noire et à la terre pour empotage, sous l'étiquette Organix.

◆ Le fabricant So-Green, qui utilise également les marques de commerce Lawn Pro et Nature's Garden, se spécialise dans la production d'engrais qu'il qualifie de «naturels et biologiques». C'est le cas de leur chaux, leur sang séché, leur poudre d'os et leur engrais High Organic Lawn Pro.

On trouve facilement la plupart de ces produits dans les jardineries, les supermarchés, les quincailleries et autres grandes chaînes de magasins. N'oubliez jamais de lire les étiquettes attentivement : l'ingrédient le plus abondant apparaît toujours en tête de liste. Si vous avez des doutes quant à la composition d'un produit, informez-vous auprès du marchand ou encore écrivez à l'association Canadian Organic Growers (voir page 188) pour obtenir leur liste d'engrais biologiques.

❖❖❖❖❖❖❖❖❖❖❖❖❖❖❖❖❖❖❖❖❖❖❖❖❖❖❖❖❖❖❖

LES SEMENCES

«Dans la nature, la diversité est la clé de la survie.»
David Suzuki

La plupart des semences vendues dans les jardineries ou par catalogue sont des hybrides, produits artificiellement par des laboratoires spécialisés. Les variétés ainsi produites résistent mal aux insectes et aux maladies, de sorte qu'il faut utiliser pour leur croissance des engrais chimiques, des herbicides et des pesticides. La plupart ne se reproduisent pas bien, ce qui fait qu'il est nécessaire d'en acheter de nouvelles année après année.

Ce n'est donc pas un hasard si les plus grands producteurs de pesticides et d'herbicides sont aussi les propriétaires des plus grosses maisons de production de semences au monde, lesquelles fournissent aussi bien les fermiers que les amateurs de jardinage. Au lieu de travailler à développer des variétés de semences résistantes, on y produit des semences fragiles qui ne peuvent bien pousser qu'avec l'aide de leurs produits chimiques. L'usage très répandu des semences hybrides fait que des tonnes de produits chimiques se retrouvent dans la chaîne alimentaire et vont polluer les sources d'eau potable. En même temps, cela entraîne la disparition des variétés naturelles et, avec elles, leur capacité naturelle de résistance inscrite dans leur code génétique depuis des milliers d'années. D'ailleurs, certains scientifiques n'hésitent pas à affirmer que cette perte

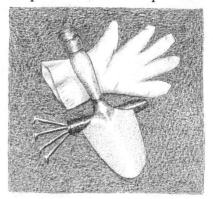

de la diversité génétique est plus grave, sur le plan écologique, que la disparition accélérée des forêts tropicales. Un exemple parmi bien d'autres : au début du XXe siècle, on a répertorié 8 000 variétés différentes de pommes en Amérique du Nord seulement. Aujourd'hui, il n'en reste plus que 1 000.

> Les riches manoirs anglais d'autrefois et les jardins de Versailles avaient des pelouses magnifiques.
> Pourtant ni les uns ni les autres n'utilisaient d'herbicides ou de pesticides.

Les jardiniers biologiques doivent donc rechercher de préférence des semences qui n'ont pas été traitées, qui sont ouvertes à la pollinisation et qui sont de vieille souche. Les semences non traitées sont simplement celles qui n'ont pas été enrobées de produits chimiques servant à les préserver ou à agir comme pesticides. Les semences ouvertes à la pollinisation peuvent se reproduire elles-mêmes, donc vous pouvez utiliser les graines produites pendant l'année pour ensemencer l'année suivante. Les semences de vieille souche sont celles qui ont évolué naturellement depuis longtemps, de génération en génération. Plusieurs maraîchers ont joint les rangs de groupes qui se sont donné pour but de favoriser la préservation des variétés de semences et dont les membres s'échangent des graines, afin que la diversité des stocks naturels soit maintenue.

Ce que le jardinier amateur recherche avant tout, c'est une semence d'une bonne rusticité (bien adaptée au climat de sa région) et résistante aux maladies et aux insectes nuisibles. Les semences au Canada sont importées de grandes compagnies multinationales la plupart du temps, mais certaines compagnies canadiennes produisent leurs propres semences et tiennent compte de la rusticité des diverses régions du pays.

Au Québec, W. H. Perron (C.P. 408, succ. Saint-Martin, Ville de Laval, H7S 2A6) offre maintenant des semences non traitées pour certaines variétés de fruits et légumes.

Où trouver des semences non traitées?

On peut aussi trouver dans certains magasins d'aliments naturels des semences non hybrides et non traitées, aussi bien que des engrais naturels et des pesticides biologiques.

Dans le répertoire *Garden Seed Inventory*, on donne la liste de tous les catalogues canadiens et américains qui offrent des semences de légumes non hybrides. On peut se le procurer, au coût de 17,50 $, chez Seed Savers Exchange (voir page 189). Le numéro de janvier de la revue *Harrowsmith* est également un outil de référence pratique. Chaque année on y trouve un bon survol de l'industrie des semences au Canada et des renseignements utiles sur les variétés les mieux adaptées à sa région, partout au pays.

Vous pouvez vous-même vous engager dans la production de semences. Lorsque vous, ou votre voisin, obtenez une bonne récolte d'un légume en particulier, vous conservez quelques graines pour l'année suivante. Peut-être avez-vous découvert la variété qui convient le mieux à votre sol, votre climat et l'ensoleillement de votre potager. Après avoir récolté les graines, faites-les sécher dans un endroit sec et chaud, mais jamais au-dessus de 35 °C, sinon elles cuiraient et mourraient. Enfermez-les ensuite dans des contenants fermés hermétiquement que vous rangerez dans un endroit aussi obscur et froid que possible. Vous pouvez même les congeler : plus vous les entreposerez dans un endroit froid et sombre, mieux ce sera. Pour plus de renseignements sur ce sujet, adressez-vous à l'organisme Heritage Seed Program (voir page 189).

Laissez aussi des graines sur pied pour les oiseaux. Les graines de tournesol, entre autres, attireront les geais bleus et les mésanges. Au début de l'hiver, ces rations d'urgence seront grandement appréciées.

Les arbres sont bien plus que des éléments décoratifs. Comme producteurs d'oxygène, ils sont très précieux pour la planète et pour la vie sur Terre. Plus il en pousse, plus la santé des écosystèmes sera maintenue.

Les arbres offrent également leur ombre bienfaisante pendant les chaudes journées d'été. De plus, ils abritent les oiseaux qui sont de précieux alliés dans la lutte contre les insectes nuisibles.

L'ENTRETIEN
ET LA PROTECTION

Pour le jardinier traditionnel, entretien et protection riment avec pesticides, herbicides et engrais chimiques. De son côté, l'adepte de la culture biologique sait qu'il peut remplacer ces produits par le compostage, le paillage, l'enlèvement des mauvaises herbes à la main et par le labourage.

Prendre soin de son jardin veut dire aussi prendre le temps de l'observer. Faites-en le tour tous les soirs. Observez bien s'il s'y trouve des insectes nuisibles ou autres bestioles, si la terre est trop sèche ou trop mouillée. Arrachez les mauvaises herbes au passage.

L'entretien de la pelouse se fait plus facilement quand celle-ci est bien aérée, bien arrosée et bien alimentée en matière organique. À l'achat, choisissez les meilleures semences en fonction de l'ensoleillement, et quand vous la tondez, ne coupez pas trop court. Un gazon d'une bonne épaisseur (de 5 cm à 8 cm) étouffera la plupart des mauvaises herbes.

Si vous désirez enlever certaines mauvaises herbes, l'arrosage avec un herbicide n'est pas une bonne solution : arrachez-les plutôt. Ne soyez pas maniaque cependant, laissez-en quelques-unes. Pourquoi s'acharner par exemple sur le trèfle ? Ne trouvez-vous pas qu'il est joli et décore bien la pelouse ? Du reste, le sol a besoin de cette diversité de plantes ; cela le rend plus fertile et assure son équilibre écologique. Les haies, les marais et les fossés contribuent à la fertilité des champs aussi bien dans la Normandie française que dans le Kent anglais en favorisant la diversité des plantes et des animaux sauvages, et en prévenant l'érosion.

> Si vous voulez un jardin superbe, parfait, une petite écosphère privée en somme, prévoyez un coin de plantes vivaces pour attirer les oiseaux et les insectes bénéfiques, pour offrir à ces petites créatures l'abri dont elles ont besoin et pour ajouter de la variété et de la couleur à votre jardin. Dans une partie de votre terrain (la plus grande possible) pour laquelle vous ne prévoyez aucun usage précis, semez des vivaces : marguerites, boutons d'or, myosotis, coquelicots, camomille, ancolies et asters. Une fois bien partie, cette prairie se ressèmera toute seule. Vous n'avez pas besoin de la faucher et elle ne demandera qu'un minimum de soins. Laissez-la à son état naturel, c'est tout ce que vous avez à faire !

L'arrosage des plantes et de la pelouse

Si l'eau est abondante dans votre région, imbibez bien votre pelouse d'eau tous les 7 à 10 jours. Cela signifie que chaque partie devra être abondamment arrosée pendant deux à quatre heures. Vous vous rendrez compte que votre arrosage est suffisant quand la pelouse fera un bruit d'eau sous vos pas.

Si vous n'avez pas de grandes quantités d'eau à votre disposition, informez-vous au sujet d'un système d'irrigation par capillarité auprès de votre jardinerie. Un tel système coûte cher et il faut en faire l'entretien annuellement, mais il vous fera épargner du temps et de l'eau.

Il est nécessaire d'arroser le feuillage des plantes plusieurs fois durant l'été, car des résidus de smog et de gaz d'échappement s'y accumulent. La poussière et la suie forment une pellicule sur les feuilles et nuisent au processus de photosynthèse, ce qui réduit la croissance des plantes et rend votre potager moins productif.

Si vous vivez dans un endroit particulièrement sec, vous pouvez essayer la technique du pot de terre cuite pour les plantes, les arbres et les buissons. Les Chinois utilisent cette méthode depuis deux mille ans et les habitants de plusieurs autres régions sèches sur le globe font de même.

Voici comment procéder. Creusez un trou à côté de chaque arbre fruitier ou chaque buisson que vous voulez irriguer, ou tous les deux ou trois mètres le long d'une rangée de plantes. Dans chacun des trous, placez un pot de terre cuite sans glaçure. Vous pouvez utiliser pour ce faire de vieux pots à fleurs à condition qu'ils soient poreux. Pour le vérifier, placez-les dans l'eau et si la paroi intérieure devient humide, c'est qu'ils le sont. S'il y a un trou dans le fond du pot, bouchez-le. Remplissez les pots d'eau et couvrez-les pour prévenir l'évaporation. Vous constaterez que vous n'avez à les remplir que tous les quatre à huit jours.

Le contrôle des insectes et des animaux nuisibles

Les jardiniers ne devraient pas non plus avoir recours aux produits chimiques pour contrôler les insectes et les animaux nuisibles. Il existe plusieurs moyens biologiques de combattre ou de prévenir les attaques de ces indésirables. Par ailleurs, les dangers pour la santé reliés à l'usage des herbicides et des pesticides sont souvent mal connus. C'est l'une des raisons pour lesquelles, à la ville de Québec, on n'utilise aucun pesticide sauf en cas de force majeure. On se tourne de plus en plus vers les produits biologiques, à moins que la technologie ne puisse répondre adéquatement aux besoins, ce qui est devenu très rare aujourd'hui, étant donné l'ensemble des recherches qui sont effectuées dans le monde et qui nous permettent d'obtenir des produits de plus en plus performants, tout en étant biologiquement sains.

Plusieurs produits chimiques utilisés dans les jardins contiennent des organophosphates et des carbamates, deux substances possiblement cancérigènes. On utilise depuis des décennies un produit pour tuer les mauvaises herbes, le 2,4-D. Or, on a découvert récemment qu'il est une cause probable d'une forme de cancer, le lymphome non hodgkinien, qui a doublé au Canada depuis 1950. Ce type de cancer s'attaque aux glandes lymphatiques. De la moitié aux deux tiers de ceux qui en sont atteints en meurent. On emploie le 2,4-D pour tuer différentes plantes, comme le trèfle et le pissenlit. C'est le produit le plus fréquemment répandu dans les parcs, sur les terrains de golf et les pelouses de nos maisons de banlieue.

Au Service d'entretien des parcs de la ville de Québec, on n'utilise pas de 2,4-D depuis fort longtemps. Dans la région de Montréal, on agit de même dans plusieurs municipalités. Dans l'une d'entre elles, on a même adopté un règlement selon lequel l'utilisation de pesticides chimiques sur l'ensemble du territoire est interdite.

Quand des pesticides sont répandus, de 60 % à 90 % le sont en pure perte et n'atteignent pas leur cible. Une grande partie est emportée par le vent ou par l'eau. Les nappes d'eau sont alors polluées, ce qui se répercute sur la qualité de l'eau que nous buvons. Nous ignorons à peu près tout de ce qui se produit quand plusieurs herbicides et pesticides sont utilisés concurremment dans un même environnement: il est possible qu'ils détruisent des plantes, des animaux et des insectes qui sont bénéfiques.

En fait, seulement 0,1 % des insectes sont réellement nuisibles. Les autres sont soit bénéfiques, soit totalement indifférents à nos efforts et à nos ambitions de cultiver un potager productif. Quand les pesticides tuent les «bons» insectes en même temps que les «mauvais», il nous faut trouver un autre moyen de nous débarrasser des petites bêtes nuisibles telles que les acariens et les pucerons.

Les oiseaux

Voici ce que dit Mary Perlmutter, de l'association Canadian Organic Growers, à propos des oiseaux : «Les oiseaux sont une composante merveilleuse et si bénéfique de notre écosystème. Chaque jour ils mangent leur équivalent en poids d'insectes.» Attirez les oiseaux dans votre jardin, et vous disposerez d'un excellent moyen de contrôle naturel des insectes.

Évidemment, certains oiseaux ont la fâcheuse habitude d'envahir en bande les jardins et les vergers pour les dépouiller de leurs baies et de leurs fruits. Pour y remédier, vous pouvez recourir aux épouvantails, aux assiettes en aluminium, aux banderoles et aux clochettes. Si tous ces moyens ne viennent pas à bout de ces envahisseurs, alors :

● Procurez-vous, dans une jardinerie ou ailleurs des filets dont les mailles sont espacées de 1 cm . Couvrez-en vos plants de petits fruits et vos arbres fruitiers. Les oiseaux ne s'approcheront pas, car ils craindront d'y rester pris.

● Achetez-vous une effigie de hibou et placez-la bien en vue sur une branche. Déplacez-la de temps à autre, sinon bientôt les oiseaux s'y habitueront et n'en auront plus peur.

Les insectes prédateurs

De nombreux insectes mangent d'autres insectes. La mante religieuse, par exemple, adore les moustiques et elle en consomme de grandes quantités. Vous pouvez commander par la poste des mantes religieuses et d'autres précieux insectes collaborateurs. Écrivez à Pat Coristine, a/s Better Yield Insects, C. P. 3451, Tecumseh Station, Windsor (Ontario) N8N 3C4. Comme vous, les insectes prédateurs ont leur spécialité. Ils ne mangent pas n'importe quoi. Aussi vous découvrirez, en consultant ce fabricant, lequel de ces prédateurs convient pour vous débarrasser des moucherons, acariens, pucerons et autres insectes dont la présence se fait trop envahissante.

Les remèdes maison

Dans votre cuisine ou votre remise, vous trouverez des produits et des objets qui pourront vous aider dans votre lutte contre les insectes nuisibles :

◆ Les limaces aiment se rassembler sous un panneau quelconque placé à même le sol. Placez-en un ou deux dans votre potager. Chaque matin, retournez-les, ramassez les limaces et noyez-les dans de l'eau savonneuse ou de l'eau bouillante.

◆ Les escargots recherchent l'ombre. Pour les piéger, placez un pot de terre cuite à l'envers dans le jardin. Ils viendront s'y abriter et vous n'aurez plus, le soir venu, qu'à les ramasser et à les noyer.

◆ Les limaces et les escargots ne peuvent résister à une bonne lampée de bière tiède. Placez donc un bol rempli de cette enivrante boisson et voyez comme ils viendront nombreux y mourir en toute béatitude.

◆ Les insectes peuvent être enlevés des plantes par un puissant jet d'eau ou par un arrosage à l'eau savonneuse. Si vous optez pour cette deuxième solution, n'oubliez pas de rincer vos plantes avec de l'eau claire ensuite.

◆ Les fourmis interpréteront comme un signal d'entrée interdite l'épandage devant leur fourmilière de paprika, de piment rouge, de menthe poivrée ou de crème de tartre.

◆ Si vous avez l'estomac solide, faites une purée de limaces et d'insectes en les passant au mélangeur avec de l'eau. Ensuite, répandez ce mélange sur vos plantes : personne ne sait pourquoi, mais une telle «soupe» constitue le moyen le plus efficace et le plus écologique d'éloigner ces indésirables.

◆ Marmottes et lièvres resteront à l'écart de votre potager si vous y semez de la ciboulette et de l'ail.

◆ Vous pouvez fabriquer votre propre pesticide en broyant des feuilles de rhubarbe et en les faisant infuser dans de l'eau bouillante. Ces feuilles, comme celles de l'oléandre, contiennent un produit toxique, l'acide oxalique. De fait, les feuilles de rhubarbe sont un poison violent. Quand vous préparez cette mixture, assurez-vous que vous n'en laissez pas traîner autour : un enfant pourrait s'empoisonner s'il en buvait.

◆ Avec de l'ail et des échalotes, il est possible de fabriquer un autre bon pesticide naturel. Il s'agit de broyer l'ail et les échalottes au mélangeur en ajoutant de l'eau pour diluer le mélange. Mêlez ensuite à de l'eau savonneuse et épandez à l'aide d'un vaporisateur à main muni d'une pompe.

❖❖❖❖❖❖❖❖❖❖❖❖❖❖❖❖❖❖❖❖❖❖❖❖❖❖❖❖❖❖

Des pesticides sécuritaires

Si les moyens que nous venons d'indiquer ne donnent pas des résultats satisfaisants, alors vous pourrez vous tourner vers des produits vendus dans le commerce. Ceux que nous présentons ici sont les moins dangereux pour la santé ou pour l'environnement.

Le Bacillus Thuringiensis (BT)

Ce produit est efficace contre les vers à chou, les papillons de nuit et différentes sortes de chenilles. Il donne aussi de bons résultats contre les doryphores, et les larves de moustiques et de mouches noires.

Il faut épandre le BT directement sur les plants ou sur le sol et le soir puisque la lumière le détruit. Comme la pluie l'enlève, s'il pleut après que vous l'ayez épandu, il faut tout recommencer.

Le BT est vendu sous diverses marques de commerce, dont Botanix, Dipel, Thuricide et Envirobac. Plusieurs jardineries le vendent dans des boîtes sur lesquelles on indique au moyen d'étiquettes qu'il s'agit d'un produit biologique pour jardins. La compagnie C. I. L. vend le BT sous la marque Thuricide dans un contenant qui porte la mention «Insecticide liquide biologique».

La terre diatomée

La terre diatomée, en fait, n'est pas de la terre, mais plutôt de petits squelettes de plancton semblables à des coraux. Écrasés, ils se présentent sous la forme de petites échardes très pointues. Ces échardes percent l'enveloppe cireuse des insectes, de sorte qu'ils meurent de déshydratation. Toutefois, la terre diatomée tue sans discrimination tous les insectes, les bons comme les mauvais. Aussi vaut-il mieux la réserver pour l'intérieur des maisons où elle se montre efficace contre les poissons d'argent, les perce-oreilles, les blattes et les fourmis.

Ce produit est vendu au Québec sous le nom d'Insectigone (fabriqué par Chemfree Environmental Ltd.).

La poudre vendue sous le nom Roach and Crawling Insect Killer est produite par la compagnie de produits de jardinage Safer. Elle contient de la terre diatomée et du pyrèthre, un pesticide naturel dont nous parlons à la page suivante.

La roténone
et le pyrèthre

La roténone et le pyrèthre sont deux insecticides dits à large spectre parce qu'ils tuent une grande variété d'insectes. Ces extraits de plantes sont considérés comme non dangereux pour les humains et les animaux domestiques quand ils sont utilisés avec précaution. Comme l'un et l'autre tuent les animaux à sang froid, y compris les grenouilles et les poissons, il faut prendre garde de ne pas les utiliser près des cours d'eau.

On trouve la roténone sous son propre nom et sous les noms de marques Atox et Denitox (de la gamme des produits Green Cross). Les deux se vendent en liquide ou en poudre. Quant au pyrèthre, on le trouve sous les noms Schultz Instant et Wilson's Vegetable and Garden Spray. Il se vend également du pyrèthre synthétique dont les propriétés sont semblables à celles du produit naturel.

Huile de dormance

Dans les vergers commerciaux, on utilise ce produit pour étouffer les acariens, les diaspides et d'autres insectes au moment où les boutons ne sont pas encore ouverts.

Glu protectrice

Ce produit protège la base des arbres des chenilles, des fourmis, des vers rongeurs et d'autres grimpeurs. On enduit le tronc des arbres de cette substance de sorte que les insectes y restent collés quand ils cherchent à y grimper. Cependant, elle a tendance à rétrécir quand elle sèche, aussi faut-il, pour éviter qu'elle n'étrangle l'arbre, appliquer d'abord du latex blanc autour du tronc, puis ajouter une couche de glu. On trouve ce produit dans la plupart des jardineries.

Comme les autres multinationales actives dans ce domaine, la compagnie Ciba-Geigy, distributrice des produits Green Cross, se rend bien compte que la demande pour des produits sécuritaires croît rapidement. Ne vous méprenez pas cependant : la croix verte sur l'emballage des produits de cette compagnie n'est qu'un logo commercial et ne signifie pas que ces produits sont biologiques ou non toxiques. Les jardiniers biologiques ont tout avantage à bien lire les étiquettes et à s'informer auprès du gérant d'une jardinerie avant d'acheter un produit.

❖❖❖❖❖❖❖❖❖❖❖❖❖❖❖❖❖❖❖❖❖❖❖❖❖❖❖❖❖❖❖

Pour des renseignements supplémentaires

En plus des organismes dont nous dressons la liste ci-dessous, le ministère de l'Agriculture, Pêcheries et Alimentation du Québec et Agriculture Canada se feront un plaisir de vous faire parvenir de la documentation pertinente sur le compostage et sur d'autres aspects de l'agriculture biologique. Les éditions Rodale (Emmaus, Pennsylvanie 18049, USA) publient, en plus du mensuel Organic Gardening, plusieurs ouvrages fort intéressants sur le sujet. Les Éditions Broquet, en collaboration avec les Ami-e-s de la Terre de Montréal, viennent de publier *Pelouses et jardins sans produits chimiques*, de Carole Rubin.

Mouvement pour l'agriculture biologique
4545, rue Pierre-de-Coubertin
C.P. 1000, succursale M
Montréal (Québec)
H1V 3R2
Tél. : (514) 252-3039

Ce mouvement est un regroupement d'agriculteurs biologiques, de jardiniers amateurs ainsi que de sympathisants. Il a à son crédit plusieurs publications, dont *Compost : théories et pratiques*, de Jacques Petit. Il possède un bon centre de documentation.

Le coût de la cotisation annuelle est de 25 $ et donne droit à l'Info-MAB.

Regroupement pour le jardinage amateur et écologique (RJAE)
579, rue Conrad
Granby (Québec)
J2H 1X9
Tél. : (514) 372-9962

Cet organisme organise diverses activités pour ses membres (comme un groupe d'achat de semences biologiques). Il publie un bulletin et a préparé un certain nombre de brochures, dont un cours autodidacte en techniques écologiques. Le coût de la cotisation annuelle est de 10 $.

Canadian Organic Growers
C. P. 6408, succursale J
Ottawa (Ontario) K2A 3Y6

Cet organisme a un réseau de membres très étendu à travers tout le Canada. Son service de renseignements est excellent. Il publie une revue trimestrielle d'information sur le jardinage biologique appelée *COGnition*. Il en coûte 10 $ pour être membre (5 $ pour les étudiants et les personnes âgées) et ce montant inclut l'abonnement à la revue.

Équipe d'agriculture écologique
Collège Macdonald
Sainte-Anne-de-Bellevue (Québec)
H9X 1C0

La librairie Boule-de-Neige
312, rue Ontario Est
Montréal (Québec)
H2X 1H6

Cette librairie comprend une section complète sur le jardinage biologique avec à peu près tout ce qui peut se trouver en français et en anglais, et en particulier les deux livres d'Yves Gagnon, *Introduction au jardinage écologique* et *La Culture écologique*.

GROW
National Farmers Union
222, rue Somerset Ouest, 7ᵉ étage
Ottawa (Ontario) K2P 2G3

GROW est le sigle de l'association Genetic Resources for Our World. Cet organisme dirige un bureau central et fait du lobbying pour la préservation de la diversité génétique. Il combat les lois sur les brevets de manipulations génétiques des plantes. Parmi ses membres, on compte le Congrès du travail du Canada, l'Association canadienne du droit environnemental, Les Ami(e)s de la Terre, l'Église unie du Canada et Oxfam-Canada.

Heritage Seed Program
a/s Heater Apple
R. R. 3
Uxbridge (Ontario) L0C 1K0

Ce groupe s'intéresse à la préservation de semences rares, au maintien de la diversité génétique et à l'échange d'information sur ce sujet. L'organisation possède une bibliothèque très intéressante et une excellente banque de données. Il en coûte 10 $ pour devenir membre (7 $ pour les salariés).

The Seed Savers Exchange
Route 3, B. P. 239
Decorah, Iowa
52101 USA

Cet organisme regroupe tous ceux, aussi bien Canadiens qu'Américains, qui ont à coeur de préserver la diversité génétique des espèces. On y publie annuellement une liste de 4 000 espèces de semences de vieille souche menacées. Chez Seed Savers, fondé et géré par Ken Wheatly, on publie également tous les ans un inventaire des semences pour jardins, en plus de s'occuper d'un centre de documentation.

Chapitre 7

LA GESTION DES DÉCHETS

Aujourd'hui au Québec, la plupart des gens habitent en milieu urbain et ont rarement l'occasion de se rendre compte à quel point ils produisent de grandes quantités de déchets chaque année. Les éboueurs passent et la rue redevient propre et ordonnée. Ce n'est qu'à l'occasion d'une grève des éboueurs qu'on peut constater combien on produit de déchets. Pourtant, ces tas gênants ne représentent, dans le pire des cas, que quelques semaines de «production»...

> « Ce qui arrive à la Terre affecte aussi les enfants de la Terre. L'homme n'a pas tissé lui-même la toile de la vie, il n'en est qu'un des fils. Le dommage qu'il fait à la toile, c'est à lui qu'il le fait. Si vous continuez de contaminer ainsi votre lit, une nuit viendra où vous suffoquerez dans vos propres déchets. »
>
> Chef Seattle, de la tribu des Dwamish, 1851

Si, dans une vision cauchemardesque, nous voyions s'accumuler dans nos maisons les déchets de toute une année, ils occuperaient complètement le salon, la cuisine et possiblement la salle de bains. Nous y retrouverions tout ce que nous jetons au cours de notre vie : emballages, sacs, boîtes, restes de table, boîtes de conserve, bouteilles, courrier publicitaire, chaussures, produits de beauté, verre brisé, papier, appareils ménagers petits et gros, nettoyants, vaisselle, rasoirs, herbicides, carton, meubles, désinfectants, piles, feuilles mortes et gazon, revues, vêtements, jouets, décapants, médicaments, valises, agents de conservation pour le bois, outils, couches, litière pour le chat, bijoux, affiches, jeux, parapluies, et quoi encore !

Jusqu'à tout récemment, personne ne se souciait de ces montagnes d'ordures que nous produisons. Dans un pays aussi grand que le nôtre, on pensait qu'il y aurait toujours de la place pour y empiler les déchets. Le problème, c'est qu'en plus de l'impact environnemental des sites d'enfouissement, se débarrasser de nos déchets coûte cher. Pas aux gouvernements, à nous!

En fait, la crise dans la gestion des déchets n'est pas tant une crise dans la façon de nous en débarrasser qu'un problème de mauvaise utilisation des matières premières et des biens de consommation. Nous ne gérons pas bien l'usage des matériaux usés, ce qui fait que nous produisons des déchets alors que nous ne devrions pas en produire du tout, ou presque pas. Mais comme nous sommes encore loin de faire preuve d'assez d'intelligence pour cesser de produire des déchets, voyons comment nous nous en occupons présentement.

❖❖❖❖❖❖❖❖❖❖❖❖❖❖❖❖❖❖❖❖❖❖❖❖❖❖❖❖❖❖❖

L'INCINÉRATION DES DÉCHETS

Beaucoup de Québécois croient que brûler les déchets serait une solution acceptable. Certains disent même qu'en brûlant les déchets, on réglerait deux problèmes environnementaux à la fois : se débarrasser des déchets encombrants et produire de l'énergie. Ainsi nos déchets disparaîtraient et nous aurions trouvé un substitut aux centrales au charbon et aux centrales nucléaires.

Malheureusement, cette solution n'est pas la meilleure. C'est qu'il nous faut tenir compte ici de la première loi de la thermodynamique, selon laquelle « la matière n'est ni créée ni détruite». En d'autres mots, les produits chimiques et les résidus ne vont pas disparaître tout simplement dans les flammes des incinérateurs : 30 % deviendront de la cendre, mais 70 % s'envoleront par les cheminées dans l'atmosphère. Ils y resteront, s'y accumulant jour après jour jusqu'à ce qu'ils retrouvent le chemin de notre environnement plus immédiat, dans le sol, la végétation et l'eau, pour finalement remonter la chaîne alimentaire jusqu'à nous.

«Rien ne se crée, rien ne se perd.»

Les gaz et les particules émises dans l'air par les incinérateurs ne sont pas inoffensifs, quoi qu'en disent les promoteurs de cette formule. Ce qui est rejeté principalement, c'est du gaz carbonique et de l'eau. Or, si le gaz carbonique en certaines concentrations est bénéfique pour l'environnement, il devient néfaste lorsqu'il s'y trouve dans des concentrations trop élevées. Le gaz carbonique, en effet, est la cause principale de ce qu'il est maintenant convenu d'appeler l'effet de serre. Vu sous cet angle, il est tentant de conclure que l'incinérateur transforme des matériaux usagés en gaz à effet de serre.

Ce n'est pas tout. Comme nos déchets contiennent une très grande variété de produits et de matériaux, en réalité, les incinérateurs émettent un dangereux mélange de produits chimiques, dont quelques-uns sont particulièrement toxiques. On peut les regrouper en trois catégories : les composés organiques à base de carbone, les métaux lourds et les gaz acides.

Qu'est-ce que rejettent les incinérateurs ?

Parmi les composés organiques, les dioxines sont les plus toxiques. En fait, elles se classent parmi les plus dangereux poisons qui soient. Or, on sait très peu de choses à leur sujet : Comment sont-elles produites ? Quelles en sont les sources principales ? Comment se dispersent-elles et quelle est leur concentration actuelle dans l'environnement ? Quels sont leurs effets réels sur l'environnement et sur la santé des êtres humains ?

On soupçonne depuis longtemps les incinérateurs d'être une

source importante d'émission de dioxines. Dans une étude du Département de santé communautaire de Toronto, on a fait la preuve, en 1986, que les aliments produits et consommés en Ontario (fruits, légumes, fromages, lait, viande) contenaient jusqu'à 66 fois plus de dioxines que le niveau dit «acceptable» pour une dose quotidienne. Beaucoup de scientifiques craignent que ce niveau acceptable soit trop élevé et qu'il ne reflète pas la toxicité réelle des dioxines.

En plus des dioxines, les incinérateurs produisent une grande variété d'hydrocarbures dangereux pour les humains et pour leur environnement. C'est le cas des HAP (hydrocarbures aromatiques polycycliques), des chlorobenzènes et des biphényles polychlorés (BPC). Quant aux hexachlorobenzènes, ils sont moins toxiques que les dioxines, mais ils sont émis en bien plus grande quantité et l'on en sait très peu sur ces émissions.

Par ailleurs, parmi les métaux lourds rejetés dans l'atmosphère par les incinérateurs on retrouve le mercure. (En Suède, le gouvernement a calculé que 55 % du mercure rejeté dans l'atmosphère provient des incinérateurs.) Les précipitations de plus en plus acides arrachent littéralement le mercure du sol et l'entraînent dans les cours d'eau. On croit que non seulement ce phénomène cause la détérioration des forêts, mais

Qu'advient-il des matériaux lourds et des gaz acides?

que probablement il constitue aussi la source principale de contamination par le mercure des poissons partout dans le monde. De tous les métaux lourds émis pendant l'incinération des déchets, le mercure est le plus difficile à récupérer parce qu'il est émis sous une forme gazeuse alors que les autres le sont sous forme de particules de cendre.

Parmi les autres métaux lourds émis en quantités significatives, le plus toxique est le cadmium. Un chercheur de l'Université de Göttingen en Allemagne a découvert que, même en très faible quantité, le cadmium endommage les racines des épinettes. Les gouvernements fixent des normes pour protéger la santé publique, mais celles-ci ne peuvent couvrir l'ensemble des sources possibles de pollution.

Depuis peu, on s'inquiète des gaz acides émis par les cheminées des incinérateurs: anhydride sulfureux, oxydes d'azote et chlorure d'hydrogène. C'est ce dernier qui a davantage préoccupé les environnementalistes jusqu'ici, parce qu'il est émis en très grandes quantités par les incinérateurs et parce que, contrairement aux autres gaz acides, il retombe au sol assez rapidement. Par conséquent, il constitue un risque pour la santé des gens vivant dans un rayon de 50 km autour de l'incinérateur. L'anhydride sulfureux et les oxydes d'azote sont émis en moins grandes quantités, cependant ils contribuent au problème des précipitations acides.

Les métaux lourds et les composés organiques posent un problème même quand ils ne sont pas rejetés dans l'atmosphère. En effet, là où de l'équipement de contrôle de la pollution a été mis en place pour empêcher ces substances d'être relâchées dans l'environnement, elles se retrouvent en plus grandes concentrations dans les cendres résiduelles. Les gouvernements provinciaux sont donc maintenant aux prises avec le problème de disposer de ces cendres contaminées ; en général les cendres en provenance des incinérateurs sont tout simplement envoyées dans un site d'enfouissement qui n'est pas équipé pour traiter les matières dangereuses.

◆◆◆◆◆◆◆◆◆◆◆◆◆◆◆◆◆◆◆◆◆◆◆◆◆◆◆◆◆◆◆◆◆

LA PRODUCTION D'ÉNERGIE À PARTIR DES DÉCHETS ?

Dans un monde idéal, on remplacerait la production d'électricité à partir de ressources non renouvelables, comme le charbon, par une production à l'aide de déchets qui autrement seraient tout bonnement perdus. Le charbon en effet pose le problème d'une combustion qui entraîne l'émission de gaz carbonique, lequel comme on le sait contribue à l'effet de serre. Toutefois, comme nous ne vivons pas dans un monde idéal, il faut bien savoir que, justement, le gaz carbonique constitue également la principale émission des incinérateurs de déchets.

De toute manière, les incinérateurs sont un bien piètre moyen de produire de l'énergie. Étant donné que nos déchets contiennent des matières incombustibles comme le métal, une grande partie de la chaleur produite par l'incinérateur est perdue pour chauffer ce métal. Il faut aussi de l'énergie pour assécher des déchets mouillés comme la nourriture, le verre et autres matériaux semblables. Finalement, environ 40 % seulement de l'énergie produite par la combustion des déchets est récupérable pour produire de la vapeur et seulement 15 % peut servir à produire de l'électricité.

En fait, il s'agit d'une façon si peu efficace de produire de la vapeur et de l'électricité que, dans l'ensemble, nous perdons de l'énergie en brûlant les déchets. Les économies potentielles d'énergie que nous pourrions réaliser en recyclant le papier, le métal, le verre et d'autres matériaux sont beaucoup plus grandes que ce que nous obtenons en les brûlant dans les incinérateurs.

❖❖❖❖❖❖❖❖❖❖❖❖❖❖❖❖❖❖❖❖❖❖❖❖❖❖❖❖❖❖

L'ENFOUISSEMENT SANITAIRE

Si l'incinération n'est pas la bonne solution pour se débarrasser de nos déchets, alors qu'en est-il de l'enfouissement sanitaire ? Eh bien, ce n'est pas mieux ! D'abord, comme ces sites sont habituellement situés dans des zones agricoles, l'enfouissement contribue à réduire la superficie des terres cultivables au pays. En Ontario, par exemple, on a estimé que l'enfouissement des déchets fait disparaître chaque jour 0,6 ha de terre.

De plus, personne ne veut d'un tel site près de sa demeure. Il y a des fuites. Les liquides qui s'en échappent contaminent les sources d'eau potable. Il en émane des gaz toxiques. Ceux-ci sont souvent produits par des feux qui peuvent couver pendant des années, alimentés par les combustibles contenus dans les déchets et par le méthane produit au cours de la décomposition de ces mêmes déchets.

On sait très peu de choses au sujet de ces gaz, sinon qu'ils contribuent largement à l'effet de serre. Si l'on considère que ces feux ne sont pas contrôlés et que l'on ne dispose d'aucun équipement de contrôle de la pollution, il est raisonnable de penser que les gaz qui émanent des sites d'enfouissement sont au moins aussi dangereux que ceux émis par les incinérateurs. De plus, le méthane est très explosif. On a vu des cas où ce gaz s'infiltrait dans les sous-sols des maisons à partir d'anciens sites d'enfouissement. Il est même arrivé qu'une explosion se produise juste en dessous des appartements où vivaient des gens !

❖❖❖❖❖❖❖❖❖❖❖❖❖❖❖❖❖❖❖❖❖❖❖❖❖❖❖❖❖❖❖❖

COMMENT RÉSOUDRE LE PROBLÈME DES DÉCHETS ?

Il y a une solution au problème des déchets (il faudrait plutôt parler de notre mauvaise gestion des matériaux usagés) et elle est très simple : arrêtons d'en produire de nouveaux et trouvons les moyens de bien utiliser les matériaux que nous possédons déjà. En d'autres mots, cessons de gaspiller les ressources et commençons à les conserver.

Une boîte de conserve ne devient un déchet qu'au moment où vous la jetez. Auparavant, c'était un produit hautement raffiné fait d'acier et d'étain, un produit auquel était rattaché un coût environnemental (extraction minière, énergie pour la fonte et le raffinage, eau pour ces procédés de transformation, etc.). Transformer un morceau de roc métallifère en contenant que l'on jettera n'est pas seulement stupide, cela constitue également un geste dommageable pour l'environnement; un geste qu'on ne pourra répéter indéfiniment, puisque la ressource va s'épuiser tôt ou tard.

Puisqu'il y a un coût rattaché à la production d'une boîte de conserve, il faut considérer qu'elle gardera une certaine valeur, même après son utilisation. On peut fixer cette valeur au coût total des ressources, des capitaux, du travail et de la pollution engendrée par la production d'une nouvelle boîte. Il faut de deux à trois fois plus d'énergie pour produire une nouvelle boîte qu'il n'en faut pour en recycler une. Si nous envoyons cette boîte «brûler» dans un incinérateur, la transformant en cendres et en émissions gazeuses, nous dilapidons de l'énergie. De la même manière, nous pouvons réaliser des économies d'énergie parfois considérables en recyclant différents matériaux. Dans le cas des plastiques et de l'aluminium par exemple, il ne faut, pour le recyclage, que de 5 % à 10 % de l'énergie nécessaire pour produire ce même matériau une première fois.

Bien avant que les préoccupations environnementales deviennent si répandues dans la population, Buckminster Fuller a dit: «La pollution, ce n'est rien d'autre que des ressources que nous ne récoltons pas. Nous les laissons se perdre parce que nous ignorons qu'elles ont de la valeur.»

Une écomomie de recyclage versus une économie de gaspillage: qu'en penserait votre chat?

Prenons l'exemple de la nourriture pour chats afin d'illustrer la différence entre une économie de gaspillage et une économie de conservation. Supposons que votre chat pèse 5 kg et mange une boîte de nourriture pour chat chaque jour. Chaque boîte vide pèse 40 g. Dans une économie de gaspillage, vous jetteriez 5 475 boîtes sur une période de 15 ans, soit la durée moyenne de la vie d'un chat. Cela représente 219 kg d'acier, soit plus d'un cinquième de tonne et plus de 40 fois le poids de l'animal. Dans une économie de recyclage, on fabriquerait d'abord 10 boîtes, puis on les remplacerait indéfiniment avec des boîtes recyclées. Puisque près de 3 % du métal est perdu durant le processus de recyclage, il faudrait fabriquer 10 autres boîtes chaque année. Au bout de 15 ans, cela représente 150 boîtes et il nous en reste encore 10 pour un prochain chat.

Donc, au lieu d'utiliser 219 kg d'acier, nous n'en aurions employé que 6. Et puisque la production d'acier à partir de rebut pollue moins que la production d'acier nouveau, nous aurions de plus réalisé les économies suivantes :

Économies	Pourcentage (%)
d'énergie	47 à 74
de pollution de l'air	85
de pollution de l'eau	35
d'eau	40

Vous voyez combien nous contribuons à créer de la pollution inutile, à réduire nos réserves de ressources et à gaspiller de la terre pour nos dépotoirs simplement parce que nous répétons inlassablement ce choix de considérer la boîte comme un déchet et d'ignorer sa valeur comme matériau recyclable. Ce choix que nous appliquons à tout ce que nous consommons est la cause de notre production phénoménale de déchets au Canada : 10 millions de tonnes à la maison et autant au travail ! À remarquer que ne sont pas inclus dans ce calcul les déchets dangereux, les déchets liquides et les rejets à l'égout, les déchets biomédicaux et les émissions polluantes dans l'air.

10 millions de tonnes de déchets à la maison et autant au travail !

À la maison et au travail, c'est donc 20 millions de tonnes de ressources usagées que nous jetons chaque année au Canada. Cela représente presque une tonne pour chaque homme, femme ou enfant vivant dans ce pays. Si un chat utilise jusqu'à 40 fois son poids en acier en 15 ans, dans le cas des humains, durant la même période, c'est 150 fois notre poids moyen que nous transformons en déchets !

198

RÉDUISONS LA PRODUCTION DE DÉCHETS

La répartition des déchets dans un ménage moyen se fait comme suit :

Matériau	Pourcentage en poids (%)
Déchets organiques	
Pelouse et jardin	25
Déchets de table	10
Papier	
Journaux	15
Papiers divers	10
Carton	3
Papiers fins	2
Boîtes de carton compact	1
Autres	5
Verre	9
Métaux	5
Plastique	5
Matériaux composites (deux matériaux ou plus réunis comme dans les emballages pelliculés)	4
Bois	2
Couches jetables	2
Textiles (vêtements, tissus, etc.)	1
Divers (déchets domestiques dangereux, litière pour chats, porcelaine, etc.)	1

Il est surprenant de noter que le plastique ne constitue pas une plus large part de nos déchets. En effet, il ne compte que pour 5 %, alors que le papier compte pour 36 %. Quant aux déchets de table et ceux de nos cours et jardins, ils constituent plus du tiers de ce que nous jetons.

Supposons que vous parveniez à considérer ce que vous jetez comme des matériaux usagés plutôt que des déchets sans valeur. Un contenant vide, qu'il soit de métal, de verre ou de plastique, devient dans cette perspective une ressource à recycler; l'herbe, les feuilles et les parties végétales non comestibles ne sont plus des déchets dont on doit se débarrasser, mais un mélange très riche d'éléments nutritifs qui peuvent être retournés au sol au moyen du compostage. Le papier également peut être recyclé. Alors que reste-t-il réellement comme déchets ?

Du plastique	3 %
Des matériaux composés	4 %
Des couches jetables	2 %
Des fibres textiles	1 %
Des objets divers	1 %

Si, au lieu de couches jetables, vous commencez à utiliser des couches de tissu comme il est recommandé au chapitre 4, si vous évitez d'acheter des produits dont l'emballage ne peut pas être recyclé facilement, si vous jetez vos produits dangereux dans des endroits prévus à cette fin, si vous faites don de vos vieux vêtements et de vos vieux meubles à des organismes de charité, si vous louez les articles dont vous ne vous servez que rarement et si, finalement, vous réparez ceux qui peuvent l'être, alors ce que vous jetterez se réduira à presque rien : des ampoules brûlées dont le verre n'est pas recyclable, quelques restes de table non compostables, quelques morceaux de papier sali par des aliments (si vous ne les compostez pas, ce qui est toujours possible) et certains articles qui ne peuvent plus être réparés.

On a prouvé qu'il est possible de réduire la quantité de ses déchets de façon aussi radicale. À Seattle, dans l'État de Washington aux États-Unis, les gens payent en fonction de la quantité de déchets qu'ils confient au service de cueillette des ordures. Or, certains ménages n'ont rien eu à payer tout simplement parce qu'ils n'ont rien jeté du tout !

Une expérience incroyable... mais vraie !

Bien sûr, cela est impossible si dans les municipalités on n'offre pas un service de récupération des déchets, si dans les supermarchés on ne fait pas l'effort d'offrir les produits dans des emballages adéquats et si les fabricants ne fabriquent pas des produits durables. (Méfiez-vous par exemple de produits tels que caméras et rasoirs jetables, surtout ceux qui sont électriques.) Si toute cette question des déchets est nouvelle pour vous, alors vous pouvez commencer par des choses simples et faciles à faire en pratiquant le compostage (voir au chapitre 6 pour des renseignements sur ce sujet), en achetant vos boissons gazeuses dans des contenants consignés et en suivant la règle des trois R de la gestion des déchets.

LES TROIS RÈGLES D'OR
DE LA GESTION DES DÉCHETS

Chaque fois que c'est possible :
1. Réduisez les quantités.
2. Réutilisez ce que vous avez.
3. Recyclez ce qui peut l'être.

Ces trois règles forment la hiérarchie de la gestion des déchets, en ce sens que réduire est mieux que réutiliser et réutiliser est mieux que recycler.

Le compostage gagne du terrain

Dans plusieurs villes un peu partout au pays, on encourage maintenant le compostage individuel ou collectif. Dans la région de Peel, en Ontario, on a profité d'une convergence d'intérêts particulièrement heureuse. Une usine de l'endroit ne savait comment se débarrasser à coût modique de milliers de barils de métal. Alors les scouts de la section locale ont entrepris de percer des trous d'aération dans les barils, travail pour lequel on leur a remis 10 $ pour chaque baril ainsi transformé. Ces barils ont ensuite été distribués par la municipalité aux familles qui s'en servent pour composter leurs déchets de table et l'herbe coupée sur leurs pelouses.

À quoi tout cela conduit-il ? Eh bien ! l'usine s'est débarrassée de barils encombrants, les scouts ont amassé des fonds pour leurs activités, les gens s'initient au compostage et la municipalité voit la quantité de déchets à ramasser sensiblement réduite. À la ville de Montréal, on a entrepris une expérience pilote dans certains quartiers périphériques : on a distribué gratuitement à chaque maison une boîte à compostage.

Réduisez les quantités

Certaines personnes, comprenant mal cette règle, pensent que réduire signifie s'en passer complètement. Du point de vue environnementaliste, cela équivaut plutôt à éviter d'acheter des produits et des emballages qui constituent du gaspillage. En d'autres mots, cela veut dire ne pas acheter ce dont vous n'avez pas besoin. Au supermarché, par exemple, au lieu d'accorder votre préférence à un produit préemballé que vous allez ensuite transporter dans un sac de plastique, choisissez plutôt des produits en vrac que vous rapporterez chez vous dans vos propres contenants et dans votre propre sac d'épicerie réutilisable.

L'enjeu est de taille : la Fédération des municipalités canadiennes a lancé un mot d'ordre pour qu'on réduise de moitié les emballages d'ici l'an 2000. On souligne que le tiers de nos déchets est constitué d'emballages et que les consommateurs dépensent davantage pour ces mêmes emballages que ce que reçoivent les agriculteurs pour produire la nourriture.

Retour aux vieilles méthodes d'autrefois

À Vancouver, les habitants ont maintenant une occasion unique de réduire leur production de déchets. Ce n'est rien de très nouveau ni de très subtil, mais c'est quelque chose que la plupart d'entre nous avons oublié. Il s'agit du retour dans cette ville de la livraison du lait à domicile et avec elle, le retour des bouteilles de verre consignées d'autrefois. En 1988, la compagnie Avalon Dairy Ltd. a vendu 75 000 litres de lait dans ces contenants.

Il est plutôt rare de trouver une entreprise comme celle-là, néanmoins on peut se procurer facilement des cruches de lait en plastique. Ces cruches pourraient être recyclées (et même réutilisées), mais dans les faits, peu d'entre elles le sont.

La compagnie Becker's, une chaîne de petits magasins du sud de l'Ontario, vend son lait dans des cruches de plastique de 2 litres. Ces cruches sont recyclables, il suffit de les rapporter quand elles sont vides. En fait, elles sont retournées à 98 %, parce qu'elles sont consignées au moment de l'achat. Et pour encourager les clients à adopter ces cruches plutôt que les sacs de plastique, la compagnie les vend moins cher.

❖❖❖❖❖❖❖❖❖❖❖❖❖❖❖❖❖❖❖❖❖❖❖❖❖❖❖❖❖❖❖❖❖❖

Réutilisez ce que vous avez

On confond parfois réutiliser avec recycler. Ce n'est pas la même chose : c'est même mieux sur le plan environnemental. Ce que cette règle signifie, c'est tout simplement de faire un usage répété et prolongé d'un article quelconque. Cela peut paraître une évidence, pourtant nous manquons tous de bonnes occasions d'appliquer ce principe et ainsi de protéger notre environnement. Bien sûr, nous avons de bonnes intentions : nous utilisons les contenants à yogourt pour conserver de la nourriture et nous employons nos sacs de plastique pour transporter nos lunchs ou pour contenir nos déchets. Pourtant, qui peut se vanter d'avoir une étagère remplie de contenants de yogourt vides et une armoire pleine de vieux sacs de plastique ?

Nous pourrions aussi avoir plus souvent recours aux services de location et faire réparer ce qui peut l'être. Au sujet de la location de biens, vous pensez peut-être qu'elle se limite aux voitures, aux vidéos et aux équipements de bureau. Vérifiez dans les pages jaunes de l'annuaire du téléphone sous la rubrique Location. Si vous n'y trouvez pas ce que vous cherchez, alors regardez si l'index ne contient pas le nom de l'article que vous cherchez, parce qu'on peut trouver en location à peu près tout ce qui peut servir à la maison, au jardin ou à l'atelier de réparation. Qu'il s'agisse de smokings ou d'outils, la société tire davantage profit d'un objet quand celui-ci est offert en location. Un tel objet, une fois fabriqué, est porté ou utilisé par beaucoup de gens, à de nombreuses reprises, et quand on le met au rebut, il a beaucoup servi. Si vous les achetez, au contraire, smokings et outils risquent de ne servir que très peu avant que vous vous en débarrassiez.

Faire réparer un objet brisé est également une excellente façon de prolonger sa vie utile. On ne peut tout réparer, mais ça vaut le coup d'essayer. Les souliers, par exemple, peuvent être recousus ou ressemelés, ce qui prolonge leur vie. On peut aussi donner ses vieilles chaussures à l'Armée du Salut ou à des entreprises sans but lucratif ayant un tel service. Ils se chargeront eux-mêmes de les réparer avant de les revendre à bas prix ou de les donner à ceux qui en ont besoin.

On peut donner des vieux vêtements, des bicyclettes dont on ne se sert plus, des jouets, des livres, des revues, des appareils ménagers, des meubles et toutes sortes de choses à de nombreux organismes de charité. On peut aussi les vendre ou les échanger contre d'autres objets usagés. Encore une fois, regardez dans les pages jaunes : dans la plupart des villes, on trouve des libraries d'occasion qui sont très populaires et des comptoirs de vêtements où l'on vend de tout, du linge pour enfants aux vêtements de style. Si ça vous gêne d'utiliser un objet d'occasion, pensez à la popularité des marchés aux puces et des ventes-débarras (que les gens appellent souvent ventes de garage d'après le terme anglais) ; songez également qu'une antiquité est un objet que beaucoup d'autres propriétaires ont possédé avant vous !

La réutilisation s'applique aussi au domaine de l'emballage. Bien sûr, nous aurons toujours besoin de contenants : il serait absurde de verser la crème glacée ou le shampoing directement dans nos sacs d'épicerie. Mais il est tout aussi absurde de revenir à la maison avec un nouveau contenant chaque fois que nous allons acheter l'un de ces produits. N'est-il pas ridicule de dépenser autant d'argent, de ressources et d'énergie pour produire une bouteille de plastique qui pourrait être réutilisée pendant des années et que nous jetons après une seule utilisation de quelques jours ou de quelques semaines ?

On trouve maintenant dans beaucoup de magasins de la nourriture en vrac.

Pourquoi alors ne pas réutiliser vos vieux contenants ? Si vous vous êtes habitués sans difficulté à rapporter vos bouteilles vides, vous pouvez aussi bien apprendre à rapporter vos contenants. Dans certains magasins, on vend même la crème glacée au litre !

Recyclez
ce qui peut l'être

Ce qui différencie le recyclage de la réutilisation et en fait un procédé moins adéquat pour protéger l'environnement, c'est que les objets recyclés doivent subir un processus de transformation. Les vieux papiers sont transformés en pâte à partir de laquelle on fabrique un nouveau papier, ce qui entraîne inévitablement une certaine pollution. Il faut aussi considérer que cette transformation ne peut être faite par le consommateur lui-même. L'industrie de même que les autorités municipales et provinciales doivent y voir. Un programme de récupération comme celui des boîtes bleues dans certaines villes du Québec encourage le recyclage des bouteilles plutôt que leur réutilisation, ce qui constitue un moins bon choix environnemental. Il faut reconnaître cependant qu'un tel programme permet le recyclage de toutes sortes de contenants, en plastique, en verre et en métal, de même que des vieux journaux : en réalité, les bouteilles d'eaux gazeuses ne constituent plus qu'une faible proportion de tous les matériaux ainsi recyclés.

Le recyclage permet des économies appréciables. Il faut, par exemple, 2,2 tonnes de bois pour produire une tonne de papier neuf, sans compter toute l'énergie, toute l'eau et tous les produits chimiques nécessaires pour sa fabrication. En comparaison, le papier fait de fibres recyclées exige 40 % moins d'énergie. Le verre peut être recyclé indéfiniment et chaque tonne de verre brisé qu'on recycle permet d'économiser 135 litres de pétrole et 1,2 tonne de matériaux bruts. Pour produire une tonne d'aluminium, il faut quatre tonnes de bauxite, sans compter que pour toute fonte de métal, on a besoin de grandes quantités d'énergie. En fait, pour produire 1 tonne d'aluminium neuf, il faut autant d'énergie que pour en produire 20 à partir de métal récupéré.

Voici une liste partielle de ce qui est recyclé au Canada présentement :

Journaux
Papier fin
Papier d'ordinateur
Carton
Verre
Métal
Bois
Déchets de nourriture
Huiles usées
Coton
Plastique et caoutchouc
Déchets de jardin

S'il ne vous est pas possible de recycler tous ces matériaux, parlez-en aux autorités municipales. Dans la plupart des municipalités québécoises, on a commencé à élaborer une planification de la gestion des matériaux usés. Les citoyens doivent encourager ces initiatives en faisant connaître leur opinion à leurs élus et en offrant leur collaboration à de tels programmes. Cela vous concerne, voyez-y! Pour vous aider à vous y préparer, voici quelques exemples de ce qui peut être fait.

❖❖❖❖❖❖❖❖❖❖❖❖❖❖❖❖❖❖❖❖❖❖❖❖❖❖❖

Des programmes de recyclage

À Victoriaville, un programme de cueillette sélective et de recyclage des déchets est en place depuis le début des années 80. Dans les villes de Joliette, de Lasalle, dans la région de Montréal, et de Loretteville, à Québec, on est à implanter un tel service.

Un programme de cueillette sélective des déchets est à l'essai dans la Communauté urbaine de Québec dans le but de réduire l'utilisation de l'incinérateur et de répondre à la demande de la future usine de désencrage de la compagnie Daishowa.

En Ontario, on a mis en place un programme appelé *Blue Box* à cause des boîtes de plastique de cette couleur qu'on utilise pour la récupération des matériaux usagés. Ce programme est le plus ambitieux et le plus réussi en Amérique du Nord à l'heure actuelle. Environ 1,5 million de foyers de cette province ont reçu une boîte de récupération bleue faite d'un plastique ultra-résistant dans laquelle on peut placer les boîtes de conserve, les bouteilles de verre, les bouteilles de boissons gazeuses en plastique et les vieux journaux. Dans quelques municipalités, on fait également la cueillette du carton ondulé, des huiles usées et de toutes les bouteilles en plastique dur. De plus en plus de

gens participent à ces programmes, à mesure qu'ils leur
deviennent accessibles.

Le programme *Blue Box* a
été mis sur pied à la suite d'un
amendement à la loi ontarienne sur les contenants de boissons gazeuses. Dans la plupart
des provinces il y a des lois et
des règlements relativement à
ce type de contenants, portant
principalement sur les sortes
de contenants, la consignation
et la réutilisation (bouteilles
rechargeables ou non). Le
meilleur exemple d'une telle
législation se trouve à l'Île-du-
Prince-Édouard où tous les
contenants de boisson gazeuse
doivent être rechargeables.

Le succès du programme
Blue Box a contribué à faire
comprendre aux autres provinces que la récupération à grande échelle non seulement était
possible, mais aussi qu'on
pouvait l'améliorer. Mais
malgré le succès remporté, le
programme *Blue Box* n'a pas
résolu, loin de là, tous les problèmes reliés à notre mauvaise
gestion des matériaux usagés.
Là où le programme fonctionne le mieux — à Ottawa, à
Peterborough, à Mississauga et
à Guelph — on ne recueille
ainsi que 15 % des déchets
d'une maison unifamiliale. Et
cela ne représente que 5 % du
volume total des déchets
ramassés dans ces villes.

C'est pourquoi les orga-
nismes voués à la protection
de l'environnement attirent
l'attention des gouvernements
au Canada sur les efforts beaucoup plus intensifs faits au
Japon, en Allemagne et en
Autriche. Les meilleurs résultats observés sont ceux du
comté de Neunkirchen en
Autriche, où l'on recycle les
deux tiers de tous les matériaux usagés, qu'ils soient
d'origine domestique, industrielle ou commerciale. Il convient de noter que les
Européens utilisent moins
d'emballages que les Nord-
Américains et qu'ils gaspillent
moins que nous en général.
Ainsi les Autrichiens jettent
trois fois moins de déchets que
nous : si l'on considère que les
deux tiers de ces déchets sont
récupérés, alors leurs déchets
sont en réalité neuf fois moins
abondants que les nôtres.

Dans plusieurs municipa-
lités, on envisage de suivre
l'exemple du système autri-
chien basé sur le tri à la source.
Chaque foyer y reçoit deux
boîtes de récupération. La première est une sorte de super
Blue Box où l'on dépose les
marchandises sèches comme
les boîtes de conserve, le verre
et le papier. Son contenu est
envoyé à un centre de tri où les
métaux sont triés au moyen
d'aimants, où le papier est
enlevé par une soufflerie et où
les autres matériaux sont séparés différemment.

La deuxième boîte con-
tient les déchets organiques :
déchets de table, herbe et

autres déchets de jardin. Cette matière est ramassée en vue d'en faire le compostage dans une aire centrale, soit à l'intérieur d'un bâtiment, soit en tas à l'extérieur. Le compost ainsi obtenu est vendu à des pépiniéristes ou à ceux qui entretiennent des parcs et peut également servir à l'agriculture, même si les standards de qualité sont très rigoureux en Autriche. Il demeure cependant préférable que chacun pratique le compostage dans sa cour, si c'est possible. Cela permet d'économiser sur les coûts de la cueillette et de la transformation, sans compter que, de cette façon, il est possible de produire un compost de meilleure qualité. L'industrie privée y trouve également son profit, car elle peut envoyer ses déchets au centre de tri ou de compostage à un coût inférieur à celui exigé pour s'en débarrasser par les voies traditionnelles.

Dans le village de Riley, en Alberta, on utilise déjà un système semblable. À Guelph en Ontario, on se prépare à mettre en place un programme similaire de récupération et de compostage et dans plusieurs autres municipalités canadiennes, on envisage de faire de même à partir d'expériences pilotes.

◆◆◆◆◆◆◆◆◆◆◆◆◆◆◆◆◆◆◆◆◆◆◆◆◆◆◆◆◆◆◆◆◆

Les lois
sur l'emballage

Indiscutablement, nous sommes le pays de l'emballage excessif. Cependant, il n'est pas facile de régler cette question, parce qu'étant donné le fonctionnement de notre système politique, des problèmes de juridiction se posent. C'est le gouvernement fédéral qui fait les lois sur l'emballage et ce sont les municipalités qui ont la charge de faire la cueillette des déchets et d'en disposer. En d'autres mots, ce n'est pas le gouvernement fédéral qui ressent la pression exercée par le besoin toujours grandissant de trouver de nouveaux sites d'enfouissement ou de construire de nouveaux incinérateurs. Aussi n'est-il pas pressé d'agir. Ce sont les municipalités et leurs contribuables qui paient pour une situation sur laquelle ils n'exercent aucun contrôle.

Il y a un autre obstacle à une bonne gestion des déchets. Nous n'avons encore jamais mis en vigueur des règlements visant à réduire l'emballage sur une grande échelle. Bien sûr, nous avons établi une réglementation sur les contenants de boissons gazeuses, mais à l'origine le but visé était davantage la propreté des lieux publics que la récupération et le recyclage. Rédiger et appliquer une législation efficace contre les excès d'emballage pourrait s'avérer une tâche très difficile. Essayez seulement d'imaginer comment faire la distinction, en termes de droit, entre l'emballage nécessaire et l'emballage superflu. Consulter les gens de l'industrie et des groupes environnementaux sur le sujet pourrait conduire à des difficultés accrues pour les législateurs, car les deux groupes sont loin de s'entendre sur ce qui constitue le strict nécessaire en matière d'emballage.

Néanmoins, on peut suivre des exemples sur trois modèles issus de pays différents :

1 En Autriche, on a fait passer une loi selon laquelle il sera illégal, à partir de 1992, de vendre un emballage qui ne peut être recyclé. Sa définition de ce qui est recyclable inclut la nécessité d'un système efficace de récupération et de recyclage.

2 À Palo Alto, en Californie, on a mis en place un programme pilote d'étiquetage des produits qui fonctionne comme suit : la couleur des étiquettes sur lesquelles les prix des produits sont indiqués sert à informer le consommateur sur la destination finale des emballages qui les contiennent. Il y a le bleu pour la boîte bleue *(Blue Box)*, le vert pour la boîte de compostage, le rouge pour le dépôt de matières dangereuses et le gris pour les produits ou les emballages qui seront traités comme des déchets ordinaires. Dans certaines villes canadiennes, on songe à adopter un système semblable.

3 Dans l'État du Massachusetts aux États-Unis, on envisage de faire voter une loi qui permettrait d'imposer une taxe spéciale de six cents sur chaque emballage. La taxe serait remise entièrement si l'emballage est réutilisable ; trois cents seulement s'il est fait de matière recyclée et trois cents encore s'il est recyclable.

◆◆◆◆◆◆◆◆◆◆◆◆◆◆◆◆◆◆◆◆◆◆◆◆◆◆◆◆◆◆◆◆◆◆

Les plastiques dégradables

Plusieurs personnes au Québec sont inquiètes de voir la grande quantité de plastique que nous jetons chaque année (16 kg à 18 kg par personne). Nous savons que ces plastiques ne se dégradent pas et qu'ils s'accumuleront au cours des siècles jusqu'à former une sorte de monument à notre société de gaspillage. On voit trop bien ce qu'il advient des plastiques qui ne prennent pas le chemin de la poubelle : ils polluent l'accotement des routes, les parcs et les terrains de camping. C'est pourquoi on a accueilli avec soulagement l'annonce qu'on pouvait fabriquer des plastiques biodégradables et photodégradables. Séduisante en apparence, la nouvelle exige néanmoins qu'on y regarde de plus près avant de se réjouir.

Les **plastiques biodégradables** sont obtenus par l'ajout de fécule de maïs au polyéthylène au moment de la fabrication. Quand on le jette, la fécule de maïs est rapidement mangée par les bactéries, ce qui fait que le plastique se fractionne en petites particules invisibles. Un autre produit chimique ajouté durant la fabrication contribue à donner plus d'oxygène aux bactéries en question, ce qui aide à la décomposition du plastique.

Les **plastiques photodégradables** sont utilisés dans la fabrication des sacs et des anneaux qui servent à l'emballage des cannettes (les fameux *six-packs*). Pour obtenir ce type de plastiques, on ajoute au plastique ordinaire un additif sensible à la lumière de sorte que la lumière du soleil entraîne le fractionnement du plastique en fines particules. L'importance environnementale de ce procédé est double: il permet de débarrasser la nature de la présence de déchets de plastique et de protéger les oiseaux de mer qui s'étouffent ou s'étranglent souvent avec les anneaux de plastique.

Des plastiques qui se dégradent en quelques mois ou en quelques années, ça paraît intéressant. Cependant, voyons si ces pratiques répondent bien à deux des règles que nous nous sommes fixées pour la gestion des déchets.

Règle numéro 1 : Réduire, réutiliser et recycler

Est-ce que les plastiques dégradables permettent de réduire la quantité de déchets que nous produisons ? Pas du tout. C'est même le contraire. Le plastique des sacs biodégradables est affaibli par l'addition de fécule de maïs, de sorte qu'il faut le renforcer en ajoutant de 5 % à 10 % plus de plastique.

Les plastiques dégradables sont-ils réutilisables ? Évidemment pas, puisqu'ils sont faits pour se défaire en mille miettes au bout d'un certain temps.

Quant à savoir s'ils sont recyclables, d'une certaine manière oui ils le sont. Au moins une compagnie recycle les débris et les chutes produits au cours de la fabrication des sacs biodégradables. Cette façon de récupérer les débris à l'intérieur de l'usine est une pratique courante dans l'industrie des plastiques ordinaires, mais du côté des plastiques biodégradables, ce n'est possible qu'avec l'aide d'une technologie nouvelle et dispendieuse. Bien que cette situation puisse changer avec le temps, pour l'instant, ce que cela signifie, c'est que davantage de débris de plastique seront jetés au dépotoir.

La question se complique encore si on l'envisage du point de vue suivant. Depuis quelques années, des progrès intéressants ont été faits dans le recyclage des plastiques usagés (après consommation). Dans des villes comme Guelph, Ottawa et North York en Ontario, on a commencé à recycler les plastiques durs comme ceux qu'on utilise pour les bouteilles, les cruchons et les contenants à margarine. On devrait suivre cet exemple prochainement dans plusieurs autres villes. En Corée, en Allemagne et dans quelques autres pays, on recycle la pellicule de plastique, ce qui inclut les sacs. Par ailleurs, en Belgique et aux États-Unis, une toute nouvelle technologie

appelée ET1 permet de fondre ensemble toutes les sortes de plastique pour en faire des substituts pour le bois dans les piquets de clôture et les bancs de parc.

Le problème avec les plastiques biodégradables, c'est qu'ils s'incorporent mal à ces nouvelles technologies. D'une part, ils sont eux-mêmes difficiles à recycler ; d'autre part, ils rendent très difficile, sinon impossible le recyclage des autres plastiques quand ils y sont mêlés. La fabrication du plastique exige beaucoup de précision et il faut y respecter de hauts standards de qualité et de pureté. La présence de plastiques biodégradables ne fait que compliquer le processus.

La question qu'il faut se poser alors, c'est de savoir si les plastiques biodégradables facilitent le recyclage ou s'ils le rendent plus compliqué. Puisqu'ils font problème, il vaut mieux s'en tenir aux plastiques traditionnels dans l'espoir que les progrès technologiques permettront bientôt de les recycler entièrement.

Règle numéro 2 : Rien n'est détruit

Vous vous rappelez, lorsque nous avons parlé de l'incinération des déchets, nous avons dénoncé ce grand mythe environnemental selon lequel on peut se débarrasser des substances indésirables et les faire disparaître d'une façon ou d'une autre. La vérité, c'est que les atomes dans les molécules peuvent se recombiner en différentes molécules si les conditions changent, mais elles ne disparaissent pas. Alors qu'arrive-t-il aux particules de plastique après que les additifs dans les plastiques dégradables ont fait leur travail ?

Arrêtez-vous un moment pour réfléchir à ce qu'est la dégradation sur le plan écologique : c'est de biodégradation dont il faut parler. On peut retracer tout le long de la chaîne alimentaire les éléments nutritifs d'abord contenus dans le sol, puis absorbés par les plantes, ensuite par les animaux qui mangent ces plantes, puis par les carnivores qui dévorent les herbivores et d'un carnivore à l'autre. Les plantes et les animaux qui ne servent pas de pâture à d'autres meurent, pourrissent et se décomposent de nouveau en éléments nutritifs qui retournent dans la chaîne alimentaire. Les bactéries, les vers, les mouches et les moisissures se chargent de ce travail.

Que viennent faire les plastiques dans ce délicat processus de la chaîne alimentaire ? Pour remettre les éléments nutritifs de base dans le cycle de vie, les microbes qui les décomposent ne peuvent ingérer ou décomposer que des molécules plutôt petites. Or, les particules de plastique dégradable sont des centaines de fois trop grosses pour être digestibles.

Ces particules seront peut-être trop petites pour que nous les voyions, mais elles seront là et resteront dans l'environnement pendant des siècles. Que nous utilisions les plastiques ordinaires ou les plastiques dégradables, cela ne change rien à la quantité de déchets que nous envoyons à la décharge. De plus, une fois qu'ils auront été enterrés, les ressources utilisées pour les fabriquer seront perdues pour de bon. Entiers ou brisés en fines particules, ces plastiques ne nous auront-ils pas coûté trop cher au bout du compte ?

La réponse

Comme pour les autres matériaux, la marche à suivre est la suivante :

◆ **Réduisez** votre consommation. N'acceptez pas de sacs de plastique dont vous n'avez pas besoin, même pas pour vos achats de vêtements. Employez plutôt de bons sacs à emplettes durables et forts, faits de toile ou d'une étoffe solide.

◆ **Réutilisez** indéfiniment les sacs en votre possession.

◆ **Récupérez** ce qui peut l'être. Faites des pressions auprès de votre municipalité pour qu'on y adopte un programme de récupération des plastiques et une fois celui-ci mis en place, utilisez-le fidèlement.

◆◆◆◆◆◆◆◆◆◆◆◆◆◆◆◆◆◆◆◆◆◆◆◆◆◆◆◆◆◆◆

LES DÉCHETS DANGEREUX

Comme nous l'avons souligné dans les chapitres précédents à propos de nettoyage, de maison et de jardinage, plusieurs des produits que nous utilisons dans la maison et autour constituent une menace pour l'environnement. Les détachants, les produits pour déboucher les renvois et autres nettoyants qui se retrouvent dans nos sacs de déchets contiennent des substances potentiellement toxiques.

Les déchets domestiques dangereux

Pesticides	Mousses pour nettoyer les tapis
Médicaments	Nettoyants pour les meubles
Polis à meuble	Désinfectants pour piscines
Décapants	Peintures et diluants
Teintures et vernis	Eau de Javel
Produits pour développer les films	Piles
Huiles usées	Polis à métal
Cires à parquet	

La meilleure façon de vous assurer que ces produits ne causeront pas de dommages est de vous abstenir de les utiliser tout simplement. Si vous en utilisez toutefois, ou si vous en trouvez au fond de vos armoires ou de votre remise, il est très important que vous en disposiez d'une façon sécuritaire. Ne les versez pas dans les renvois et ne les jetez pas avec les autres déchets. Les sites d'enfouissement, pas plus que les incinérateurs, ne sont des endroits appropriés pour recevoir ces produits dangereux.

Dans certaines régions, il est possible d'apporter les déchets domestiques dangereux à un dépôt gouvernemental, provincial ou municipal. Là des chimistes s'occupent de répartir les produits dangereux en différents groupes. Certains de ces déchets peuvent être réutilisés ou recyclés; d'autres peuvent être neutralisés. Quelques-uns cependant devront être envoyés à des usines de traitement de déchets dangereux où ils seront détruits de façon sécuritaire. Si vous n'avez pas de moyen de transport pour apporter vos déchets dangereux à un dépôt spécialisé, demandez l'aide d'un ami ou d'un voisin. De cette façon, vous serez plusieurs à vous débarrasser en même temps de ces encombrants produits chimiques.

Au Québec, aucun service ne couvre la province dans son

ensemble; il s'agit de contacter les services municipaux de cueillette des ordures ménagères et l'on vous dira ce qu'il faut faire de vos produits toxiques. Des journées de cueillette à Québec ont connu un très grand succès. Il est probable que l'initiative se répétera d'année en année. Dans plusieurs villes de la banlieue de Montréal, on organise une cueillette des déchets domestiques dangereux le 1ᵉʳ juin. À Montréal même, on offre un service qui fonctionne à longueur d'année: il suffit d'appeler Accès Montréal Première ligne au 872-3434 pour que les employés du service des Travaux publics viennent à domicile chercher les produits toxiques. Pour la grande région de Québec, s'adresser au 529-8771.

---

5 TYPES D'EMBALLAGE À ÉVITER

En attendant que les différents paliers de gouvernement s'unissent pour s'attaquer à la question de l'emballage excessif et par le fait même à la surproduction de déchets, évitez autant que possible d'acheter des produits qui vous sont présentés dans des emballages et des contenants qui, comme dans les exemples ci-dessous, sont nuisibles pour l'environnement :

1 Les boîtes de jus : ces jolies petites boîtes qui contiennent de tout, du jus de pomme au lait de soja, se font nombreuses sur les tablettes des supermarchés. On ne peut ni les réutiliser ni les recycler parce qu'elles sont faites de trois couches de matériaux différents : du plastique à l'extérieur, du carton au milieu et de l'aluminium à l'intérieur.

2 Les emballages de plastique soufflé : ces emballages sont faits d'un morceau de carton à l'arrière et d'une bulle de plastique à l'avant pour contenir le produit et vous le laisser voir. Le problème, c'est que les différents matériaux, ici non plus, ne peuvent être séparés facilement, ce qui fait qu'on ne peut les recycler et qu'on les jette, tout simplement.

3 Les emballages individuels : emballer séparément chaque biscuit dans une boîte peut paraître très «hygiénique», mais ce type d'emballage est-il vraiment nécessaire ? Et au restaurant, avons-nous réellement besoin de présenter dans des emballages individuels le beurre, le sel, le poivre, le ketchup et autres condiments ?

4 Les plats préparés en portions individuelles pour fours à micro-ondes : ici aussi on utilise plusieurs couches d'emballage. Il serait pourtant facile d'acheter une certaine quantité d'un tel produit, d'en extraire la portion désirée et de la faire réchauffer dans une assiette ou un poêlon.

5 Les boîtes à oeufs en mousse de polystyrène : l'enjeu ici n'est pas tant de réduire la quantité d'emballage que de remplacer un contenant nuisible par un autre qui l'est moins. En effet, les boîtes à oeufs en carton peuvent être fabriquées à partir de papier recyclé, ce qui permet d'économiser les ressources. Les contenants en mousse de polystyrène peuvent contenir des CFC, du moins en utilise-t-on pour leur fabrication. Or, on sait maintenant à quel point les CFC sont néfastes pour la couche d'ozone qui protège la Terre des rayons ultraviolets en haute altitude.

Chapitre 8

LES TRANSPORTS

Pour occuper leur vaste territoire, les Québécois ont recours aux différents moyens de transport modernes. Toutefois, il faut reconnaître qu'ils le font au prix d'une atteinte sérieuse à l'environnement. En effet, au chapitre de la consommation d'énergie, les transports viennent au deuxième rang derrière l'industrie pour l'ensemble de la province. Et 83 % de tous les transports s'y font par route.

« L'automobile est devenue l'équivalent d'un refuge pour l'individu, son petit temple dédié à lui-même, son lieu sacré sur quatre roues. »

E. C. McDonagh

Les transports constituent la principale source de pollution de l'air au Canada, rejetant dans l'atmosphère 13,6 millions de tonnes de gaz nocifs qui empoisonnent les forêts, les lacs et la vie marine, qui contribuent au réchauffement global de la planète et menacent la santé des êtres vivants. Au ministère de l'Environnement du Québec, on admet généralement que la pollution engendrée par les transports est responsable de 33 % de tous les rejets d'oxydes d'azote (une des causes des précipitations acides), de 41 % des hydrocarbures et de 55 % du monoxyde de carbone (deux causes du smog au-dessus des villes), de 32 % du plomb, de 30 % du gaz carbonique, de 76 % du benzène (reconnu cancérigène) ainsi que de quantités inconnues de toluène, de xylène et de dibromure d'éthylène.

Il faut considérer également que les transports prennent beaucoup d'espace. Pour construire toutes nos routes, nos autoroutes, nos ports, nos voies de chemin de fer et nos aéroports, il a fallu sacrifier aux bulldozers des millions d'hectares de forêts, de terres arables et d'espace urbain.

Les premiers coupables, ce sont les véhicules fonctionnant à l'essence, particulièrement les automobiles. Les autos et les camions causent plus de dommages aux humains et à leur environnement que tout autre moyen de transport. Selon une étude réalisée en Suisse, en comparaison avec les trains, par exemple, les véhicules à moteur exigent une occupation du sol presque 3 fois plus grande, leur consommation d'énergie est 3,5 fois plus élevée dans le cas des automobiles et 8,7 fois plus élevée dans le cas des camions, ils polluent 9 fois plus et causent 24 fois plus d'accidents. (Les données comparatives pour le Québec sont probablement semblables, sinon pires.)

Les effets de notre engouement pour l'automobile consterneraient même Henry Ford !

Nous rêvons de retour à la nature ; toutefois ce retour, nous n'envisageons pas de le faire à pied, mais en voiture. En 60 ans, l'automobile, facilement accessible à tout Nord-Américain de plus de 16 ans, n'a pas seulement changé notre façon de nous déplacer : dans nos vies et dans notre psyché, elle a pris une place qui frise le sacré. Nous en sommes presque venus à considérer la mobilité qu'elle nous procure comme un droit fondamental. Voyez les chiffres : en 1988, les 6,7 millions de Québécois étaient propriétaires de 2,7 millions de voitures, soit une voiture pour 2,48 habitants. Cet engouement pour l'automobile a été contagieux, puisque depuis 1950, le parc automobile mondial est passé de 50 à 386 millions d'unités, et ce nombre continue d'augmenter. En Union soviétique et en Europe de l'Est, de 1970 à 1985, l'augmentation a été de 500 %, et même dans les pays en voie de développement, le nombre d'automobiles, quoique restreint, augmente deux fois plus vite que dans les pays industrialisés.

Malheureusement, ce succès phénoménal de la voiture individuelle a ouvert une boîte de Pandore dont les différents maux auraient consterné Henry Ford : pollution de l'air, gaspillage de ressources, bruit, embouteillages, destruction de la terre, de la faune et de la flore, blessures et morts infligées aux humains, tous ces phénomènes sévissant avec une ampleur démesurée.

◆◆◆◆◆◆◆◆◆◆◆◆◆◆◆◆◆◆◆◆◆◆◆◆◆◆◆◆◆◆◆

NOTRE BIEN-AIMÉE AUTOMOBILE

Voici quelques-uns des enjeux que les consommateurs devraient prendre en considération pour bien mesurer les effets de l'automobile sur l'environnement.

◇◇◇◇◇◇◇◇◇◇◇◇◇◇◇◇◇◇◇◇◇◇◇◇◇◇◇◇◇

Nous perdons du terrain

Selon l'évaluation de l'organisme écologiste Les Ami-e-s de la Terre, chaque kilomètre de route entraîne la perte de 6,5 ha de terre. Au Québec seulement, les 59 000 km du réseau routier (155 000 en Ontario), et les milliers de kilomètres des circuits urbains, occupent près de 400 000 ha.

Dans nos villes, les rues et les voies rapides couvrent un tiers de l'espace. Les autoroutes bien sûr sont les voies de circulation qui demandent le plus d'espace par kilomètre, mais même les petites routes peuvent faire l'objet de controverses quand elles traversent des territoires où l'environnement est fragile.

Planification urbaine et
qualité de l'environnement de demain
●●●

L'automobile n'a pas seulement changé l'air que nous respirons : elle a transformé nos villes et nos banlieues, ainsi que notre façon d'y vivre.

Le lotissement des terrains en banlieue se fait généralement sur des terres agricoles. Les banlieues occupent tant d'espace que l'on considère qu'elles n'auraient pu se développer sans la voiture nécessaire pour s'en évader. Ces endroits sont généralement dépourvus de grands parcs, de petits magasins, de bistrots ou de restaurants. Au lieu de cela, on y trouve de grands centres commerciaux et pour s'amuser, les enfants doivent être conduits en automobile dans des centres récréatifs éloignés de la maison. L'absence de trottoirs y est révélatrice de ce que personne n'est supposé s'y promener à pied. Les contacts n'y sont pas faciles.

Aussi, les planificateurs et urbanistes soucieux de l'avenir devraient s'atteler à la tâche de dessiner les plans de nouveaux quartiers où la présence de trottoirs, de lieux de rassemblement divers plus proches des gens et de voies réservées au transport en commun contribueraient à réduire l'usage de l'automobile. Ce faisant, ils faciliteraient les contacts entre voisins, ce qui rendrait la vie dans de tels lieux plus sécuritaire et plus attrayante. Cela contribuerait également à réduire les embouteillages, le nombre des accidents et le smog. Le réchauffement global de la planète s'en trouverait ralenti.

❖❖❖❖❖❖❖❖❖❖❖❖❖❖❖❖❖❖❖❖❖❖❖❖❖❖❖❖❖❖❖❖❖❖❖❖

Les économies d'essence

Les pressions des consommateurs ont conduit les constructeurs à fabriquer des automobiles qui permettent de consommer moins d'essence par kilomètre. La crise du pétrole des années 70 a forcé les grandes compagnies à mettre de côté les grosses voitures énergivores et à produire des modèles plus petits et plus économiques. Elles y sont parvenues : la consommation moyenne est passée de 22 à 15 litres par 100 km. Certains constructeurs japonais et européens ont obtenu des résultats encore plus remarquables. Ces changements ont fait qu'en 10 ans, de 1972 à 1982, la consommation totale de carburants dans les pays grands producteurs de véhicules automobiles a chuté de 4 %, alors que le nombre de véhicules en circulation a augmenté d'un tiers.

Pourtant nous consommons encore des quantités phénoménales de carburant pour satisfaire notre bougeotte :

◆ À la suite des crises pétrolières que nous avons connues, la consommation de produits pétroliers a diminué dans plusieurs secteurs d'activités, de sorte que l'automobile, qui roule presque exclusivement avec des carburants extraits du pétrole, a vu sa part de consommation (1 milliard de tonnes par année) augmenter sensiblement.

◆ En Amérique du Nord, pour une automobile la consommation d'essence est en moyenne deux fois plus élevée que pour une voiture européenne ou japonaise, en partie à cause de l'usage plus grand qu'on en fait et en partie à cause de sa plus grande consommation aux 100 km.

◆ Aujourd'hui encore, la construction d'une automobile entraîne une dépense d'énergie équivalente à 1 500 litres de pétrole et pendant tout le temps qu'elle roule, chaque voiture consomme au moins 10 000 litres d'essence.

L'économie d'essence que permettent les nouveaux modèles de voitures constitue maintenant un des principaux attraits pour l'acheteur, et les

concepteurs ont réussi à rendre l'automobile en général plus efficace relativement à la consommation d'énergie. Dans l'industrie de l'automobile, on devra relever de nouveaux

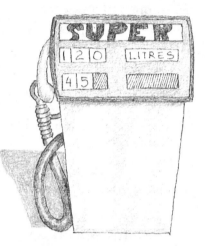

défis dans les années 90 pour maintenir et améliorer ces acquis et pour concevoir des voitures plus sécuritaires, plus propres et plus durables. Le défi pour les consommateurs sera de faire entendre leur voix pour convaincre les constructeurs d'automobiles que c'est là ce qu'ils attendent d'eux.

Utilisation de l'énergie pour le transport en %	
Transport de passagers 60 %	Transport des marchandises 40 %

❖❖❖❖❖❖❖❖❖❖❖❖❖❖❖❖❖❖❖❖❖❖❖❖

La pollution

À mesure que dans les usines, les centrales électriques et les autres installations industrielles, on améliore la performance pour ce qui est de

la réduction de la pollution de l'air, les véhicules automobiles dans tous les pays industrialisés apparaissent comme les pires pollueurs. Par exemple, une automobile rejette dans l'air, en moyenne, cinq à six fois son poids en carbone chaque année. Même si l'on a fait des progrès depuis 15 ans au chapitre de la réduction de la consommation d'essence, grâce à des technologies améliorées et à des lois plus sévères, il reste que la quantité de la plupart des polluants émis dans l'atmosphère continue d'augmenter. Ce qui se passe, c'est que les progrès aussitôt accomplis sont annulés par l'augmentation du nombre de véhicules en circulation et du kilométrage parcouru.

Les automobiles produisent essentiellement six sortes de polluants:
• •
1. **Des hydrocarbures**. Ces gaz réagissent avec les oxydes d'azote en présence de lumière solaire pour former le smog photochimique, ce voile que nous sommes maintenant habitués à voir flotter au-dessus des villes et qui cause des troubles respiratoires, en plus de ronger les édifices. Le composant principal de ce smog est l'ozone, lequel, à basse altitude, contribue à l'effet de serre et endommage les forêts. Les véhicules automobiles fonctionnant à l'essence contribuent à près de la moitié de la pollution par les hydrocarbures.

2. **Des oxydes d'azote.** Les émissions d'oxydes d'azote sont produites par toutes les formes de combustion, des puissantes centrales électriques aux petits vélomoteurs. Elles contribuent au smog et, avec les oxydes de soufre et les hydrocarbures non brûlés, aux précipitations acides.

3. **Le monoxyde de carbone.** C'est ce gaz qui asphyxie ceux qui laissent tourner le moteur de leur automobile dans un espace fermé. Le volume produit augmente encore dans la plupart des pays industrialisés. Environnement Canada reconnaît que cette forme de pollution augmente ici également, mais on précise que la part des transports dans cette production diminue.

4. **Des particules fines**. Les véhicules automobiles, particulièrement ceux qui sont équipés de moteurs diesel, ont dépassé la combustion du charbon comme principale source d'émission de suie. Les particules fines émises réduisent la visibilité, noircissent les édifices, nuisent aux plantes et contribuent à l'augmentation des cancers et autres maladies.

5. **Du plomb**. Le plomb est l'un des polluants les plus répandus; s'il se trouve en concentration trop élevée dans le sang, il entraîne des dommages au cerveau et au système nerveux central. Les enfants y sont particulièrement

vulnérables. Cependant il y a de l'espoir, car l'émission de plomb par les véhicules automobiles devrait connaître une baisse importante puisque des lois très strictes, au Canada comme dans plusieurs autres pays, ont été votées pour en régir maintenant l'utilisation.

6. **Du gaz carbonique** (dioxyde de carbone). Les émissions de gaz carbonique ne font l'objet d'aucune réglementation particulière dans le domaine de l'automobile. Pourtant, comme il fait partie de ces gaz qui contribuent à l'effet de serre, il est associé à l'un des plus graves problèmes environnementaux auxquels nous sommes confrontés: le réchauffement de la planète.

Que fait-on et que pourrait-on faire pour mieux contrôler l'émission de ces divers polluants?

❖❖❖❖❖❖❖❖❖❖❖❖❖❖❖❖❖❖❖❖❖❖❖❖❖❖❖❖❖❖❖❖

Éliminer le plomb

L'essence que nous utilisons est en fait un mélange de près de 400 substances chimiques différentes à base d'hydrocarbures. On jongle avec les différents éléments de cette recette, soit pour favoriser des économies d'essence, soit pour améliorer les performances. Le plomb a été utilisé pour la première fois dans les années 20 pour prévenir le cognement du moteur et pour augmenter, grâce à son pouvoir lubrifiant, la durabilité des soupapes d'échappement et de leurs sièges. Cet ajout de plomb dans l'essence a entraîné sa présence dans les gaz d'échappement et plus tard, bien sûr, il s'est répandu dans l'environnement en grande quantité.

Non seulement le plomb est-il hautement toxique, mais de plus il ne se dégrade pas facilement dans l'environnement. Le plomb rejeté dans l'atmosphère chaque année s'ajoute tout simplement au plomb qui s'y trouve déjà accumulé en quantités considérables. Cependant, on a entrepris de remplacer les essences au plomb par des essences sans plomb au Canada, et les résultats ne se sont pas fait attendre: de 1974 à 1984, période durant laquelle les essences sans plomb ont été de plus en plus utilisées, les émissions de plomb par les véhicules automobiles sont passées de 12 980 à 7 278 tonnes.

Environnement Canada a pris des mesures pour réduire encore davantage ces émissions en vue de les éliminer complètement. En 1987, avec la Loi sur la qualité de l'air, on a fixé un maximum pour le contenu du plomb dans l'essence à 0,29 g par litre. Tout un éventail de règlements accompagnait cette loi, touchant aussi bien les émissions d'hydrocarbures et de monoxyde de carbone que certains oxydes d'azote, ce qui a conduit à l'obligation d'installer un convertisseur catalytique (voir ci-dessous) pour tous les nouveaux véhicules de promenade : or, ce convertisseur ne peut fonctionner qu'avec de l'essence sans plomb. En fait, depuis le 1er décembre 1990, il ne se vend plus d'essence au plomb au Canada.

❖❖❖❖❖❖❖❖❖❖❖❖❖

Les convertisseurs catalytiques

Les convertisseurs catalytiques à double fonction (les plus répandus présentement) contribuent à l'élimination de 90 % des émissions polluantes en convertissant les hydrocarbures et le monoxyde de carbone en vapeur d'eau et en gaz carbonique. Les convertisseurs à triple fonction, qui peuvent aussi oxyder certains oxydes d'azote, sont devenus obligatoires pour les nouveaux modèles en 1988. Contrairement à la croyance populaire, ces convertisseurs n'affectent ni la consommation d'essence ni la performance du moteur.

Les dispositifs de réduction de la pollution en usage présentement ont cependant tendance à entraîner certains effets secondaires. Dans le cas des convertisseurs catalytiques, on note une légère augmentation du gaz carbonique et de l'anhydride sulfureux produits. Ce compromis est valable toutefois, du moins jusqu'à ce qu'on mette au point des carburants renouvelables et non polluants.

De même, les moteurs qui brûlent un mélange air-carburant moins riche favorisent une combustion plus complète, ce qui réduit les émissions d'oxyde d'azote et de monoxyde de carbone. Toutefois, on note une augmentation des hydrocarbures émis dans ce nouveau type de moteur.

❖❖❖❖❖❖❖❖❖❖❖❖❖

Les moteurs diesel

Les voitures à moteur diesel sont un bon exemple de compromis environnemental. D'une part, dans la circulation urbaine, elles consomment moins de pétrole que les autres voitures. Elles sont plus robustes, elles rejettent moins de monoxyde de carbone et d'hydrocarbures et elles brûlent un carburant sans plomb. D'autre part, elles émettent plus de particules fines (sous forme de suie ou de fumée noire), plus d'oxydes d'azote, plus d'anhydride sulfureux que les voitures ordinaires, et elles sont plus bruyantes aussi.

À tout prendre cependant, les véhicules équipés de moteurs diesel, à condition de les utiliser surtout en ville et non pas pour de longs trajets sur les autoroutes, constituent un meilleur choix. N'oubliez pas cependant, si vous choisissez le diesel, de faire faire l'entretien du moteur régulièrement.

❖❖❖❖❖❖❖❖❖❖❖❖❖❖❖

Les nouveaux carburants

Nous devrons éventuellement remplacer l'essence que nous brûlons présentement dans nos voitures par une source d'énergie renouvelable et non polluante. Entretemps, on met à l'essai des carburants qui offrent certains avantages par rapport aux essences traditionnelles. On a obtenu, du moins au stade expérimental, certains succès dans cette recherche de solutions de remplacement. Mais jusqu'ici tous les carburants mis à l'essai comportent des désavantages qui annulent les avantages obtenus. C'est une question très difficile à résoudre.

Les deux solutions de remplacement les plus répandues au Canada sont le gaz naturel et le propane. Ces deux carburants à haut indice d'octane brûlent plus proprement que l'essence ordinaire, ce qui permet de réduire de 90 % les émissions de monoxyde de carbone et d'hydrocarbures ; ils ne contiennent pas de plomb, ils ont une efficacité supérieure de l'ordre de 6 % à 15 % et leur utilisation réduit l'usure du moteur. Aussi peuvent-ils constituer une option intéressante, à la condition que vous conduisiez beaucoup et que vous habitiez une zone urbaine où l'approvisionnement est facile et les prix assez bas. Il en coûte 1 500 $ pour se convertir au propane et 2 300 $ pour passer au gaz naturel : ces coûts sont toutefois vite récupérés en économies de carburant.

Les moteurs fonctionnant exclusivement à l'aide de l'un ou l'autre de ces carburants sont un peu plus propres que les moteurs mixtes qui fonctionnent à l'aide d'un mélange d'un de ces gaz et d'essence ordinaire : les moteurs fonctionnant uniquement au gaz produisent moins de gaz carbonique que les moteurs à essence, alors que les moteurs brûlant un carburant mixte sont susceptibles d'en émettre davantage que les moteurs traditionnels. Toutefois, il faut noter que l'avantage de la réduction des émissions de gaz carbonique dans les moteurs à gaz est annulé, du moins partiellement, par une plus grande émission de méthane, un gaz qui contribue à l'effet de serre.

On a mis à l'essai divers

carburants tirés de la biomasse (extraits des plantes) tels que le méthanol (vulgairement appelé «esprit-de-bois») et l'éthanol (celui-là même qui procure l'euphorie dans les boissons alcoolisées). Au Canada, le méthanol est généralement extrait du gaz naturel qui se trouve en abondance sur notre territoire, mais on peut aussi l'extraire du bois, du charbon, du pétrole et des déchets organiques. Il a l'avantage d'être un carburant à haut indice d'octane dont la combustion produit deux fois moins de gaz nocifs et qui contribue à réduire les émissions de gaz carbonique (à la condition qu'il ne soit pas extrait du charbon, car dans ce cas, les émissions de ce gaz sont plus importantes). On peut le mélanger à l'essence dans une proportion de 5 % sans avoir à changer quoi que ce soit au moteur ou à son alimentation en carburant. Du côté des désavantages, il faut signaler que présentement il coûte cher à produire et qu'il est fort improbable qu'on puisse le produire en grandes quantités à partir de ressources renouvelables.

On extrait l'éthanol de différentes plantes fourragères incluant le maïs et le blé, ainsi que du bois. Au Canada, il est surtout produit et utilisé dans l'Ouest sous forme de différents mélanges d'essence et de gaz qui sont plus propres que

l'essence ordinaire, mais qui, comme le méthanol, peuvent être la source d'émissions de quantités appréciables de gaz carbonique. De plus, il faut considérer que, présentement, il coûte cher à produire, bien qu'il existe une technologie qui permettrait de le produire à moindre coût. Enfin, il faut tenir compte du fait que sa production sur une grande échelle exige l'utilisation de très grandes étendues de terres cultivables.

Quant aux voitures électriques, elles sont silencieuses, ne polluent pas, mais elles en sont encore au stade expérimental. Pour bien en mesurer l'impact sur l'environnement, il faut toutefois voir comment est produite l'électricité qui les alimente. Si elle provenait de centrales au charbon, il faudrait alors considérer que ces voitures sont productrices de grandes quantités de gaz carbonique. Il faut aussi tenir compte du fait que cette source d'énergie est relativement coûteuse.

On a également expérimenté des voitures fonctionnant à l'énergie solaire : elles sont aussi légères que des bicyclettes et vont à peu près aussi vite. Considérant qu'il leur faut un ciel ensoleillé pour fonctionner, force est d'admettre que, dans un avenir prévisible, ces prototypes n'ont guère de chances de conquérir le marché.

L'hydrogène représente peut-être notre meilleure solution de remplacement dans une perspective à long terme. Cet hydrogène peut être obtenu en séparant une molécule d'eau en deux atomes d'hydrogène et un atome d'oxygène. En brûlant, l'hydrogène n'émet aucun polluant et, si l'électricité pour le produire ne provient pas d'un combustible fossile, ce carburant n'émet pas non plus de gaz carbonique, seulement de la vapeur d'eau. De plus, son efficacité énergétique est de 15 % à 45 % supérieure à l'essence. Encore une fois, il y a une attrape : dans ce cas-ci, c'est la source de production de l'électricité nécessaire à sa production. Si celle-ci était produite à partir de piles photovoltaïques, du vent, de l'eau ou de l'énergie géothermique, les coûts environnementaux seraient alors minimes.

❖❖❖❖❖❖❖❖❖❖❖❖❖❖❖❖❖❖❖❖❖❖❖❖❖❖❖❖❖❖❖

Les voitures de l'avenir

Aujourd'hui les voitures sont mieux dessinées, ce qui fait que nous roulons dans des automobiles plus légères, moins ventrues et plus efficaces. On pourrait encore réduire leur consommation de moitié par l'utilisation de matériaux légers tels que les plastiques renforcés et l'aluminium pour les carrosseries, la porcelaine dans les moteurs et par le recours à des systèmes électroniques de carburation. L'économie d'essence obtenue par l'utilisation de matériaux légers serait probablement supérieure à l'augmentation de l'énergie nécessaire pour les produire. Plusieurs grands constructeurs comme Volkswagen, Peugeot, Toyota et Volvo ont mis au point des prototypes de voitures qui consomment aussi peu que de 2,3 à 3,5 litres par 100 km. Le problème, c'est que les prix du pétrole sont trop bas pour encourager ces compagnies à se lancer dans la production massive de tels véhicules.

◇◇◇◇◇◇◇◇◇◇◇◇◇◇◇◇◇◇◇◇◇◇◇◇◇◇◇◇◇◇

Le conducteur soucieux
de son environnement

L'automobile, qu'il s'agisse d'une grosse bagnole ou d'une petite poids plume, n'est pas tout, quand on recherche la protection de l'environnement : il faut aussi tenir compte du conducteur ! Si vous voulez réduire l'impact négatif sur l'environnement de votre automobile, alors vous devez considérer que votre manière de conduire a autant d'importance que votre choix de l'un ou l'autre des modèles offerts sur le marché. Voici quelques conseils qui vous aideront à protéger non seulement la planète, mais aussi votre voiture et peut-être même votre vie :

◆ Ralentissez. Voilà le meilleur moyen d'économiser l'énergie et de réduire la pollution. Une façon de conduire caractérisée par la recherche de la vitesse, par des départs et des arrêts brusques augmente de façon radicale la consommation d'essence et les émissions polluantes. Si vous roulez par exemple à 80 km/h au lieu d'à 120, vous réalisez une économie de 30 % sur la consommation d'essence. Ce faisant, vous réduisez également l'émission d'oxyde d'azote.

◆ Pour que votre moteur soit plus efficace et pollue moins, faites faire régulièrement l'entretien et l'ajustement du moteur. Bien que les constructeurs fabriquent de meilleures voitures, pour se plier aux exigences gouvernementales, selon certaines recherches, la plupart des voitures au Canada ne satisfont pas à ces exigences simplement parce qu'on ne les entretient pas adéquatement.

◆ Utilisez des pneus radiaux et gonflez-les suffisamment. En réduisant la résistance à l'avancement, les pneus radiaux permettent une économie d'essence de 6 % à 8 %. Toutefois,, si vous ne les gonflez pas selon les recommandations du fabricant, ils s'useront plus vite et votre facture d'essence grimpera de 4 %.

◆ Évitez d'employer un climatiseur : un tel appareil contient des CFC et augmente la consommation d'essence de 8 % à 12 %, surtout dans la circulation dense. Ouvrez plutôt les glaces et les grilles d'aération. Un store en carton pliant placé dans le pare-brise contribuera à rendre l'habitacle moins chaud quand l'auto est stationnée en plein soleil.

◆ Pour vous rendre au travail, ayez recours au covoiturage ; c'est un moyen économique, propre et qui économise l'énergie. Si vous n'avez besoin d'une automobile que de temps à autre, louez-en plutôt une à l'occasion ou voyagez en taxi.

◆ Si vous planifiez le moindrement vos déplacements, vous pourrez effectuer plusieurs courses au cours d'une même sortie.

◆ Conduisez moins. La plupart des sorties en automobile se font dans un rayon de 5 km à 10 km du domicile. Pour ces courtes randonnées, utilisez plutôt la bicyclette ou les transports en commun, ou marchez tout simplement.

◆◆◆◆◆◆◆◆◆◆◆◆◆◆◆◆◆◆◆◆◆◆◆◆◆◆◆◆◆

Les meilleurs achats

Les modèles suivants ont la plus faible consommation d'essence de toutes les voitures vendues au Canada, selon le *Guide de la consommation d'essence de 1989*, publié par Transport Canada.

Modèle	Type de transmission	En ville L/100 km	Sur la route L/100 km
La Chevrolet Sprint	M5+*	5,5	4,4
La Chevrolet Sprint	A3**	5,9	5,3
La Ford Festiva	M5+	6,0	5,0
La Ford Festiva	M4+***	6,2	5,4
La Honda Civic CRX	M5+	6,9	5,3
La Mercury Festiva	M5+	6,0	5,0
La Mercury Festiva	M4+	6,2	5,4
La Micra de Nissan	M5+	6,4	4,7
La Pontiac Firefly	M5+	5,5	4,4
La Pontiac Firefly	A3	6,0	5,4
La Justy DL de Subaru	M5+	6,9	5,7
La Justy GL de Subaru	M5+	6,9	5,7
La Swift de Suzuki	M5+	6,2	4,8
La Golf diesel de Volkswagen	M5+	6,5	5,0
La Jetta diesel de Volkswagen	M5+	6,5	5,0
La Jetta diesel turbo de Volkswagen	M5+	6,4	5,0

* M5+ : transmission manuelle à cinq vitesses, plus une vitesse surmultipliée.
** A3 : transmission automatique à trois vitesses.
*** M4+ : transmission manuelle à quatre vitesses, plus une vitesse surmultipliée.

❖❖❖❖❖❖❖❖❖❖❖❖❖❖❖❖❖❖❖❖❖❖❖❖❖❖❖❖❖❖❖

LES TRANSPORTS EN COMMUN

L es plus grands pollueurs au pays sont les automobilistes qui vivent — et conduisent — dans des villes et en banlieue : ils consomment plus de 40 % de tout le pétrole utilisé pour les transports et cette consommation contribue de façon appréciable aux précipitations acides et au réchauffement de la planète.

Pourtant, plus des trois quarts des villes canadiennes ont des transports en commun : il n'y a pas d'excuse pour continuer de rouler dans des voitures individuelles. Si seulement 10 % des conducteurs urbains optaient pour les transports en commun, on pourrait réduire la production pétrolière de 17 %. Les transports en commun consomment beaucoup moins d'énergie que l'automobile. Les chiffres ne mentent pas ; il suffit d'examiner ceux fournis par l'organisme Transport 2000 Canada :

Moyen de transport	BTU*/passager-kilomètre
Métro ou train de banlieue (200 passagers)	175
Autobus urbain (67 passagers)	285
Petite voiture (1 passager)	2 570

*BTU : British Thermal Unit ou unité thermale anglaise
(mesure de l'énergie dans le système anglais)

La plupart de ceux que nous voyons rouler en ville vont au travail ou en reviennent, ou encore se rendent à un magasin quelconque. En somme, ils ne parcourent que des distances assez courtes, d'un quartier à l'autre ou près de leur lieu de résidence. S'ils le font, c'est qu'ils considèrent probablement l'automobile comme un moyen plus rapide et plus commode de se déplacer que l'autobus ou le tramway. Pourtant, dans les grandes villes canadiennes, ce n'est plus vrai. La densité de circulation et les embouteillages ont réduit la conduite à une lente succession d'arrêts et de départs sur la plupart des grandes artères. Il en résulte une plus grande consommation d'essence, une plus grande pollution de l'air, sans parler du stress que doivent supporter tous ces conducteurs tendus.

Les transports en commun ont d'autres avantages. L'autobus, par exemple, occupe neuf fois moins d'espace par passager que l'automobile, ce qui est avantageux, tant en ce qui a trait à la congestion des voies de circulation que sur le plan de l'environnement. Il faut aussi considérer que la construction et l'entretien des autoroutes urbaines entraînent d'énormes dépenses de ressources, sans compter tout l'espace qu'elles occupent. Ces deux inconvénients majeurs seraient grandement réduits si les gens renonçaient à faire usage de leur voiture pour de courts trajets en ville. Le développement et l'entretien d'un réseau de transport en commun entraîne également une dépense de ressources et d'espace, mais c'est néanmoins un compromis acceptable.

Il est vrai que dans certaines grandes villes, les transports en commun sont débordés. À Montréal et à Québec, par exemple, les

systèmes sont surtaxés. Le transport en commun est désuet et le service mal réparti dans la région de Québec ; pour certains organismes la solution serait un métro de surface, alors que pour d'autres ce serait que l'on réserve certaines voies pour les autobus. Et il y a le problème de la circulation entre les deux rives du Saint-Laurent.

Ce qui manque, ce sont des pressions assez fortes pour convaincre les automobilistes de changer leurs habitudes et pour forcer les urbanistes et les politiciens à penser en fonction de l'avenir et à améliorer les transports en commun. Les gens ne délaisseront leurs voitures et n'adopteront ces modes de transport que lorsque ceux-ci seront vraiment efficaces, souples et facilement accessibles en tout temps.

Ceux qui vivent dans le centre-ville n'ont pas d'excuse : ils peuvent marcher ou avoir recours aux transports en commun. Pour ceux qui habitent la banlieue, c'est un peu plus compliqué. Ils peuvent pratiquer le covoiturage ou prendre l'auto jusqu'à un terminus de transport en commun. Urbanistes et voyageurs devraient aussi considérer la bicyclette comme une solution attrayante aux problèmes de transport.

Nombre de passagers-kilomètres par litre d'essence (ou l'équivalent en énergie)		
Automobile	Autobus	Bicyclette
10,5	42	425

LA BICYCLETTE

Maintenant que nous savons à quel point l'automobile détruit l'environnement et la qualité de vie en ville, ne serait-il pas temps de regarder sérieusement du côté de la bicyclette ? Voyons d'abord son rendement énergétique qui dépasse de loin tout autre moyen de transport. Une randonnée de 25 km entraîne une dépense de 350 cal, l'équivalent d'un petit déjeuner substantiel. Pour couvrir la même distance en automobile, il faut dépenser 18 600 cal d'une énergie non renouvelable.

Autre point : avec l'automobile, un litre d'essence permet de déplacer 10,5 passagers-kilomètres ; avec l'autobus, ce chiffre grimpe à 42 ; la bicyclette quant à elle n'utilise pas d'essence, mais l'équivalent en énergie de ce litre d'essence donne un rendement de 425 passagers-kilomètres.

Malheureusement, les Nord-Américains considèrent encore la bicyclette comme un jouet. Manifestement nous aurions des leçons à prendre d'autres cultures. En Asie, la bicyclette est le principal moyen de transport dans les villes, et dans plusieurs pays d'Europe, on a lancé de grandes campagnes en faveur de la bicyclette durant les années 80. Dans les Pays-Bas, par exemple, on a aménagé 20 000 km de pistes cyclables fort prisées puisque maintenant environ la moitié des déplacements dans ce pays se font sur deux roues.

En Allemagne, quand la ville d'Erlangen a aménagé 250 km de pistes cyclables, les déplacements à bicyclette ont doublé.

Ceux qui s'occupent de planification urbaine et les élus de tous les paliers gouvernementaux devraient faire autant d'efforts et s'engager à fond dans une telle conversion de nos habitudes de transport ici au Québec. À l'heure actuelle, les déplacements à bicyclette sont tout simplement trop dangereux dans les rues encombrées des grandes villes. En plus de pistes cyclables nombreuses et bien aménagées, il faut permettre aux cyclistes l'accès aux transports en commun pour que la transition puisse se faire plus facilement chez les habitants de la banlieue. Des stationnements adéquats pour bicyclettes et l'installation de douches sur les lieux de travail sont d'autres moyens d'encourager l'usage de la bicyclette. Mais, répétons-le, à la base, ce qui importe le plus, c'est l'aménagement d'un réseau intégré de transport qui offre l'espace et les équipements requis pour qu'on puisse circuler à bicyclette de façon agréable et sécuritaire.

❖❖❖❖❖❖❖❖❖❖❖❖❖❖❖❖❖❖❖❖❖❖❖❖❖❖❖❖❖❖❖❖❖❖❖

LES TRANSPORTS INTERURBAINS

Comment nous allons de Dorval à Val-d'Or a autant d'importance, sur le plan environnemental, que la façon dont nous nous déplaçons en ville. Ici aussi, la question est de savoir quelle est notre efficacité énergétique, en d'autres mots combien d'énergie il nous faut par passager-kilomètre.

Moyen de transport	BTU/passager-kilomètre
Train	270
Autocar	320
Petite voiture avec deux passagers	1 000
Boeing 767	1 990

Dans ce tableau, on voit clairement que les trains et les autocars sont les plus efficaces en termes d'économies d'énergie pour les longs voyages. Malheureusement, ces dernières années, nous avons vu disparaître nombre d'itinéraires empruntés par le train ou l'autocar au pays. Voici quelques statistiques alarmantes de Transport Canada :

● De 1984 à 1987, les transports aériens ont connu une croissance constante, atteignant 18,9 millions de passagers en 1987.

● En 1981, 8 millions de Canadiens ont voyagé par train ; en 1987, Via Rail ne transportait plus que 5,9 millions de passagers, soit une diminution de 26,3 %.

● Le nombre total de passagers empruntant les transports en commun pour se déplacer d'une ville à l'autre est passé de près de 60 millions en 1980 à environ 46 millions en 1987. Le gros de cette perte a dû être absorbé par les services d'autocar interurbains.

Le train et l'autocar ont vu leur clientèle diminuer, en partie parce que les gens avaient plus d'argent à leur disposition, en partie parce que les compagnies aériennes ont réduit leurs prix et amélioré leur service.

Ce n'est pas tout. En effet, la plupart des voyageurs n'aiment pas faire plus de 500 km en autocar parce qu'ils trouvent ce mode de transport trop inconfortable. Sur de plus longues distances, ils préfèrent voyager en train. Au Canada, les trains de Via Rail s'arrêtent dans 900 grandes et petites villes, ainsi que dans des endroits isolés. De tous les endroits desservis, seulement 200 ont un aéroport. Pourtant de moins en moins de gens prennent le train parce que le service se détériore constamment et le grand coupable de cette situation est le gouvernement fédéral qui a délaissé Via Rail au profit de moyens de transport plus énergivores, comme l'automobile et l'avion.

Selon Transport 2000 Canada, des recherches montrent que 85 % des Canadiens croient que le gouvernement fédéral a l'obligation de maintenir et d'améliorer les services de Via Rail. Il va donc falloir que le public fasse des pressions constantes et incessantes pour que le service et les équipements soient améliorés. Aussi le consommateur se doit-il d'appuyer l'organisme **Transport 2000** dans sa campagne pour le rétablissement d'un service ferroviaire adéquat partout au pays. Voici son adresse : Transport 2000 Canada, C. P. 858, succursale B,Ottawa(Ontario) K1P 5P9.

Un changement d'huile?

Les huiles à moteur usées peuvent être recyclées. Cela permet d'économiser une ressource non renouvelable et d'éviter la pollution de l'environnement. Ne brûlez jamais les huiles usées, ne les jetez pas dans les égouts ou dans un site d'enfouissement : les huiles contiennent des substances chimiques cancérigènes telles que le benzène, le plomb, le cadmium et des hydrocarbures aromatiques polycycliques (HAP).

Si vous faites faire votre changement d'huile dans une station-service, demandez au gérant ce qu'il advient des huiles usées qu'il recueille. Beaucoup de stations-services font appel à un service spécialisé de cueillette d'huiles usées. Essayez de savoir ce qu'on en fait au bout du compte : sont-elles jetées ou raffinées de nouveau ?

Rares sont les endroits au Québec où ceux qui font eux-mêmes leurs changements d'huile peuvent les confier au service de la cueillette des ordures pour qu'elles soient raffinées de nouveau. Ottawa est la ville la plus rapprochée du Québec où se trouve un service de cueillette des déchets qui accepte les huiles usées.

Si vous avez l'habitude de faire vous-même vos changements d'huile et si vous n'habitez pas la région de Hull, près de la frontière ontarienne, alors il vous sera très difficile de faire recycler vos huiles usées. Les compagnies qui les récupèrent auprès des détaillants n'acceptent généralement pas de recueillir en même temps celles des particuliers, en raison des coûts que leur occasionnerait la mise en place et le maintien d'un tel service. Par ailleurs, les détaillants doivent eux-mêmes débourser de l'argent pour s'en débarrasser, alors ils acceptent difficilement les huiles apportées par des clients. Au moins, faites en sorte que vos huiles usées, en tant que déchets, n'aboutissent pas directement dans les dépotoirs. Traitez-les comme des déchets dangereux et débarrassez-vous-en de la manière décrite au chapitre 7.

Au moment de faire vos achats, choisissez de préférence une huile recyclée. Si vous habitez près de la frontière ontarienne, l'huile à moteur Green High Performance de la compagnie President's Choice, recommandée par le groupe Pollution Probe, est vendue dans les magasins Loblaws entre autres. Il y a aussi l'huile SGX fabriquée par la compagnie Oil Canada Ltd.

Soulignons qu'au moment de mettre ce document sous presse, une table de concertation, formée d'une douzaine d'organismes et d'entreprises privées de la région de Québec, réunis par le CAA Québec, tentait de convaincre le ministère de l'Environnement de procéder à une réglementation qui devrait aboutir à un système de récupération des huiles usées, à la création d'une usine de recyclage et à une série de mesures incitatives qui inviteraient les consommateurs à adopter les huiles recyclées.

Chapitre 9

LE TRAVAIL ET LES PLACEMENTS

C'est une vieille rengaine que l'on répète quand on dit que dans le monde des affaires, le seul but, c'est de faire de l'argent. À d'autres les préoccupations sociales ou morales. On a même été jusqu'à dire que le monde des affaires, dans sa course à l'argent, crée une dynamique qui est en fin de compte bénéfique à toute la société. Les choses changent cependant et on s'est aperçu dernièrement que les entreprises qui vont bien sont souvent celles qui font du bien.

*« Une bonne partie des problèmes les plus importants aux-
quels nous sommes aujourd'hui confrontés — de la discrimination
au travail à la prolifération des armes nucléaires — pourraient être
résolus ou minimisés si les grandes entreprises adoptaient des
politiques appropriées. Acheter les produits des entreprises qui
adoptent et appuient de telles politiques peut faire toute la différence. »*

Alice Tepper Marlin

A lors qu'elles ne sont pas sans fautes, loin de là, plusieurs des grandes entreprises qui font des affaires partout dans le monde se soucient du bien-être de leurs
employés et s'engagent activement dans les activités
culturelles et artistiques aussi bien que dans la vie communautaire.

La philosophie du développement durable remet en question
notre vieille façon de concevoir le rôle du monde des affaires.
David Powell, un consultant en engagement social des entreprises, nous dit que «...traditionnellement, il est d'usage de croire
que, d'un point de vue strictement économique, les responsabilités sociales constituent un gaspillage d'argent, qu'elles font du
tort aux entreprises qui s'y engagent et qu'elles pénalisent les
actionnaires. Un examen attentif de la réalité démontre que c'est
le contraire qui se produit.» À mesure que les phénomènes de
pollution captent l'attention du public et des gouvernements, à
mesure aussi que les amendes se font plus nombreuses et plus
substantielles, «ce serait stupide de la part des gens d'affaires de
ne pas prendre au sérieux les
grandes questions environnementales», ajoute Powell.

De nouveaux défis pour les grandes entreprises.

Toutefois, quand une
entreprise s'engage dans des
dépenses relatives à la protection de l'environnement, les
coûts initiaux sont importants.
Certaines corporations, parti-
culièrement celles qui sont installées dans des pays où les lois
antipollution ne sont pas très sévères, ont du mal à se convaincre
qu'elles doivent endosser cette responsabilité nouvelle.

Au Québec, dans le secteur industriel, on clame qu'il faudrait des exemptions de taxes pour pouvoir s'engager dans des
mesures coûteuses de protection de l'environnement. Cette exi-
gence fait l'objet d'une controverse : le public devrait-il payer
pour que ces entreprises polluantes cessent de faire ce qu'elles

n'ont tout simplement pas le droit de faire?

D'une certaine façon, notre niveau de vie élevé, nous le devons en partie du moins à ces grandes entreprises: elles assurent la croissance économique qui fait notre richesse et puis ne sommes-nous pas tous des consommateurs qui profitent de ce que ces entreprises produisent et vendent? Si les prix augmentent trop à cause des règlements antipollution, nos produits québécois ne seront plus concurrentiels sur les marchés internationaux. Comme on le voit, la question n'est pas facile à résoudre.

Heureusement, quelques entreprises ont réalisé qu'il pouvait être très rentable d'investir dans le contrôle de la pollution. La compagnie 3M, dont le siège social se trouve à Minneapolis, aux États-Unis, est l'une d'entre elles. En 1975, on y a lancé un programme baptisé Les 3 P, pour «Prévenir la Pollution, c'est Payant.» Elle l'a prouvé par la suite, car, en pratiquant le recyclage, en faisant installer sans tarder de l'équipement antipollution et en éliminant la pollution aux différentes étapes de la production, elle a réalisé des économies de 235 millions de dollars en 11 ans.

Le développement durable peut être rentable.

Il est vrai qu'investir dans de l'équipement antipollution, ça coûte cher. Cependant, avec de l'imagination, certaines entreprises ont trouvé différents moyens de réduire les coûts: le Canadian Waste Materials Exchange, à Mississauga en Ontario, permet à des centaines d'entreprises d'échanger leurs déchets, produits chimiques, solvants et autres matières polluantes; car il arrive souvent que le déchet de l'un devienne la matière première de l'autre. La compagnie Inco a mis au point son propre système de contrôle des émissions de dioxyde de soufre et elle le rentabilise maintenant en vendant son système à d'autres entreprises. Toujours en Ontario, l'imprimerie RBW Graphics, d'Owen Sound, a décidé de regarder de près sa production de déchets quand la ville a annoncé que le coût de l'enfouissement des ordures allait doubler. Elle s'est tournée vers le recyclage du papier, de l'encre et d'autres déchets, si bien qu'au bout d'un an, des dépenses de 60 000 $ lui ont permis de réaliser des économies de 280 000 $.

Comme on peut le voir, les préoccupations environnementales n'entraînent pas nécessairement des pertes d'argent. Dans le passé, les environnementalistes aussi bien que les producteurs avaient tendance à croire que le seul moyen efficace de réduire la pollution, c'était de mettre un frein à la croissance. Aujourd'hui, à la suite de la diffusion du rapport de la Commission mondiale sur le développement et l'environnement (aussi connu comme le rapport Brundtland, du nom de celle qui en fut la présidente), le concept de développement durable suggère que si nous nous y mettons vraiment, nous pourrons concilier croissance économique et protection de l'environnement. Regardez les Japonais par exemple : leurs constructeurs d'automobiles ont connu le succès partout dans le monde en produisant des automobiles qui consomment peu d'essence. Ce fut à l'époque leur réponse aux règlements très stricts concernant les émissions polluantes dans leur propre pays. (Placés devant un défi semblable, les constructeurs américains ont eu recours aux tribunaux pour éviter de se soumettre !)

En fait, on entrevoit que les industries engagées dans la protection de l'environnement et dans son assainissement sont appelées à connaître une croissance accélérée. Des experts ont même prédit qu'elles pourraient bien connaître une croissance annuelle de 20 % à 30 %. L'une de ces entreprises d'avant-garde dans le domaine est Eco-Tech Inc. Entièrement canadienne, cette entreprise conçoit et fabrique des appareils qui

> **La protection de l'environnement et les produits «verts» : une nouvelle source de croissance.**

récupèrent les produits chimiques et réduisent substantiellement les rejets de produits dangereux dans l'industrie de finition des métaux. Elle est rapidement passée du rang de petite PME n'employant que deux personnes à temps plein à celui de chef de file dans son domaine, avec 75 employés au Canada, une usine en Grande-Bretagne et des exportations dans plus de 28 pays. Entre-temps, la demande pour des produits «verts», qui ne sont pas dommageables pour l'environnement, connaît une croissance rapide et le marché nord-américain pour de tels produits serait de près de 1 milliard de dollars.

❖❖❖❖❖❖❖❖❖❖❖❖❖❖❖❖❖❖❖❖❖❖❖❖❖❖❖❖❖❖❖❖❖

L'ÉCOLOGISME AU TRAVAIL

Sur le plan individuel, que pouvons-nous faire ? D'abord nous devons cesser de voir les grandes entreprises comme de grandes organisations sans âme que nous n'avons pas les moyens d'influencer. N'oublions pas que les employés qui travaillent pour ces grandes corporations sont des êtres humains et que ce sont aussi des personnes qui investissent leur argent pour les financer. En somme, ces grandes structures ne pourraient exister sans nous. Aussi nous devons faire en sorte que l'argent que nous y investissons soit un levier qui influencera leurs décisions pour que les grandes entreprises québécoises changent de façon radicale leur manière de voir et d'agir en rapport avec toute cette question de la protection de l'environnement.

❖❖❖❖❖❖❖❖❖❖❖❖❖❖❖❖❖❖❖❖❖❖❖❖❖❖❖❖❖❖

Comment avoir de l'influence?

Si vous êtes le grand patron d'une usine de produits chimiques, alors vous pouvez très certainement avoir de l'influence sur les choix environnementaux de votre entreprise. Cependant, même les employés subalternes peuvent assumer une certaine responsabilité en regard des choix environnementaux de leur entreprise.

Les employés peuvent faire des pressions pour que l'on forme des comités chargés d'analyser la performance de l'entreprise sur le plan de l'environnement. Ils ou elles peuvent également tenter d'influencer le choix des fournisseurs de l'entreprise afin que la préférence soit donnée à ceux qui ont un dossier environnemental positif. Une autre façon d'intervenir, c'est de faire des pressions pour que l'argent des caisses de retraite ne soit pas investi dans des entreprises reconnues pour leur négligence en regard de l'environnement.

Les syndicats ont certes un rôle important à jouer pour faire connaître les problèmes environnementaux auprès des employeurs et du grand public en général. Après tout, ce sont eux les premiers touchés et, comme le souligne Rick Coronado, du comité environnemental du Conseil du travail de la ville et de la région de Windsor, les produits chimiques et les substances toxiques qui finissent par causer du tort à l'environnement et par affecter la santé de la population s'attaquent d'abord aux travailleurs qui les utilisent ou les produisent.

De plus, à cause de leur expérience dans l'organisation et la lutte pour la revendication de bonnes conditions de travail, les syndicats peuvent être très efficaces pour promouvoir la mise en place d'une législation adéquate en matière de protection de l'environnement et pour exiger de leurs patrons qu'ils mettent en application des mesures de protection à l'usine même. Le comité environnemental de la section locale 444 des Travailleurs unis de l'automobile recommande aux travailleurs de suivre de près et de contrôler les différents matériaux qui sont envoyés aux sites d'enfouissement, et d'en informer le comité si des matières dangereuses ou qui pourraient être recyclées y sont mêlées. De son côté, Rick Coronado recommande que des comités environnementaux soient formés dans toutes les sections locales et qu'ils coopèrent avec les groupes communautaires pour lutter contre les diverses sources de pollution. Des membres du syndicat ont ainsi contribué à faire circuler une pétition s'opposant à la construction d'un incinérateur géant à Detroit, d'où l'on craint de voir s'échapper des substances toxiques cancérigènes.

Au bureau ou à l'usine, vous pouvez intervenir, peu importe ce qui s'y fait ou ne s'y fait pas déjà, pour que l'on prenne des mesures de protection de l'environnement. Si vous voyez qu'autour de vous on est sensibilisé à ces questions, alors profitez-en pour mettre de l'avant des mesures d'économies d'énergie, notamment au niveau du chauffage, de l'éclairage, de la climatisation et de la ventilation (voir le chapitre 5 pour des renseignements sur ce sujet).

◆◆◆◆◆◆◆◆◆◆◆◆◆◆◆◆◆◆◆◆◆◆◆◆◆◆◆◆◆◆◆◆◆

La récupération

On peut récupérer le papier, le carton, le plastique, le verre, le métal des boîtes de conserve et des cannettes, de même que les restes de nourriture. Prenons l'exemple des édifices de la compagnie Sun Life, dans le centre-ville de Toronto : on y a récupéré, en 1988, 180 des 780 tonnes de déchets de papier, ce qui a représenté une économie de 25 000 $.

La **récupération du papier** vous intéresse ? Alors contactez l'un ou l'autre des organismes ou des bureaux du gouvernement présents dans votre région, ou alors le service municipal ou privé susceptible de répondre à vos questions.

L'adresse principale pour le Québec :

Service de la récupération
Ministère de l'Environnement
3900, rue Marly
Sainte-Foy (Québec) G1X 4E4
Téléphone : (418) 644-3376

❖❖❖❖❖❖❖❖❖❖❖❖❖

Le papier recyclé

Bien sûr, vous voudrez également utiliser du papier recyclé au bureau. Cependant, il vous faut savoir que le papier que vous placez dans les boîtes de récupération, papier jeté après usage, n'est pas encore, au Québec du moins, recyclé en papier fin. On en fait des mouchoirs en papier, du papier hygiénique ou du carton. Toutefois, la

Ce livre est imprimé sur du papier contenant plus de 50% de papier recyclé dont 5% de fibres recyclées.

demande est déjà assez forte pour inciter les fabricants de papier à investir dans l'achat d'équipement grâce auquel nous pourrons enfin boucler la boucle du recyclage en transformant de nouveau en papier fin nos déchets de papier récupérés dans les bureaux.

Déjà on trouve sur le marché du papier fin contenant un certain pourcentage de papier recyclé. Le sigle éco-logo de l'Association canadienne de normalisation et le logo des matières recyclées constitué des trois flèches concentriques commencent à être connus par un grand pourcentage de consommateurs qui, peu à peu, acquièrent l'habitude des papiers et enveloppes faits de papiers recyclés non blanchis. Il faut comprendre cependant qu'il s'agit surtout de papier provenant de deux sources

indépendantes des consommateurs et de leurs efforts pour mettre en place la récupération du papier. D'abord, il y a le papier et la fibre que l'on récupère à l'usine même. Cela s'est toujours fait, ce n'est pas nouveau : au moins 10 % du papier neuf que nous achetons provient de telles fibres recyclées. Ensuite, il y a le papier que l'on récupère dans les grandes imprimeries et d'autres secteurs de l'industrie de la transformation. Dans ce dernier cas, on parle de récupération post-commerciale.

La compagnie de papiers Rolland est la seule qui utilise de la fibre désencrée postcommerciale pour fabriquer ses papiers fins, lesquels contiennent en moyenne 10 % de cette fibre.

Les papiers fins Domtar estiment qu'ils utilisent de 40 % à 60 % de fibres recyclées dans la fabrication de leur papier. Ils incluent dans ce pourcentage le papier récupéré en usine, les résidus de matière ligneuse, le papier récupéré après consommation et différentes fibres récupérées dans les déchets municipaux. L'entreprise offre également un papier fait entièrement de fibres recyclées (non désencrées) dans son usine de St. Catharines en Ontario.

À partir des mêmes sources, **la compagnie de papiers Rolland** fabrique des papiers commerciaux faits avec 45 %

de fibres recyclées en moyenne.

Les magasins **The Paper Source** de Fallbrook en Ontario (code postal : K0G 1A0) ne vendent que du papier contenant un minimum de 50 % de fibres recyclées. Comme cette entreprise ne trouve pas au Canada du papier fin qui satisfasse cette norme, elle ne vend que du papier fabriqué aux États-Unis, lequel contient de plus un certain pourcentage de papier véritablement récupéré en bout de piste auprès des consommateurs eux-mêmes.

La compagnie **Conservatree Paper** (2107, Van Ness Avenue, San Francisco, CA 94109) est un distributeur de papiers faits aux États-Unis qui contiennent un pourcentage élevé de fibres recyclées.

L'éclairage et l'ameublement

Employez de préférence des fluorescents compacts, aussi bien pour les lampes sur table que pour les plafonniers. Assurez-vous qu'il y a des commutateurs facilement accessibles qui permettent d'éteindre quand on n'a pas besoin d'une source d'éclairage. Réduisez l'intensité de l'éclairage quand c'est possible. Quant aux meubles, évitez ceux qui sont fabriqués avec des bois tropicaux (voir chapitre 5).

Le nettoyage

Remplacez les nettoyants commerciaux par des nettoyants moins toxiques (voir chapitre 3). Ne vous débarrassez pas des produits de nettoyage n'importe comment : traitez-les comme des déchets dangereux.

Dans les toilettes

Dans les toilettes, faites installer des robinets munis d'aérateurs (voir chapitre 5) et utilisez de préférence des rouleaux de tissu pour vous essuyer les mains. Placez des économiseurs d'eau dans les réservoirs des toilettes.

Dans les cuisines et les cafétérias

Accordez la préférence à la vaisselle et aux ustensiles réutilisables. N'employez pas de la vaisselle jetable en carton ou en plastique. Même si vous n'avez qu'une simple machine à café, employez de vraies tasses et des cuillères de métal au lieu des verres et des bâtonnets jetables. Assurez-vous que le réfrigérateur est en bon état de marche et appliquez en gros les mêmes règles de conduite que vous suivez à la maison (voir chapitre 5).

❖❖❖❖❖❖❖❖❖❖❖❖❖❖❖

L'aménagement paysager

Si vous avez la chance de faire partie de ceux qui ont de la pelouse et des plates-bandes autour de leur lieu de travail, demandez que l'on n'y utilise pas de pesticides ni d'engrais chimiques. La terre pourra être engraissée avec du compost fabriqué à partir des déchets de nourriture provenant de la cafétéria.

◆◆◆◆◆◆◆◆◆◆◆◆◆◆◆

Le transport

Si votre entreprise fournit des voitures à ses employés, encouragez-la à acquérir les modèles qui consomment moins d'essence et qui sont munis de bons dispositifs antipollution. Encouragez l'usage de la bicyclette en installant des supports à vélos et en faisant installer des douches sur les lieux de travail. Chaque fois que vous en avez l'occasion, ayez recours aux services de messageries à bicyclette.

Vous serez étonnés de constater à quel point vous pouvez intervenir pour améliorer les choses au bureau, quelle que soit la nature des difficultés auxquelles vous serez confrontés. L'école, par exemple, est un lieu de travail où l'on peut faire beaucoup de choses pour améliorer l'environnement. Non seulement beaucoup de gens travaillent dans cet endroit où l'on fait l'achat de grandes quantités de toutes sortes de produits, mais c'est aussi un lieu où l'on peut exercer une bonne influence sur les jeunes. Mille et un projets scientifiques à saveur environnementale peuvent être proposés, de l'aménagement d'un parc à la récupération du papier, en passant par les économies d'énergie.

◇◇◇◇◇◇◇◇◇◇◇◇◇◇◇

Les matières dangereuses en milieu de travail

Le Système d'information sur les matières dangereuses en milieu de travail, récemment mis au point par le gouvernement fédéral, fournit des lignes directrices pour la manutention sécuritaire des matières dangereuses par les travailleurs, peu importe la nature de ces matières et les caractéristiques de leurs lieux de travail. Fondamentalement, ce programme impose des règles strictes pour l'étiquetage des substances dangereuses utilisées en usine. De plus, on doit renseigner les travailleurs sur ces produits dangereux et sur la manière de les manipuler, par des séances d'information auxquelles tous sont tenus d'être présents et par la distribution d'une documentation adéquate sur chacun des produits utilisés.

Grâce à cette information, les travailleurs sauront exactement quel équipement utiliser (gants, masques, lunettes de sécurité, etc.), quelles précau-

tions prendre, comment entreposer ces substances et comment se débarrasser des contenants vides en toute sécurité. L'usage de pictogrammes permet à ceux qui ne savent pas lire ou qui ne comprennent pas la langue dans laquelle l'information est donnée sur les contenants de comprendre quels dangers ils courent en utilisant telle ou telle de ces substances.

Même si le système mis au point met l'accent sur la responsabilité personnelle des ouvriers, cela ne veut pas dire que la direction des usines n'a pas sa part à faire : elle doit faire en sorte que ses travailleurs soient bien informés et s'assurer que les produits chimiques et les substances dangereuses soient manipulés adéquatement en tout temps.

Même s'il s'agit d'une réglementation fédérale, son application relève des provinces. Dans la plupart d'entre elles, on n'en est qu'aux balbutiements et la Nouvelle-Écosse a même choisi de ne pas l'appliquer. De plus, le Centre canadien de santé et sécurité au travail, lequel fournit une bonne part de l'information utilisée dans le cadre de ce programme, est menacé de disparaître à cause de coupures budgétaires, ce qui est fort malheureux.

❖❖❖❖❖❖❖❖❖❖❖❖❖❖❖❖❖❖❖❖❖❖❖❖❖❖❖

La dénonciation

Parfois, les travailleurs ne réussissent pas à faire changer des pratiques qu'ils savent être dangereuses pour eux-mêmes et pour l'environnement. Si jamais vous vous trouvez dans une telle situation, vous serez peut-être tenté d'avoir recours à la dénonciation auprès des gouvernements ou des médias pour faire changer les choses. C'est un pensez-y-bien. La loi protège ceux qui font de telles dénonciations, mais seulement s'ils agissent auprès des instances gouvernementales. Quant aux mesures de rétorsion que l'entreprise peut prendre si vous êtes identifié comme dénonciateur, il y a là une zone grise où vous risquez de prendre des coups, et vous défendre en cour contre l'entreprise entraînerait de telles dépenses qu'il vaut mieux ne pas y songer.

Vous êtes particulièrement vulnérable si vous ne faites pas partie d'un syndicat et si vous vous trouvez dans une situation où il pourrait être tentant pour l'entreprise de vous congédier (quand elle a un surplus de personnel par exemple). De plus, les dénonciateurs subissent parfois l'ostracisme de leurs compagnons de travail, de leurs amis et de leurs parents, même si leur cause est juste et qu'ils ont eu raison de révéler une situation dangereuse. Cela risque d'entraîner de sérieux problèmes personnels et financiers. Le nom de Karen Silkwood vous dit-il quelque chose? Cette femme a connu toutes sortes d'ennuis pour avoir dénoncé la négligence de son entreprise qui exposait ses travailleurs à des doses de radiations trop élevées. Elle est morte, par la suite, dans un accident d'automobile, mais certains croient qu'il y a eu sabotage et qu'on l'a tuée pour la faire taire. Quant aux résultats, ils sont très incertains: comme l'a déjà dit l'une de ces personnes qui ont dénoncé certaines pratiques, «si vous avez Dieu, la presse, la loi et les faits de votre côté, alors vous avez 50 % des chances de réussir»!

Si vous envisagez le recours à la dénonciation, voici quelques conseils à suivre:

◆ Évaluez bien les coûts. Si la dénonciation risque de vous entraîner, vous et votre famille, dans des situations catastrophiques, si vous risquez par exemple de perdre votre emploi et avec lui votre pension au moment où vous approchez de l'âge de la retraite, alors laissez quelqu'un d'autre le faire. Si malgré tout, vous croyez nécessaire de courir ce risque, au moins assurez-vous que vous-même et vos proches êtes capables de faire face aux difficultés tant psychologiques que financières que votre décision pourrait entraîner.

◆ Demandez conseil à votre association professionnelle, votre syndicat, votre avocat, au ministère de l'Environnement, aux compagnons de travail en qui vous avez confiance et à d'autres dénonciateurs.

◆ Vérifiez vos droits. La loi vous protège en certains cas, mais pas toujours. Ainsi, si vous dénoncez votre entreprise dans les médias plutôt qu'auprès des instances gouvernementales, alors vous n'êtes plus protégé.

◆ Montez un dossier solide. Vous courez un certain risque, alors n'allez pas échouer seulement parce que vous n'aviez pas en main tous les faits pertinents à l'affaire. Vous risquez alors de perdre à la fois votre emploi et votre cause.

◆ Choisissez la stratégie la mieux adaptée aux circonstances de l'affaire. Si vous vous adressez à quelqu'un de haut placé dans l'entreprise, il n'est pas du tout certain qu'il se scandalisera aussi facilement que vous et qu'il réagira promptement. Certains vous conseilleront de suivre la filière hiérarchique, visant de plus en plus haut à mesure que vous constatez que l'on ne réagit pas aux échelons inférieurs. D'autres diront que vous avez avantage à garder l'anonymat et à alerter d'abord les médias et les autorités gouvernementales en mesure d'enquêter et de faire corriger la situation. Vous pouvez aussi choisir d'attendre le moment propice, un changement à la direction par exemple, pour exposer le problème, avec l'espoir que le nouveau patron sera plus réceptif. Si vous êtes prudent, certains seront portés à vous traiter de peureux, mais rappelez-vous que l'important n'est pas de jouer les héros, mais de faire changer une situation que vous jugez inacceptable et dangereuse. Dans le célèbre scandale du Watergate, aux États-Unis, un informateur anonyme, caché sous le pseudonyme Deep Throat, fut une source importante d'information pour les médias et son identité demeure inconnue à ce jour.

Le cas d'Alex Karamanchuri, un chimiste travaillant pour la Société des alcools de l'Ontario, illustre bien la patience nécessaire pour devenir un bon dénonciateur. En 1978, Karamanchuri a découvert des quantités importantes d'une substance cancérigène, le carbamate éthylique, dans les vins ontariens. Quand il constata que ses supérieurs ne réagissaient pas, Karamanchuri a continué ses analyses et les a littéralement bombardés de rapports. Entre-temps, il fut laissé de côté quand vint le moment d'accorder des promotions. Il fallut l'élection d'un nouveau gouvernement en Ontario pour que les choses changent et que ses supérieurs réagissent enfin. Pour cela, il dut menacer ses supérieurs d'aller dévoiler toute l'affaire aux nouveaux dirigeants responsables de la corporation d'État. Les rapports du chimiste et des expériences ultérieures, bien documentées, ont conduit à une enquête en bonne et due forme. Finalement, sept ans après les premières dénonciations, on procéda à un nettoyage dans l'industrie des vins en Ontario.

Si vous désirez en savoir davantage sur la dénonciation, vous pouvez vous adresser au **Congrès du travail du Canada**, au 2841, Riverside Drive, Ottawa (Ontario) K1Z 8X7.

◆◆◆◆◆◆◆◆◆◆◆◆◆◆◆◆◆◆◆◆◆◆◆◆◆◆◆◆◆◆◆◆◆

LES PLACEMENTS ÉTHIQUES

Une fois que l'on a réalisé que les entreprises qui investissent dans l'environnement n'en sortent pas perdantes, il peut devenir très intéressant de songer à faire des investissements écologiques. On peut placer son argent de bien des manières. Certains se contentent de le déposer à la banque ou envisagent l'achat d'une maison. Quand nous parlons d'investissement écologique, nous faisons référence à l'achat d'actions dans des entreprises qui se financent sur les marchés publics. Aussi les écologistes peuvent refuser d'investir dans des entreprises dont les politiques environnementales leur paraissent inadéquates et encourager plutôt celles qui font face à leurs responsabilités dans ce domaine.

Évidemment, il n'est pas facile de savoir quelles sont les entreprises qui se soucient de protéger l'environnement. Devriez-vous, par exemple, investir dans une entreprise qui pollue, mais qui fait des efforts appréciables pour réduire son niveau d'émissions polluantes? Ou préférez-vous ne placer  votre argent que dans des entreprises sans tache, tout en continuant de faire usage de votre voiture et de consommer du papier non recyclé? Vous contenterez-vous d'éviter d'encourager des entreprises qui ont mauvaise réputation, ou serez-vous plus positif et investirez-vous dans des entreprises qui prennent des initiatives intéressantes au chapitre de la protection de l'environnement? Depuis que l'environnement est devenu un thème à la mode, chacun s'en réclame et il n'est pas facile de faire la différence entre une entreprise qui fait des efforts réels et une autre qui se contente de faire semblant. Il faut aussi vous demander si vous avez le tempérament, l'intérêt et une sécurité financière suffisante pour vous lancer dans de tels investissements. Peut-être serait-il préférable pour vous d'afficher vos préoccupations environnementales en investissant dans un fonds commun de placement ou dans une caisse populaire.

Heureusement il existe un guide pour vous aider à faire vos choix, *The Canadian Guide to Profitable Ethical Investing*, d'Eugene Ellmen (Lorimer, 1989). Dans cet ouvrage, on met en évidence toutes les implications morales des différentes sortes d'investissements, du simple compte à la banque locale ou à la caisse populaire jusqu'aux actions boursières, tout en expliquant comment ces investissements rapportent.

Certains investisseurs vont plus loin et achètent des actions dans une entreprise afin d'avoir leur mot à dire sur la façon dont elle est dirigée. Des Églises, des universités et d'autres organismes soucieux de s'engager ont souvent utilisé les actions qu'ils détenaient dans une entreprise pour tenter d'influencer ses politiques. Si vous détenez des actions votantes, vous avez le droit de vote à

Des investisseurs «écologiques»: pourquoi pas?

l'assemblée annuelle des actionnaires. Il serait étonnant que vous parveniez seul à faire abolir des pratiques que vous jugez mauvaises, mais au moins votre droit de vote vous aura permis de vous exprimer sur la question qui vous préoccupe, au cours d'une telle assemblée.

Si vous possédez beaucoup d'argent et si vous avez le goût du risque, alors pourquoi ne pas investir dans du capital de risque, pour encourager de jeunes entreprises qui tentent de conquérir leur part du marché avec des produits ou des appareils issus d'une technologie douce? Qui sait, peut-être qu'ainsi vous favoriserez l'apparition d'une machine aussi révolutionnaire que le fut la presse de Gutenberg en son temps! Peut-être aussi perdrez-vous votre mise au complet. Aussi ne vous y risquez pas si vous ne jouissez pas d'un bonne sécurité financière.

Le groupe Envestment Corporation tente de créer ce lien entre les investisseurs écologistes et les jeunes entreprises tournées vers la protection de l'environnement et qui sont à la recherche de capital de risque. Vous pouvez leur écrire au 260, Queen's Quay West, bureau 1202, Toronto (Ontario) M5J 2N3.

Si vous désirez investir dans une grande entreprise, alors il vous faut savoir quelles actions acheter. Devant l'intérêt manifesté par le public, le monde des affaires s'intéresse de plus en plus aux questions de la moralité des placements. La compagnie Ethic Scan Canada Ltd (C. P. 165, succursale S, Toronto [Ontario] M5M 4L7) vend des renseignements sur différentes caractéristiques des entreprises, dont celle de la protection de l'environnement. Elle publie également un bulletin d'information bimensuel, *The Corporate Ethical Monitor.*

Rating America's Corporate Conscience, publié par le Conseil des priorités économiques (Addison-Wesley, 1986), est un livre utile pour vous aider à choisir vos investissements. Une version abrégée de cet ouvrage porte le titre de *Shopping for a Better World : A Quick and Easy Guide to Socially Responsible Supermarket Shopping.* L'information est la même, mais elle est moins détaillée. Bien que ces ouvrages ne traitent que des entreprises américaines, ils demeurent valables en ceci que beaucoup de ces entreprises ont des filiales ou des succursales au Canada. Ne perdez pas de vue cependant que certaines de ces entreprises ont des comportements différents ici et aux États-Unis en ce qui regarde l'environnement. Le Conseil a fait paraître au printemps de 1990 un livre de référence sur les investissements moralement justes ; *Investing in America's Corporate Conscience* est distribué au Canada par Prentice-Hall. Pour en savoir plus sur ces publications, écrivez au Conseil des priorités économiques, 30, Irving Place, New York, NY 10003, USA.

Certaines entreprises oeuvrant dans le domaine de l'environnement sont cotées en bourse. Méfiez-vous cependant : certaines technologies nouvelles, comme les sacs en plastique supposément biodégradables, ne font pas l'unanimité. De plus, ces actions ont tendance à fluctuer fortement au gré des crises environnementales qui font périodiquement la une des médias. Dans le numéro de juin 1989 de la revue *Moneywise,* une revue publiée par *The Financial Post,* on fait une présentation sommaire d'entreprises engagées dans la technologie de l'environnement.

Si vous ne pensez pas avoir le temps ou les connaissances suffisantes pour investir à la bourse, vous pouvez toujours placer votre argent dans un fonds commun de placement.

Quand vous achetez des actions d'un fonds commun de placement, votre argent est investi dans un certain nombre d'entreprises. Ces fonds sont devenus populaires parce que les gens les perçoivent comme un moyen relativement peu risqué de jouer à la bourse et ils offrent un assez bon rendement. Puisque c'est quelqu'un d'autre qui choisit où ira votre argent, vous n'avez pas à vous en préoccuper, ce qui vous fait épargner du temps. Rappelez-vous cependant que votre argent n'est pas assuré comme dans le cas des obligations d'épargne ou des dépôts bancaires : si le marché s'écroule ou si vous confiez votre argent à des gens malhonnêtes, vous n'avez aucune protection contre les pertes éventuelles.

Il existe depuis un certain nombre d'années des fonds communs de placement particuliers qui refusent d'investir dans des entreprises qui fabriquent de l'alcool ou des armes. Plus récemment, certains se sont spécialisés dans les placements dans des entreprises dont la cote environnementale est jugée acceptable.

Ces fonds communs de placement soucieux de préserver certaines valeurs morales ne contrôlent actuellement qu'une très faible part du marché. Toutefois, les membres du Réseau canadien pour des investissements moralement justes (Canadian Network for Ethical Investment), une association formée de courtiers, de conseillers en placements et d'investisseurs, affirment que le mouvement prend de l'ampleur et que d'ici peu 10 % des 150 milliards de dollars investis dans les caisses de retraite seront contrôlés par eux, sans parler des placements faits par les particuliers. Vous pouvez vous renseigner sur ce groupe en écrivant à C. P. 1615, Victoria (Colombie-Britannique) V8W 2X7.

Certains fonds communs de placement, qui par ailleurs se soucient de moralité dans leurs investissements, refusent de considérer les critères environnementaux parce qu'il est très compliqué de s'y retrouver. Ils s'en tiennent donc à des critères de sélection tels que les investissements en Afrique du Sud, dans le Tiers monde ou dans l'armement. Ils peuvent aussi vérifier si les entreprises sont engagées ou non dans le secteur nucléaire. Les fonds communs de placement dont nous dressons la liste ci-dessous se soucient, pour leur part, des politiques environnementales des entreprises où ils placent l'argent de leurs membres. Certains se contentent d'éviter les entreprises qui ont mauvaise réputation tandis que d'autres encouragent activement des entreprises qui mettent sur pied d'intéressants programmes de protection de l'environnement. (Pour acheter des fonds américains, il vous faudra conclure des arrangements spéciaux avec votre courtier.)

◆ Le Fonds de solidarité des travailleurs du Québec, organisme appartenant à la Fédération des travailleurs et des travailleuses du Québec (FTQ) sélectionne avec beaucoup d'attention les entreprises parmi lesquelles il effectue des placements. Les critères environnementaux y sont respectés de même que ceux concernant l'armement, le nucléaire et les entreprises qui possèdent des intérêts en Afrique du Sud. Le fonds possède des bureaux permanents à Québec et à Montréal et il est possible de se procurer de l'information en appelant ou en écrivant à la permanence régionale de la FTQ.

◆ Environmental Investment Canadian Fund/International Environmental Fund (parrainé par le groupe Pollution Probe): Environmental Investment Funds Ltd., 225, Brunswick Avenue, Toronto (Ontario) M5S 2M6.

◆ Investors Summa Fund Ltd., 280, Broadway, Winnipeg (Manitoba) R3C 3B6.

◆ Dreyfus Third Century Fund, 767, Fifth Avenue, New York NY 10153, USA.

◆ New Alternatives Fund, 295, Northern Boulevard, Great Neck, NY 11021, USA.

◆ Pax World Fund, 224, State Street, Portsmouth, NH 03801, USA.

Les fonds suivants acceptent les placements de groupes tels que les caisses de retraite :

◆ Canadian Ethical Dynamic and Responsible Balanced Fund (CEDAR), #1, 10005 - 80 Avenue, Edmonton (Alberta) T6E 1T4.

◆ Crown Commitment Fund, Crown Life Insurance, 120, rue Bloor Est, Toronto (Ontario) M4W 1B8.

En principe, les fonds communs de placement qui ont des préoccupations morales devraient rapporter moins que les autres parce que le choix des entreprises où investir est plus restreint. Les faits cependant démentent cette théorie, car on obtient des rendements fort intéressants avec ces fonds communs de placement particuliers. Évidemment la performance de ces différents fonds fluctue énormément d'une année à l'autre. Avant d'y placer votre argent, assurez-vous que vous avez sur l'un ou l'autre de ces fonds communs de placement des renseignements à jour et restez vigilants même après avoir fait votre choix. Un courtier ou un conseiller en placements pourrait vous être utile si vous voulez y voir clair.

Les organismes mentionnés ci-dessous peuvent vous renseigner sur la manière d'investir d'une manière moralement et écologiquement correcte :

● The Social Investment Forum, 711, Atlantic Avenue, Boston, MA 02111, USA.

● Taskforce on the Churches and Corporate Responsibility, 129, avenue St. Clair Ouest, Toronto (Ontario) M4V 1N5.

● Social Investment Study Group, c/o Ted Jackson, E.T. Jackson and Associates, bureau 712, 151, rue Slater, Ottawa (Ontario) K1P 5H3.

Si vous décidez de rechercher les placements moralement justes, ne perdez pas de vue que les bonnes intentions ne garantissent pas les bons rendements. Il peut vous arriver de perdre de l'argent, car de tels placements sont sujets aux mêmes fluctuations du marché que les autres. Alors prenez le temps de bien vous renseigner et recherchez les conseils d'experts en ce domaine, et soyez conscient des risques que vous prenez.

❖❖❖❖❖❖❖❖❖❖❖❖❖❖❖❖❖❖❖❖❖❖❖❖❖❖❖❖❖❖❖

LES CARTES DE CRÉDIT ASSOCIATIVES

L es cartes de crédit dites associatives constituent également un bon moyen de faire en sorte que votre argent contribue à l'avancement de la cause environnementale. Ces cartes de crédit sont des cartes Visa ou MasterCard spéciales qui prélèvent une partie des montants que vous y souscrivez pour les remettre à un organisme sans but lucratif. Chaque fois que vous vous servez d'une telle carte pour faire vos achats et chaque fois que vous payez votre cotisation annuelle, à votre banque, à votre fiducie ou à votre caisse populaire, on remet un certain pourcentage de l'argent que vous dépensez ainsi à l'un ou l'autre de ces organismes. À la Banque de Montréal et au Trust du Canada, on offre, par exemple, des cartes de crédit spéciales qui vous permettent de donner de l'argent à des groupes environnementaux. Ainsi Canards Illimités a reçu plus de 45 000 $ de la Banque de Montréal et la Fédération de la faune du Canada près de 50 000 $. À la section canadienne du Fonds mondial de la faune, on emploie l'argent recueilli dans le pays à couvrir les frais d'exploitation, ce qui permet de financer par d'autres sources les recherches sur le terrain. Au Trust du Canada, on donne 10 $ au Fonds mondial de la nature chaque fois qu'une nouvelle carte de crédit associative est émise. Chaque fois que quelqu'un renouvelle son abonnement, 20 $ reviennent au fonds. De plus, un certain pourcentage est prélevé sur chaque transaction. Si les émetteurs de votre carte de crédit financent ainsi un organisme que vous désirez appuyer, alors procurez-vous une de ces cartes associatives. S'ils ne le font pas, demandez-leur de le faire et si vous voyez qu'ils ne bougent pas assez vite, alors changez d'entreprise.

Chapitre 10

LES VOYAGES ET LES LOISIRS

En dépit de la recommandation bien connue qui nous est faite de «ne laisser que des mercis et de ne prendre rien d'autre que des photos», il arrive trop souvent que, au cours de nos voyages, nous laissions des traces désagréables de notre passage. Que vous passiez la journée au jardin zoologique près de chez vous ou que vous parcouriez l'Extrême-Orient pendant un an, il faut toujours tenir compte des conséquences que peuvent avoir vos actes sur l'environnement.

> **«** *Il semble que bien des gens, lorsqu'ils voyagent, ne perçoivent rien d'autre que la réflexion de leur propre manière de voir.* **»**
>
> Stephen Leacock

L e moyen de transport que nous choisissons pour voyager a son importance, comme nous l'avons vu au chapitre 8. Et puis, comment votre présence va-t-elle affecter l'environnement physique et culturel des régions que vous visitez ? Et pendant que vous vous amusez, savez-vous bien si vous n'êtes pas involontairement en train de donner votre appui à des pratiques et à des organisations avec lesquelles en d'autres temps et en d'autres lieux vous ne vous voudriez pas être associé ?

◆◆◆◆◆◆◆◆◆◆◆◆◆◆◆◆◆◆◆◆◆◆◆◆◆◆◆◆◆◆

VOYAGER À L'ÉTRANGER

O n calcule que 300 millions de voyageurs franchissent les frontières de leur pays chaque année. Les Canadiens quant à eux raffolent des voyages. Véritables globe-trotters, en 1988 ils ont fait 105 millions de voyages à l'extérieur du pays. On connaît l'engouement des Québécois pour la Floride, les pays d'Amérique centrale et le continent européen ; plus de 9 millions de voyages en 1990. Les destinations exotiques voient leur popularité croître rapidement. En 1984, 17 % de tous les voyages à l'étranger ont mené les gens dans des pays du Tiers monde, deux fois plus que 10 ans auparavant. Ne croyez pas qu'il s'agisse seulement de jeunes qui partent sac au dos faire du trekking au Népal ou faire une croisière dans les îles Galapagos. Des voyageurs plus rassis  ne craignent plus de choisir des pays du Tiers monde comme destination pour leurs vacances. Cette tendance cause des problèmes aussi bien à l'environnement physique qu'aux gens qui vivent dans ces pays.

Bien que l'on prétende souvent que, sur le plan économique, le tourisme rapporte beaucoup à un pays pauvre, il arrive qu'en réalité ce soit le contraire. Pensez à tout cet argent qui sort d'un

Le bulletin *Contours* que fait paraître l'Ecumenical Coalition on Third World Tourism [Coalition oecuménique sur le tourisme dans le Tiers monde] (C. P. 24, Chorakhebua, Bangkok 10230, Thaïlande) pose le problème en ces termes :

«Sur le plan international, on remarque que le tourisme constitue principalement un déplacement de gens venus des pays riches qui vont jouir des îles, des plages et des villes pittoresques disséminées dans les pays pauvres du Tiers monde. Pourtant, si nous optons pour le "paradis tropical", nous exigeons qu'il nous soit offert avec tout le confort auquel nous sommes habitués dans notre propre pays. Alors pour nous satisfaire, on construit de grands hôtels faits d'acier et de verre juste à côté de villages où se dressent les pauvres cabanes de paysans ou de pêcheurs, créant ainsi des oasis de luxe où ces gens n'oseront jamais mettre les pieds... Bien que la plupart des voyageurs soient de modestes représentants de la classe moyenne dans leur propre pays, les prix qu'ils payent pour s'offrir ces vacances de rêve paraissent exorbitants aux yeux des populations locales... Nous sommes chez eux, et pourtant nous ne partageons pas leurs habitations ni leur nourriture ni leurs moyens de transport.»

pays d'accueil pour l'achat d'ascenseurs, de voitures, d'autocars, de systèmes de climatisation, de nourriture à l'occidentale, et de toutes ces choses que les touristes s'attendent de trouver quand ils voyagent. De toute façon, une grande partie de ce que vous coûte votre voyage reste au pays dans les coffres des agences de voyage, des compagnies de transport aérien et des chaînes d'hôtels internationales. Pendant ce temps, les gouvernements des pays d'accueil dépensent beaucoup d'argent pour le développement touristique, dans l'espoir d'attirer les capitaux étrangers. Cet argent aurait été plus profitable s'il avait été investi dans les domaines de la santé et de l'éducation, ou dans d'autres secteurs de développement. On exproprie des terres, souvent sans donner de compensation suffisante et parfois en faisant usage de violence, afin de construire des hôtels, des

Le tourisme : du bon et du mauvais.

aéroports et d'autres installations pour les touristes. Les fermiers et les pêcheurs abandonnent leur mode de vie traditionnel et deviennent dépendants du commerce avec les touristes. Les meilleurs emplois sont réservés aux personnes recrutées à l'étranger par les compagnies internationales. On voit rapidement disparaître les structures sociales ancestrales et l'ancienne manière de vivre, ce qui crée de nombreux problèmes sociaux. Que survienne un ouragan, une période d'instabilité politique ou simplement un changement dans les destinations à la mode et les touristes disparaissent, privant alors les communautés de leur principale source de revenus et les laissant fort démunies.

Les conséquences de la dégradation économique, de la prostitution et des autres ravages causés par le tourisme dans les pays du Tiers monde sont telles, qu'elles pourraient vous inciter à rester chez-vous, tout simplement. Pourtant le tourisme peut être un formidable moyen de compréhension mutuelle, en abolissant les barrières entre les peuples et en permettant aux uns et aux autres de s'informer réciproquement de leurs coutumes, de leurs valeurs sociales et de leur mode de pensée.

Pour faire de ses voyages de riches expériences de communication plutôt qu'une forme d'exploitation économique, il suffit de se rapprocher des gens que l'on vient visiter. Au lieu de s'installer dans un grand hôtel et de manger dans des restaurants chers où l'on sert toujours le même type de nourriture à l'occidentale, pourquoi ne pas se loger dans les petits

Quelle sorte de voyageur sommes-nous ?

hôtels que fréquentent les gens du pays et manger dans les mêmes restaurants qu'eux ? De cette façon, vous contribuerez réellement à la croissance de l'économie locale.

Voyager à la manière locale coûte moins cher et se révèle beaucoup plus intéressant. Chaque jour vous faites la découverte d'une culture différente, d'une autre façon de voir le monde. Voyez à quelles conclusions en est arrivé Arthur Frommer, cet éditeur fameux qui a publié de nombreux guides du routard : «Pendant 30 ans j'ai participé à la rédaction de guides traditionnels, écrit-il dans l'introduction à l'un de ses derniers guides, et je me suis rendu compte finalement que la plupart des voyages que les Américains entreprennent sont banals et sans saveur, sans contenu réel, bassement commerciaux et insatisfaisants pour un esprit curieux en quête de découvertes.»

Dans son ouvrage *The New World of Travel* (General, 1988), Frommer choisit une approche encore plus authentique du voyage, allant des considérations morales et environnementales aux voyages d'études et aux façons peu coûteuses de voyager. Dans d'autres livres, comme ceux de la série *Lonely Planet*, on trouve de bonnes indications sur comment voyager à bas prix dans le Tiers monde. Vous pouvez vous procurer le guide *Alternative Tourism : A Resource Guide* et d'autres ouvrages sur la manière correcte de

> La Coalition oecuménique sur le tourisme dans le Tiers monde recommande aux voyageurs de suivre le code de conduite suivant :
>
> ● Imprégnez-vous d'un esprit d'humilité et du désir sincère de rencontrer et de parler avec les gens du pays.
>
> ● Soyez conscients des sentiments que les gens peuvent éprouver à votre endroit : évitez tout comportement offensant.
>
> ● Au lieu de croire que vous possédez toutes les réponses, prenez le temps d'écouter les gens et de bien observer comment ils sont ; ne vous contentez pas d'entendre et de voir superficiellement.
>
> ● Prenez conscience du fait que, dans d'autres cultures, la notion du temps et les modes de pensée peuvent être très différents, mais en aucun cas inférieurs aux vôtres.
>
> ● Au lieu de vous contenter des plaisirs de la plage, prenez le temps de circuler pour découvrir toute la richesse d'une autre culture et d'une autre manière de vivre.
>
> ● Renseignez-vous sur les coutumes locales et respectez-les.
>
> ● Ne croyez pas que tous les égards vous sont dus : après tout, vous n'êtes qu'un parmi un grand nombre de visiteurs.
>
> ● Quand vous marchandez, ayez présent à l'esprit que le plus pauvre des marchands préférera se priver d'un certain profit, plutôt que de perdre sa dignité personnelle.
>
> ● Ne faites pas de promesses que vous savez ne pas pouvoir tenir.
>
> ● Prenez quelques minutes chaque jour pour réfléchir et approfondir la compréhension de ce que vous venez de découvrir. Vous percevrez ainsi ce qui échappe aux autres.
>
> ● Si ce que vous recherchez à l'étranger, ce sont les mêmes choses que dans votre pays, alors pourquoi voyager ?

voyager en écrivant au Center for Responsible Tourism, 2, Kensington Road, San Anselmo, CA 94960, USA.

Il ne faut cependant pas avoir la naïveté de croire que les voyageurs qui s'arrêtent dans les petits hôtels et mangent dans les mêmes restaurants que les habitants du pays vont se comporter nécessairement mieux que ceux qui sont logés dans les grands hôtels de luxe. L'un et l'autre groupes peuvent se révéler très encombrants pour les gens de la place. Aussi, quel que soit le type de voyage que vous choisirez, essayez de bien vous conduire, où que vous soyez. Les voyageurs en provenance des pays de l'Ouest ont la réputation de ne pas s'habiller convenablement, d'afficher des airs extravagants, d'être mesquins, bruyants, d'employer un langage vulgaire, de pratiquer une promiscuité sexuelle qui gêne les autres, d'être rudes et de se montrer impatients face à la notion du temps et aux coutumes différentes qu'ils découvrent dans ces pays exotiques.

Les étrangers affichent la plupart de ces comportements parce qu'ils ne sont pas bien préparés à vivre dans une culture

entièrement différente de la leur. Ils se conduisent mal par igno-
rance ou parce qu'ils sont confus et submergés de sensations nouvelles; ils souffrent de ce que l'on appelle un choc culturel. Aussi
est-il important de bien se renseigner sur le pays que l'on veut
visiter, sur son histoire, sa culture et ses croyances: de cette façon
le voyage a plus de chances de se révéler une expérience enrichis-
sante pour le visiteur et pour ses hôtes.

Le confort des petites auberges du pays ne convient peut-être
pas à tout le monde; par exemple, les gens qui souffrent d'arthrite
n'aiment pas beaucoup les toilettes où il faut s'accroupir.

Voici quelques suggestions du Center for Responsible
Tourism:

◆ Si vous ne voyagez pas seul, ne formez que de petits
groupes.

◆ Accordez beaucoup de temps à la visite de chaque endroit: il vaut mieux bien visiter peu d'endroits sans se presser que
d'en voir beaucoup à la course.

◆ Achetez de préférence dans les marchés locaux plutôt que
dans les boutiques pour touristes.

◆ Partez à la découverte de la nourriture du pays plutôt que
de vous en tenir aux restaurants et aux hôtels dont la cuisine est
internationale.

◆ Utilisez les transports locaux chaque fois que c'est possible.

◆ Partagez votre temps également entre les villes et la campagne.

En passant, ne croyez pas que manger dans les restaurants
locaux risque de vous causer de graves ennuis. Des voyageurs
expérimentés estiment même que les meilleurs endroits pour bien
manger dans le Tiers monde sont les restaurants à prix moyens
que fréquentent les gens du pays. Dans quelques régions toutefois, il peut y avoir des problèmes et certaines précautions sont
nécessaires. Les guides suivants vous renseigneront sur les précautions à prendre pour votre santé: *Voyager en pays tropical* de
Jacques Hébert (Boréal Express, 1984) et *Voyager en santé sous les
tropiques*, de Pierre Viens (Éditions Le Caducée).

Une autre façon de voyager sans exploiter les gens du pays
est de faire un voyage d'études, pour apprendre une langue, une
technique artisanale ou autre chose; vous pouvez également participer à un projet de coopération internationale. Dans le livre *The
Directory of Alternative Travel Resources,* on dresse la liste de centaines de possibilités de cette nature partout dans le monde (One
World Family Travel Network, C.P. 3417, Berkeley, CA 94703,
USA).

La croissance exponentielle que connaît l'industrie des voyages constitue une menace non seulement pour les coutumes et l'économie de plusieurs pays, mais aussi pour leur environnement. Le tourisme favorise la création de parcs naturels et la préservation des monuments qui autrement seraient laissés à l'abandon, mais la tendance qui s'accentue à faciliter l'accès à des lieux célèbres mais dont l'environnement est très fragile soulève des inquiétudes. Sir

Le tourisme et l'environnement.

Edmund Hillary a dit que le mont Everest est menacé de devenir un véritable dépotoir. La ruée des amateurs de safaris-photos vers les sites exotiques les plus rares a mis beaucoup de pression sur des écosystèmes remarquables mais particulièrement fragiles.

Prenons l'exemple des îles Galapagos, où Darwin a découvert plusieurs des principes de sa théorie de l'évolution : elles sont devenues un «must» pour les voyageurs de toutes les parties du monde. On avait d'abord imposé une limite de 12 000 visiteurs par année, mais on est rapidement passé à 25 000 pour profiter plus abondamment de cette manne de dollars. En 1986, on dépassait les 30 000 visiteurs par année.

Au Népal, où les populations locales utilisent le bois comme combustible principal, l'afflux de touristes qui y font du trekking a conduit à une déforestation rapide, car les étrangers veulent du chauffage, de l'eau chaude pour leur bain, de l'eau à boire qui a bouilli et des repas à l'occidentale qui mettent plus de temps à cuire. La déforestation entraîne une érosion qui amincit la couche de terre fertile et qui cause de dangereux glissements de terrain et la disparition de la faune sauvage.

Dans les îles tropicales, l'érosion des sols suit l'assèchement des marais que l'on y pratique pour construire les installations touristiques. Le sol est entraîné vers les barrières de corail, les détruisant. Il s'ensuit de la disparition de ces barrières que les fortes vagues frappent plus durement le rivage et y causent une plus grande érosion. Finalement, le sable des plages est emporté et les touristes désertent ces endroits devenus moins attrayants, laissant derrière eux des écosystèmes dégradés.

Toutefois, certaines agences font de réels efforts pour limiter et même réparer les dommages faits à l'environnement. L'agence Worldwide Adventures, par exemple, a été la première agence occidentale à transporter du kérosène pour remplacer le bois dans les expéditions de trekking au Népal. Cette compagnie, qui offre également des excursions en Amazonie ou dans les zones où les grizzlys se reproduisent, investit également dans des projets de conservation dans les régions qu'elle fréquente et elle informe bien les voyageurs sur ce qu'il faut faire et ce qu'il ne faut pas faire, tant sur le plan culturel que sur le plan environnemental. Si

vous songez à participer à un voyage organisé, vérifiez bien auprès des organisateurs qui l'offrent si ceux-ci se préoccupent de l'environnement des régions qu'ils vous feront découvrir.

Tourisme et consommation.

Les touristes peuvent aussi causer des problèmes environnementaux par leurs achats à l'étranger. Bien que la Convention internationale sur le commerce des espèces menacées de disparition des Nations Unies interdise l'exportation d'espèces animales et végétales rares ou menacées, cela ne veut pas dire que l'on ne vous les offrira pas dans les boutiques et les marchés locaux. Renseignez-vous, avant de partir, sur les espèces menacées des pays que vous voulez visiter. On trouve des renseignements sur la Convention internationale dans la plupart des aéroports et vous pouvez aussi vous renseigner auprès du Service canadien de la faune d'Environnement Canada (Ottawa [Ontario] K1A 0H3).

❖❖❖❖❖❖❖❖❖❖❖❖❖❖❖❖❖❖❖❖❖❖❖❖❖❖❖❖❖❖

VOYAGER DANS SON PROPRE PAYS

L'impact du tourisme ne cesse de croître au Canada même. En 1987, cette industrie rapportait 21 milliards de dollars, soit 4 % du PNB. Elle constitue un secteur de l'économie où la création d'emplois croît à un rythme plus élevé que dans d'autres domaines de l'industrie.

Les 33 parcs nationaux, les réserves et les autres régions sauvages attirent en grand nombre les visiteurs étrangers et les Canadiens eux-mêmes. En 1987, 21 millions de personnes les ont visités. Malheureusement, cet afflux de visiteurs se produit au moment où le gouvernement fédéral coupe dans les dépenses consacrées aux parcs. Cela nous oblige en tant qu'usagers de ces zones préservées à nous montrer davantage responsables, de telle façon que le milieu naturel de nos parcs soit préservé dans toute son intégrité et que s'installe une coexistence pacifique entre nous et la faune ainsi que la flore de ces merveilleux sites naturels. Ce qu'il faut rechercher par-dessus tout, c'est l'impact minimal. Quand vous visitez un parc, que vous ne vous arrêtiez que pour quelques heures ou pour plusieurs jours, vous ne devriez laisser derrière vous aucune trace de votre passage.

Dans le *Code de conduite du coureur des bois*, rédigé par le Conseil ontarien de la conservation et l'Association canadienne du camping, on donne de précieuses indications sur ce qu'il faut faire pour minimiser l'impact de notre passage sur les écosystèmes de nos parcs et de nos réserves naturelles. Ce code a été rédigé à l'intention des campeurs, mais les règles qui s'y trouvent sont valables aussi pour les amateurs de randonnées et pour les visiteurs qui ne s'y arrêtent qu'en passant.

❖❖❖❖❖❖❖❖❖❖❖❖❖❖❖❖❖❖❖❖❖❖❖❖❖❖❖❖

Conseils aux campeurs et aux visiteurs

La préparation

◆ Pour ne pas trop affecter l'environnement des sites de camping, ne formez que de petits groupes.

◆ Préparez-vous adéquatement en respectant les étapes suivantes :

● Renseignez-vous sur la géographie des lieux que vous voulez visiter et informez-vous des lois et des règlements qui s'y appliquent concernant la pêche, la forêt et la faune.

● Assurez-vous que tous les membres du groupe sont au courant de tous les aspects de l'expédition prévue, y compris de ce qu'il faut faire en cas d'urgence, et soyez bien renseignés sur le code de conduite du coureur des bois.

● Veillez à emporter suffisamment de nourriture pour toute la durée de votre séjour dans la nature. Ne comptez pas sur les ressources du milieu pour vous dépanner en cas d'urgence.

- Soyez convenablement équipés : tente, vêtements, survêtements imperméables, etc.

Durant l'expédition

- Ne vous écartez pas des sentiers et des portages existants. À défaut de sentiers bien tracés, rabattez-vous sur les pistes des animaux sauvages plutôt que d'en tracer de nouvelles.

- Suivez tous les détours du sentier : emprunter des raccourcis peut entraîner des problèmes d'érosion du sol. De même il est demandé de ne pas contourner les flaques d'eau ou de boue, pour ne pas élargir indûment le sentier.

- Ne portez pas de chaussures à semelles striées, à moins que cela ne soit absolument nécessaire. Ce type de chaussures détruit le couvert de mousse et la végétation, ce qui cause l'érosion des sentiers. Portez plutôt des chaussures à semelles souples (genre tennis ou basket).

Les abris et les aires de camping

- ◆ Utilisez les sites existants. Pour minimiser le compactage du sol, évitez de couvrir une trop grande surface au cours de vos activités de camping. N'agrandissez pas les aires de camping déjà dégagées, car les plantes repoussent difficilement là où le sol a été piétiné.

◆ Si vous devez vous installer là où aucun emplacement de camping ne se trouve déjà, choisissez bien cet emplacement pour ne pas détériorer les arbres et les buissons environnants. Si votre tente est montée sur un sol couvert de végétation, déplacez-la après un jour ou deux pour ne pas étouffer et faire mourir cette végétation.

◆ N'essayez pas de transformer les lieux en arrachant des végétaux, en construisant des murs ou en creusant des tranchées autour de votre tente.

◆ Dormez dans une tente munie d'un plancher. Ne faites pas d'abris ou de litières avec des branches ou d'autres matériaux naturels trouvés sur place. Pour mieux vous protéger du vent et de la pluie, utilisez une bâche légère en plastique attachée avec de la corde.

Les feux

- Pour faire la cuisson, utilisez un poêle de camping. On en trouve maintenant sur le marché qui sont légers, compacts et très pratiques. Ainsi vous réduirez les risques d'incendie, vous épargnerez la forêt et vous verrez mieux les étoiles !

- Si vous devez faire un feu de bois, faites-le petit et utilisez un foyer déjà existant, s'il y en a un à proximité.

- Là où ne se trouve aucun foyer pour feu de camp,

faites-en un de préférence sur le roc ou le sable, près de l'eau. Si ce n'est pas possible, alors creusez bien jusqu'à la couche stérile du sol, en tentant d'éviter les racines et les branches en surplomb, et en écartant bien les débris végétaux tels que les aiguilles de conifères et les feuilles mortes.

● N'employez que du bois mort comme combustible.

● Noyez bien le feu avant de partir. Remuez les cendres et ajoutez encore de l'eau. Laissez le bois mort inutilisé pour ceux qui viendront après vous. Ramassez tout ce qui n'a pas brûlé comme les boîtes de conserve, le papier d'aluminium, etc. Si vous avez fait du feu dans un lieu non aménagé, alors faites-en disparaître les traces avant de partir.

La pipe et la cigarette

◆ Arrêtez-vous pour fumer : ainsi vous ne répandrez pas vos cendres le long du sentier.

◆ Rappelez-vous que les mégots de cigarette sont des déchets et qu'ils doivent être ramassés. Ils ne sont pas biodégradables. Vous pouvez les recueillir dans une petite boîte de métal. Cela offre de plus l'avantage de pouvoir les compter à la fin du voyage!

Les toilettes

● Utilisez les toilettes quand il y en a.

● Au besoin, creusez un petit trou dans le sol, à au moins 35 mètres d'un plan d'eau. Le sol agira comme un filtre de sorte que les lacs et les cours d'eau ne risqueront pas d'être pollués par vos excréments. N'utilisez que du papier hygiénique blanc à une seule épaisseur et enterrez bien le tout après vous être soulagés.

Les autres déchets

◆ Rapportez tout ce que vous avez emporté avec vous au départ. Voici la règle à suivre, sans aucun accroc : brûlez vos déchets ou aplatissez-les, mettez-les dans un sac et rapportez-les.

◆ Ne lavez rien directement dans les cours d'eau, ni vous-même, ni votre vaisselle, ni vos vêtements. Même chose pour le rinçage. Jetez les eaux usées dans un trou à au moins 35 mètres d'un cours d'eau. Employez des savons en barre ou liquides de préférence à des détergents.

◆ Les entrailles de poisson attirent les mouches, ce qui n'est pas très agréable pour ceux qui viendront après vous. Après avoir vidé et nettoyé le poisson, faites-en un paquet que vous irez enterrer à bonne distance du campement. Vous pouvez aussi les emporter sur une île rocheuse où ils serviront de nourriture aux oiseaux.

La faune, la flore et la nourriture sauvage

● Rappelez-vous que vous n'êtes que des hôtes de passage chez quelqu'un d'autre. Ne dérangez pas les animaux sauvages, particulièrement les jeunes animaux et les oiseaux au nid.

● Ne faites ni surpêche ni chasse excessive. Rappelez-vous de plus que dans les parcs provinciaux, toutes les plantes et tous les animaux sont protégés.

● Suivez à la lettre les règlements concernant la pêche, la chasse et l'exploitation forestière. Si vous avez des questions, posez-les à un agent de la conservation de la nature.

● Ne consommez pas de plantes sauvages comestibles, à moins qu'elles ne soient très abondantes en un certain lieu. Cette nourriture doit d'abord servir aux animaux sauvages. Ne cueillez des champignons que si vous êtes un expert en mycologie, car plusieurs champignons très répandus sont mortels.

● Ne nourrissez jamais les animaux sauvages, car cela perturbe leurs habitudes et de plus vous risquez d'être mordus par un animal nerveux ou enragé. Placez toujours votre nourriture et vos déchets hors de la portée des animaux sauvages, mais jamais à l'intérieur de votre tente. Là où il y a des ours, placez toute la nourriture ainsi que les déchets dans un sac fermé hermétiquement et suspendez le sac pour la nuit entre deux arbres à au moins 6 mètres du sol. Les ours qui prennent l'habitude de se nourrir avec les restes de nourriture que l'on leur jette devront éventuellement être abattus.

Ce que les autres ont laissé derrière eux

◆ Ramassez tout déchet que vous trouverez le long des sentiers.

◆ Dissimulez les foyers et les toilettes mal situées.

◆ Avertissez les autorités concernées de tout problème grave que vous avez décelé pendant votre randonnée.

Dans certains parcs, on permet la tenue d'activités sportives telles que les promenades à dos de cheval, le rafting (descente de rivière en canot pneumatique) et la plongée sous-marine. Pour vous renseigner sur les activités, les services offerts et la réglementation en vigueur dans les parcs fédéraux, adressez-vous au service des renseignements d'Environnement Canada, Hull (Québec) K1A 0H3. Quant aux renseignements sur les parcs et les réserves fauniques du Québec, le mieux est de commander la brochure publiée annuellement par le ministère du Loisir, Chasse et Pêche sous le titre *Activités et* services. Vous l'obtiendrez gratuitement soit en écrivant au bureau régional du MLCP, ou encore en composant le 1-800-462-5349.

Tous les parcs ne sont pas des réserves de vie sauvage. Plusieurs parcs fédéraux et provinciaux, tels ceux des fortifications de Québec, les Forges du Saint-Maurice et le Fort Chambly, sont des lieux historiques importants et certaines rivières ont reçu le titre de rivières du patrimoine canadien. On doit s'y comporter avec autant de respect que dans les parcs naturels. On trouvera des renseignements au sujet des parcs historiques auprès d'Environnement Canada. Quant au programme des rivières du patrimoine, il est géré par le Réseau des rivières du patrimoine canadien, organisme rattaché à Parcs Canada, Ottawa (Ontario) K1A 1G2.

✦✦✦✦✦✦✦✦✦✦✦✦✦✦✦✦✦✦✦✦✦✦✦✦✦✦✦✦✦✦

LA VILLÉGIATURE

On compte au Québec environ 180 000 chalets et maisons de campagne. Les gens qui s'y rendent régulièrement au cours de congés et des grandes vacances sont à même de juger des effets de la pollution, car ils retournent au même endroit, année après année. Les causes de cette pollution sont toutefois variées et souvent difficiles à identifier, ce qui fait que les villégiateurs ne savent pas exactement comment s'y prendre pour que leur présence ne contribue pas à augmenter la gravité des problèmes de pollution dans leur voisinage. La Fédération des associations pour la protection de l'environnement des lacs (FAPEL) a développé une expertise dans la plupart des aspects touchant l'aménagement et la défense des cours d'eau. Il est possible d'obtenir une documentation sans frais en s'adressant à FAPEL, 2597, rue Monsabré, bureau 105, Montréal (Québec) H1N 2K7.

Là où il y a beaucoup de chalets, c'est surtout la pollution de l'eau qui est bien visible. Les substances polluantes et les déchets se retrouvent dans les eaux des lacs et conta-

Les principales sources de pollution des lacs et des rivières.

minent également les eaux souterraines. L'écosystème des lacs et des rivières s'en trouve affecté : certains déchets constituent un apport nutritif pour quelques algues qui prolifèrent et déséquilibrent la structure de la chaîne alimentaire. Les sources principales de pollution sont les cannettes de bière que l'on jette à l'eau, l'huile et l'antigel qui s'échappent des embarcations à moteur, les savons, les shampoings ainsi que les détergents pour lave-vaisselle. En outre, les déchets humains peuvent causer des maladies graves telles que l'hépatite virale, la polio et la diarrhée.

Si vous ne désirez pas contribuer à cette pollution des eaux, consultez le chapitre 3 au sujet des produits de nettoyage domestique qui ne sont pas dommageables pour l'environnement de même que le chapitre 6 au sujet, entre autres, du jardinage et de l'emploi des pesticides. Puisque les chalets sont généralement situés près des cours d'eau et des lacs, il est d'une grande importance d'y faire un usage restreint et bien contrôlé des produits chimiques. S'il existe un service de recyclage de produits dangereux près de votre domicile principal, alors rapportez à la ville ces produits que vous utilisez au chalet pour vous en débarrasser sans polluer l'environnement.

Les produits employés au chalet pour préserver le bois constituent un problème sérieux. On en imprègne les murs, les quais, les pontons et même les cabanes d'oiseaux. Plusieurs de ces produits contiennent du pentachlorophénol, un pesticide très toxique qui tue les insectes rongeurs du bois. Le mélange suivant, qui a été testé par le ministère américain de l'Agriculture, constitue une bonne solution de remplacement :

AGENT DE CONSERVATION POUR LE BOIS

750 ml de vernis pour l'extérieur
30 ml de paraffine
Des essences minérales ou de la térébenthine en quantité suffisante pour fabriquer 4 litres du produit
Plongez le bois dans le mélange obtenu pendant deux ou trois minutes si cela est possible. Si ce ne l'est pas, utilisez une brosse pour l'appliquer, tout en vous assurant que les extrémités des pièces et les joints sont copieusement enduits. On peut peindre les surfaces ainsi traitées après deux ou trois jours de beau temps.

Puisque votre chalet n'est probablement pas raccordé à un système d'égouts collecteurs, il vous faut envisager l'installation d'une fosse septique pour contenir vos eaux usées. La fosse septique est un réservoir pouvant contenir entre 2 700 et 4 500 litres de déchets sous terre. L'eau et la chaux stimulent la prolifération de bactéries dans les dépôts, ce qui favorise leur décomposition. Au bout du compte, ce qui reste est absorbé par le sol, après avoir été filtré par des tuiles ou un lit de gravier.

Les produits
anti-moustiques

Au mieux, les mouches noires, les moustiques et les autres insectes piqueurs sont des irritants mineurs. Au pire, ils peuvent causer des troubles graves comme la méningite, la fièvre des Rocheuses ou la maladie de Lyme. Il faut savoir cependant que certains produits anti-moustiques contiennent des substances chimiques dangereuses. Heureusement, il est possible de se protéger assez bien contre ces indésirables en portant des vêtements appropriés et en faisant usage d'anti-moustiques naturels.

En forêt, il est préférable que les vêtements ne soient pas trop ajustés. Ils doivent être de couleur claire et couvrir le plus de peau possible. Méfiez-vous des petites ouvertures et faites en sorte que le collet, le bout des manches et le bas des pantalons soient bien fermés et collés à la peau. Si vous faites usage d'un anti-moustiques, du moins limitez-vous aux mains et au visage, gardant le reste du corps bien couvert. Vous pouvez aussi employer de l'huile de citronnelle pour chasser les moustiques importuns. On peut se procurer facilement ce produit dans les pharmacies.

Certaines personnes croient que la nourriture que l'on absorbe peut avoir un effet sur les moustiques. On conseille de manger de l'ail (il semble que les insectes, comme nous, n'aiment pas l'odeur de l'ail), de ne pas consommer de sucre ou de farine raffinés, et d'absorber davantage de vitamines B ou de la levure de bière.

Quant aux démangeaisons dues aux piqûres, elles s'atténueront si vous les frottez avec de l'ail, du jus de lime ou de citron, du sel humide ou de la poudre de vitamine C.

Certaines fosses septiques ne fonctionnent pas à l'eau. Puisque les déchets y restent à l'état solide, il faut prendre garde qu'ils n'obstruent pas le réservoir. Il faut le vidanger régulièrement et se débarrasser des boues septiques au centre de traitement des eaux usées de votre municipalité. Elles peuvent aussi être compostées pour produire un très bon engrais naturel.

Les fosses septiques ne représentent cependant pas la meilleure solution. On ne devrait pas les installer là où le niveau des lacs et des cours d'eau connaît des variations importantes, car, au moment des crues, il y a de fortes chances pour que des eaux souillées contaminent les eaux souterraines ou les eaux de surface. Les toilettes biologiques constituent la meilleure solution. Les excréments, l'urine et le papier hygiénique sont transformés en eau par l'action continue d'enzymes et de bactéries. Ainsi les déchets sont transformés en un liquide inodore et limpide qui ne contient aucun micro-organisme pathogène. Il n'y a pratiquement aucun résidu, aucune boue à enlever. Il suffit d'y verser une fois par semaine un paquet de bactéries et d'enzymes congelées.

Quant aux filtres à charbon, ils doivent être remplacés tous les deux ans. Il existe également des toilettes à composter, que l'on peut acheter toutes faites ou fabriquer soi-même : voir à ce propos le livre de François Tanguay, *Petit Manuel de l'auto-construction*, Éditions de Mortagne.

Le ministère du Tourisme et le ministère du Loisir, Chasse et Pêche constituent les meilleures sources de renseignements sur les activités de loisirs partout au Québec. Vous pouvez également vous adresser aux organismes voués à la conservation; d'ailleurs plusieurs publient une revue ou un bulletin d'information. Vous trouverez quelques bonnes adresses à la fin de ce chapitre, pages 278 à 283.

Les véhicules tout terrain

Les conducteurs aiment conduire leur VTT dans des endroits hors piste : rivières peu profondes, lits des ruisseaux, gravières, dunes et déserts. Ce faisant, ils peuvent causer de très sérieux dommages à ces écosystèmes. Leur passage laisse des cicatrices sur le sol, des animaux sont tués, la végétation est détruite, sans parler de la pollution par le bruit que cette activité engendre.

Les aquariums

Les aquariums peuvent être des lieux de distraction et d'éducation, et plusieurs font la promotion d'une bonne attitude face à l'environnement. Cependant, ceux qui militent en faveur des droits des animaux s'inquiètent de voir comment on y traite certains animaux marins tels que les baleines, les dauphins et autres. Ces animaux subissent un stress au moment de leur capture, ils sont parfois gardés dans des bassins trop petits et plusieurs sont périodiquement déplacés d'un aquarium à un autre.

Les plages

Il y a déjà bien assez de déchets dans la mer et de débris rejetés sur les plages sans que vous ajoutiez vos propres détritus : aussi, quand vous allez à la plage, ramassez vos déchets. La pollution des plages est bien désagréable à l'oeil, mais ce n'est pas son seul inconvénient : récemment on a découvert qu'elle menace la vie marine. Le plastique, entre autres, pose un sérieux problème. Des phoques, des oiseaux de mer, des tortues marines et d'autres animaux marins, dont certains font partie des espèces menacées, meurent après avoir absorbé des objets en plastique ou après s'y être empêtrés. Les tortues de mer, par exemple, mangent les sacs de plastique parce que dans l'eau elles les confondent avec les méduses, leurs proies habituelles.

L'observation des oiseaux

Le ministère du Loisir, Chasse et Pêche ou des groupes d'ornithologues amateurs peuvent vous renseigner sur les meilleurs endroits et les bons moments pour observer les oiseaux. Bien sûr on peut se livrer à cette agréable activité en solitaire, mais il est bon de savoir qu'il existe des clubs d'amateurs, avec des excursions guidées et des compétitions.

Le canotage, la voile, le kayak et la planche à voile

Toutes ces activités ont l'avantage de ne pas utiliser les moteurs à essence, ou très peu. Si vous faites de la voile sur un voilier muni d'un moteur et de toilettes, prenez bien garde de ne pas polluer l'eau avec l'huile, l'essence ou vos eaux d'égout.

La Semaine canadienne de l'environnement

Chaque année, au début de juin, la Semaine de l'environnement est l'occasion, dans de nombreuses municipalités à travers le pays, d'apprendre à mieux connaître l'environnement au moyen de présentations thématiques, de démonstrations variées et d'activités telles que la plantation d'arbres, les concerts et les jeux.

Les animaux de ferme

Beaucoup d'enfants grandissent dans les villes et ne connaissent pas d'autres animaux que les animaux domestiques tels que les chiens et les chats. Ils n'ont aucune idée d'où proviennent les oeufs, le lait et les autres aliments d'origine animale. Heureusement, on a pensé à ces enfants des villes en leur proposant de petits zoos et de petites fermes où ils peuvent se familiariser avec ces animaux si utiles aux humains.

◆◆◆◆◆◆◆◆◆◆◆◆◆◆
La bicyclette

Sur le plan environnemental, la bicyclette représente une des meilleures activités de plein air qui soit. Vous pouvez faire de la bicyclette aussi bien à l'étranger que près de chez vous. Un peu partout au Québec et ailleurs au Canada, on peut louer des bicyclettes à l'heure ou à la journée. Observez bien cependant la réglementation en vigueur et, à moins d'être très expérimenté, ne faites pas de bicyclette sur les routes où la circulation est dense. Des cyclistes négligents ont causé des accidents dans plusieurs grandes villes et à cause d'eux on commence à considérer la bicyclette d'un mauvais oeil.

❖❖❖❖❖❖❖❖❖❖❖❖❖❖
Les vacances à la ferme

Les vacances à la ferme constituent un excellent moyen d'allier loisirs de plein air et activités éducatives. Quoique les visiteurs ne soient pas requis de participer aux travaux de la ferme, il est bien vu de donner un coup de main au fermier. Agricotours diffuse un petit guide, *Le Gîte du passant*, dans lequel apparaissent les noms de la plupart des fermes participantes du Québec. L'adresse postale de cet organisme est : 4545, avenue Pierre-de-Coubertin, C.P. 1000, succursale M, Montréal (Québec) H1V 3R2.

◇◇◇◇◇◇◇◇◇◇◇◇◇◇
Études sur le terrain

À côté des activités de plein air qui nous viennent spontanément à l'esprit quand on aborde ce sujet, il existe toute une gamme de possibilités originales telles que l'observation des phoques, la récolte de l'eau d'érable au temps des sucres et les visites guidées de forêts aménagées. Au ministère du Tourisme, on vous renseignera sur ces différentes activités qui sortent de l'ordinaire. Ceux qui désirent quelque chose de vraiment différent peuvent s'adresser à la Foundation for Field Research [Fondation pour les recherches sur le terrain], laquelle met en relation des volontaires avec des scientifiques dont les travaux sont subventionnés par la fondation et qui ont besoin d'assistants pour mener à bien leurs travaux de recherche sur le terrain. La durée de ces études peut varier d'un ou deux jours à un mois. Pour en savoir plus, adressez-vous à la Foundation for Field Research, P. O. Box 2010, Alpine, CA 92001-0020, USA.

◇◇◇◇◇◇◇◇◇◇◇◇◇◇
La pêche sportive

D'après le Code du pêcheur, rédigé par le ministère ontarien des Ressources naturelles, un bon pêcheur à la ligne :

◆ respecte la propriété privée et les droits des autres ;

◆ connaît et suit les règlements sur la pêche ;

◆ n'endommage pas l'habitat des poissons ;

◆ se préoccupe d'abord de sécurité, tant dans l'utilisation de l'équipement que dans la pratique de ce sport ;

◆ est fier de son habileté ;

◆ sait expliquer aux autres ce qu'est la pêche ;

◆ laisse derrière lui un environnement aussi propre qu'à son arrivée et ne jette pas de déchets.

Un bon pêcheur à la ligne montre du respect pour le poisson capturé, avant et après l'avoir attrapé. Il sait que la pêche, ce n'est pas seulement une question d'atteindre la limite permise. Renseignez-vous bien sur la réglementation en vigueur et vérifiez le degré de toxicité des eaux d'où proviennent vos poissons avant de les manger.

◆◆◆◆◆◆◆◆◆◆◆◆◆◆◆
La giardiase

Contrairement à ce que l'on croit généralement, la vengeance de Montezuma ne sévit pas que dans les pays lointains. Au Canada même, on peut contracter la giardiase, maladie aussi connue sous le nom de fièvre du castor, par contact avec des excréments humains ou animaux ou avec de l'eau contaminée par des excréments. Le parasite giardia se loge dans le système digestif, causant de la diarrhée, des vomissements et d'autres symptômes semblables à ceux de la grippe. On peut soigner la giardiase, mais il vaut mieux la prévenir. Puisque le parasite prolifère dans l'eau des lacs, des étangs ou dans l'eau insuffisamment traitée, les campeurs et les villégiateurs doivent se montrer particulièrement prudents au chapitre de la consommation de l'eau. Si vous doutez que votre eau soit potable, faites-la bouillir avant de la boire. Ne nagez pas dans les étangs où il y a des castors et gardez vos propres déchets loin de l'eau.

❖❖❖❖❖❖❖❖❖❖❖❖❖❖
Les auberges de jeunesse

On compte à travers le monde environ 5 000 auberges de jeunesse qui offrent gîte et couvert à prix fort abordables. Elles logent dans des endroits aussi inusités qu'une ancienne prison ou un voilier. L'Association des auberges de jeunesse du Canada regroupe 60 auberges, dont 16 au Québec. Certaines de celles-ci sont ouvertes à longueur d'année et il est possible de s'y adonner à toutes sortes d'activités de plein air en compagnie de volontaires sensibilisés aux questions environnementales ; on y présente souvent des conférences et des films sur les voyages. Pour pouvoir loger dans l'une de ces auberges, si vous êtes étrangers, il vous faut d'abord devenir membre de l'Association (les voyageurs canadiens le deviennent automatiquement), ce qui vous donne droit en outre à des renseignements sur les possibilités de voyage à bas prix et à un bulletin d'information bimensuel. Cette association émet également une carte d'identité étudiante qui vous permet d'obtenir des réductions sur les entrées des musées, des galeries d'art, et de toutes sortes d'événements culturels partout dans le monde.

Si vous désirez en savoir davantage sur l'Association des auberges de jeunesse au Canada et ailleurs dans le monde, vous pouvez écrire à l'Association canadienne des auberges de jeunesse, 1600, James Naismith Drive, bureau 608, Gloucester (Ontario) K1B 5N4. Pour des informations sur le réseau des auberges de jeunesse au Québec, il faut contacter le Regroupement tourisme jeunesse, 4545, avenue Pierre-de-Coubertin, C.P. 1000, succursale M, Montréal (Québec) H1V 3R2.

◆◆◆◆◆◆◆◆◆◆◆◆◆

Les péniches aménagées

À première vue, une balade sur un lac ou une rivière à bord d'une péniche aménagée peut paraître, plus que toute autre, une activité estivale susceptible de nous mettre en contact avec la nature. Malheureusement, cette vie sur l'eau, disent certains critiques, est une cause importante de pollution, à cause des eaux usées des éviers et des douches qui trop souvent sont rejetées dans l'eau sans aucun traitement. Les règlements ne sont pas très clairs en ce qui concerne les eaux de rejets de ces péniches, ce qui fait qu'elles peuvent contenir des bactéries présentes dans la nourriture ou les excréments, de même que des phosphates contenus dans les détergents à lessive.

◇◇◇◇◇◇◇◇◇◇◇◇◇

Les plombs de chasse et les plombs de lignes à pêche

Les pêcheurs à la ligne ne devraient jamais utiliser des leurres ou des lests en plomb. Les chasseurs quant à eux devraient remplacer les plombs dans leurs fusils de chasse par des billes d'acier, cela dans le but d'éviter d'empoisonner le poisson et le gibier à plumes. Un seul grain peut empoisonner un oiseau, et l'empoisonnement au plomb n'est pas une façon très agréable de mourir. Le problème ne fait qu'augmenter quand des proies intoxiquées au plomb sont avalées par des prédateurs.

Chaque année, environ 3 600 tonnes de plombs de chasse retombent dans les champs et les marais d'Amérique du Nord. Il n'est pas facile de mesurer exactement le degré d'empoisonnement des animaux dû à cette présence du plomb dans leur environnement, cependant le Service américain de la faune estime que chez les oiseaux seulement, entre 1,5 et 3 millions d'individus sont empoisonnés chaque année.

❖❖❖❖❖❖❖❖❖❖❖❖❖❖❖

L'équipement de plein air

Partout au Canada on trouve de très bonnes boutiques offrant de l'équipement de plein air. L'une d'elles est particulièrement intéressante : en effet, la Mountain Equipment Co-op, en plus de vendre au plus bas prix possible, finance des projets de conservation à même les profits réalisés. Comme la compagnie appartient à ses membres, il vous faut, pour acheter chez eux, détenir une carte de membre à un prix minime. L'adresse pour les commandes postales est : Mountain Equipement Co-op, 1655, 3e avenue Ouest, Vancouver (C.-B.) V6J 1K1.

❖❖❖❖❖❖❖❖❖❖❖❖❖

Les animaux de compagnie

Nos amis à quatre pattes peuvent se plaire autant que nous au contact de la nature, cependant il ne faut pas les y laisser courir à leur guise, car ils sont susceptibles de blesser ou d'être blessés par les animaux sauvages qui y vivent. Assurez-vous que votre animal est convenablement vacciné, surtout si vous voyagez à l'extérieur du Canada, et ayez en main tous les papiers qui le prouvent. Identifiez le lieu où se trouve la clinique vétérinaire la plus proche de l'endroit où vous projetez d'aller, afin de vous y rendre rapidement en cas d'urgence.

◆◆◆◆◆◆◆◆◆◆◆◆◆◆

La photographie

La photographie constitue généralement un merveilleux moyen de profiter d'un séjour dans la nature sans lui causer de dommages. Toutefois, sachez faire preuve

Les vraies couleurs
du développement de films

Le saviez-vous ? Le choix que vous faites d'un labo pour développer vos films est devenu un choix environnemental.

Il faut reconnaître que la plupart des grands laboratoires de développement de photos ont appris à recycler les produits chimiques qu'ils utilisent et à récupérer l'argent, le papier photographique et l'eau usée. Toutefois, ce n'est pas le cas de tous. Notez qu'au Québec, on récupère beaucoup les nitrates d'argent, ce qui n'est pas nécessairement le cas des autres substances chimiques utilisées.

Les grands coupables sont les mini-labos qui développent vos films pratiquement sous vos yeux en moins de deux heures. Le problème, c'est que leurs machines ne sont pas pourvues des dispositifs leur permettant de recycler leurs eaux usées (grande quantité) et les produits chimiques qu'elles emploient, ce qui fait qu'ils sont tout simplement renvoyés à l'égout. Comme leurs effluents contiennent une certaine quantité d'argent (un métal lourd) et du ferrocyanure (lequel se transforme en cyanure en présence de l'oxygène de l'air et de la lumière), aussi bien que des phosphates, des nitrates et d'autres produits chimiques qui ne sont pas éliminés pendant le traitement des eaux usées, les jeter à l'égout ne constitue pas une solution adéquate. Soyez donc conscients que chaque fois que vous faites développer vos films dans un de ces mini-labos vous contribuez à la pollution de l'eau.

Deux grandes compagnies canadiennes ont un comportement avant-gardiste dans le domaine du recyclage des déchets du développement de films. La première à prendre le recyclage au sérieux a été la compagnie Winnipeg Photo, spécialisée dans les produits d'imprimerie et le développement de films. Elle exploite plusieurs magasins et des laboratoires photos qui desservent plus de 2 000 petits comptoirs un peu partout au Canada. Elle a été la première compagnie canadienne à recycler ses décolorants, ses fixateurs et les divers liquides servant au développement. Elle demeure à ce jour la seule au Canada à recycler ses révélateurs. En cours de route, la compagnie s'est même aperçue que c'était payant de pratiquer le recyclage. Comme malheureusement les petits comptoirs ne font pas de publicité autour de ce fait, posez-leur des questions pour savoir ce qu'il en est.

En deuxième lieu, il y a la compagnie Blacks Camera, où l'on fait le recyclage de tous les produits chimiques employés, excepté ceux pour développer les négatifs. Il en est résulté pour elle une économie de 75 % à 90 % sur tous les produits chimiques utilisés dans ses labos, de sorte qu'au bout d'un an, ces économies lui ont permis de payer entièrement l'équipement qu'elle avait dû acheter pour pratiquer ce recyclage.

Informez-vous donc auprès de la compagnie qui développe vos films pour savoir si l'on y recycle l'argent et les produits chimiques que l'on y utilise. Si la réponse est positive, demandez des preuves. Sinon, allez porter vos films ailleurs.

de discrétion : les animaux comme les humains peuvent être importunés par des photographes zélés qui veulent les mitrailler de trop près. Les hiboux, par exemple, sont apeurés et perturbés par les flashes des caméras que l'on utilise pour les photographier la nuit. Certains deviennent tellement confus qu'ils paraissent ne plus savoir comment s'alimenter.

◆◆◆◆◆◆◆◆◆◆◆◆◆

Les bateaux à moteur

Les bateaux à moteur sont certes un moyen de transport utile et efficace, mais ils contribuent, hélas ! à la pollution des eaux.

L'Association des amateurs de nautisme a identifié trois causes principales de pollution :

◆ L'essence au plomb : l'Association lutte pour que l'on en abolisse l'usage.

◆ La peinture anti-encrassement que l'on utilise pour recouvrir le dessous et les côtés de ces bateaux afin de les protéger contre l'adhérence d'algues ou de mollusques comme les bernacles. Cette peinture contient habituellement de l'étain tributylé, substance que l'on a déjà qualifiée de la plus toxique qui soit pour l'environnement aquatique. On l'utilise aussi pour les systèmes de climatisation,

les tuyaux et les filets de pêche. Beaucoup de pays tels la France et le Royaume-Uni en ont interdit l'usage. Pour remplacer cette peinture, essayez de vous procurer une cire non toxique qui ne tue pas les algues, mais les empêche d'adhérer aux parois du bateau.

◆ L'entretien : certains propriétaires de bateau font démarrer leur moteur pour la première fois de la saison directement dans le lac afin de le nettoyer et de le mettre en bon état de marche pour l'été qui commence. Plus souvent qu'autrement, cela signifie que la vieille huile et l'antigel vont être rejetés directement dans l'eau.

L'Association recommande que l'on fasse tous les travaux d'entretien hors de l'eau et que l'on utilise plutôt de l'antigel à tuyauterie, qu'il est possible de se procurer facilement dans les quincailleries et qui est moins toxique.

Les voyages en train

Au Canada aussi bien qu'en Europe, il se vend des cartes d'abonnement pour le train qui permettent de voyager agréablement, à bon prix et, qui plus est, d'une façon qui est moins dommageable pour l'environnement que les autres moyens de transport. On peut acheter son Eurailpass pour l'Europe au Québec, avant même son départ. Le Réseau canadien des auberges de jeunesse en fait la vente de même que le Centre de distribution de l'Eurailpass, C. P. 300, succursale R, Montréal (Québec) H2S 3K9. Certains pays offrent également des cartes d'abonnement valables sur tout leur territoire. Quant aux cartes d'abonnement canadiennes, on les trouve auprès du Réseau canadien des auberges de jeunesse ou auprès d'un agent de VIA Rail.

❖❖❖❖❖❖❖❖❖❖❖❖❖❖❖

Les safaris-photos

Bien que les braconniers continuent de menacer la survie de plusieurs espèces, dans la plupart des cas, pour les touristes, les caméras ont remplacé les fusils. Cela ne veut pas dire que leur présence ne pose pas de problème, car les touristes sont parfois guidés par des pourvoyeurs qui veulent en faire trop et harcèlent les bêtes. Un gardien de parc au Kenya, qui venait de secourir un groupe de lions complètement encerclés par des touristes en jeep, était si exaspéré qu'il s'exclama que si les humains pouvaient se montrer si importuns avec les lions, il faudrait que l'on permette aux lions de faire de même avec les humains ! Donc si vous projetez de prendre

part à un safari, assurez-vous que vos guides seront respectueux de la vie sauvage qu'ils vous feront découvrir.

Le ski

Le ski alpin vous semble peut-être inoffensif sur le plan environnemental, mais songez que pour aménager les stations et pour tracer les pentes, il a fallu transformer de façon radicale l'écosystème des montagnes. Le ski de randonnée ou la raquette sont préférables, en ce qui a trait à la protection de l'environnement. Nous vous recommandons de ne pas quitter les pistes quand vous pratiquez ces activités : cela vaut mieux tant pour votre propre sécurité que pour l'environnement.

◆◆◆◆◆◆◆◆◆◆◆◆◆◆◆

La motoneige

Cette invention canadienne a rendu la vie plus facile aux habitants des régions où les chutes de neige sont importantes. Il est recommandé toutefois aux motoneigistes de ne pas s'écarter, autant que possible, des pistes balisées, de faire attention de ne pas causer de dommages à l'environnement et de ne pas effrayer les animaux sauvages. Si vous voulez en savoir davantage sur le sport de la motoneige et sa pratique sécuritaire, vous pouvez écrire au Regroupement canadien des associations de motoneigistes, 98, rue Marshall, Barrie (Ontario) L4N 4L5.

◆◆◆◆◆◆◆◆◆◆◆◆◆◆◆

L'observation des baleines

L'observation des baleines peut se faire au cours d'une excursion de quelques heures ou encore pendant un voyage d'études d'une semaine. Cette activité est devenue un moyen privilégié de sensibiliser les gens à la survie de ces mammifères marins. C'est aussi devenu une industrie lucrative de 12 millions de dollars par année et certains se disent maintenant préoccupés par le trop grand nombre de navires qui dérangent les baleines et pourraient éventuellement les éloigner des lieux où elles viennent pour se nourrir. Assurez-vous que le groupe d'observateurs auquel vous allez vous joindre sera très respectueux envers les animaux que vous allez observer.

❖❖❖❖❖❖❖❖❖❖❖❖❖❖❖

La faune et la flore

Neuf Canadiens sur dix pratiquent des activités récréatives en rapport avec la faune et la flore. L'observation des oiseaux et la photographie sont deux exemples de telles activités. Environ 3,6 millions de personnes font chaque année au moins un voyage dans la nature pour satisfaire leur curiosité. Au Québec, en dépit de cet intérêt, il existe 450 espèces d'animaux et de plantes sauvages classées comme susceptibles d'être désignées menacées ou vulnérables, selon le tout dernier inventaire réalisé par le ministère du Loisir, Chasse et Pêche. Au Canada, 16 espèces sont maintenant disparues.

Cela ne signifie pas cependant que vous devez secourir vous-même un animal malade ou blessé. S'il vous arrive de découvrir un animal blessé, le mieux que vous puissiez faire, c'est de le laisser là où il est, à moins que vous soyez capable de le conduire rapidement dans un centre de soins spécialisés. Souvent le stress causé à l'animal lorsqu'on l'enlève à son milieu naturel suffit pour le faire mourir. Rappelez-vous aussi qu'il est illégal de libérer un animal pris dans un piège.

◇◇◇◇◇◇◇◇◇◇◇◇◇◇

Les jardins zoologiques

Ceux qui luttent pour les droits des animaux ont beaucoup contesté l'existence des jardins zoologiques. La capture et le transport d'un animal sauvage lui causent un stress énorme. Parfois l'animal est blessé ou tué au cours de sa capture. De plus, un animal mis en cage change de comportement. Souvent on remarque chez lui les signes d'un trouble psychique : il ne cesse d'arpenter sa cage, il attaque ses congénères ou bien il se mutile lui-même. Son espérance de vie peut être réduite de façon notable.

Certains jardins zoologiques sont bien mieux que d'autres. On y fait la preuve que les animaux qui sont bien nourris et qui ont beaucoup d'espace se portent mieux. Ces zoos bien gérés font aussi de la recherche et participent à des programmes de préservation des habitats et de remise en liberté d'animaux.

❖❖❖❖❖❖❖❖❖❖❖❖❖❖❖❖❖❖❖❖❖❖❖❖❖❖❖❖❖❖❖

Autres sources de renseignements

• •

Plusieurs des organismes suivant ont des groupes affiliés dans les différentes provinces.

◆ Association canadienne des photographes de la nature et du plein air
19, rue Mercer, bureau 301
Toronto (Ontario) M5V 1H2

◆ Association canadienne du camping
1806, Avenue Road, bureau 2
Toronto (Ontario) M5M 3Z1

◆ Fédération canadienne de la nature
(éditeur de la revue *Nature Canada)*
453, Sussex Drive
Ottawa (Ontario) K1N 6Z4

◆ Association canadienne des parcs et des activités récréatives
333, River Road
Vanier (Ontario) K1L 8B9

◆ Société canadienne des parcs et des régions sauvages
(éditeur du magazine *Borealis)*
160, rue Bloor Est
bureau 1150
Toronto (Ontario) M4W 1B9

◆ Fédération canadienne de la faune et de la flore
1673, avenue Carling
Ottawa (Ontario) K2A 1C4

◆ Association de canotage en régions sauvages
C. P. 496, succursale K
Toronto (Ontario) M4P 2G9

◆ Fonds mondial de la nature
60, avenue St. Clair Est
Toronto (Ontario) M4T 1N5

Bureaux provinciaux
de tourisme

◆Travel Alberta
C. P. 2500, Edmonton (Alberta)
T5J 2Z4

◆ Travel Arctic
Yellowknife (T.N.-O.) X1A 2L9

◆ Tourism British Columbia
[bureau du tourisme de la
Colombie-Britannique]
Édifice du parlement
Victoria (Col.-Britannique)
V8V 1X4

◆ Travel Manitoba
155, rue Carlton, 7ᵉ étage
Winnipeg (Manitoba) R3C 3H8

◆ Tourism New Brunswick
[bureau du tourisme du
Nouveau-Brunswick]
C. P. 12345
Fredericton (Nouveau-
Brunswick) E3B 5C3

◆ Tourism Branch
Newfoundland Department of
Development and Tourism
[bureau du tourisme du minis-
tère du Développement
et du Tourisme de Terre-
Neuve]
C. P. 2016
Saint-Jean (Terre-Neuve)
A1C 5R8

◆ Nova Scotia Department of
Tourism and Culture
[Ministère de la Culture et du
Tourisme de la Nouvelle-
Écosse]
C. P. 456
Halifax (Nouvelle-Écosse)
B3J 2R5

◆ Ministère du Tourisme et
des Loisirs de l'Ontario
Queen's Park
Toronto (Ontario) M7A 2E5

◆ Services aux visiteurs de
l'Île-du-Prince-Édouard
C. P. 940
Charlottetown (I.-P.-É.)
C1A 7M5

◆ Bureau du tourisme du
Québec
C. P. 2000
Québec (Québec) G1K 7X2

◆ Bureau du tourisme de la
Saskatchewan
1919, Saskatchewan Drive
Regina (Saskatchewan)
S4P 3V7

◆ Bureau du tourisme du
Yukon
C. P. 2703
Whitehorse (Yukon) Y1A 2C6

❖❖❖❖❖❖❖❖❖❖❖❖❖❖❖❖❖❖❖❖❖❖❖❖❖❖❖❖❖❖❖❖

VOYAGES ORGANISÉS
pour écolos désireux de partir à l'aventure

Au Canada, on trouve des milliers de compagnies qui organisent des voyages de groupe : il y en a de toutes les sortes et de tous les styles. Les bureaux fédéraux et provinciaux de tourisme se feront un plaisir de vous faire parvenir des listes exhaustives de ces fabricants de rêves.

Nous ne vous présentons ici qu'un très petit échantillon de ces organisations, échantillon que nous avons recueilli auprès des organismes voués à la protection et à la promotion de la nature et de la faune un peu partout au Canada. On leur a simplement demandé quelles compagnies, d'après ce qu'ils en savaient, avaient la meilleure réputation auprès des amants de la nature. Il existe bien sûr beaucoup d'autres organisations qui sont très réputées, mais l'espace nous manque pour en dresser la liste complète.

▲ Activités
■ Destinations
● Politique de la compagnie

Athabasca Trail Trips
C. P. 6117, Hinton (Alberta) T7V 1X5
(403) 865-7549
▲ Camping et randonnée pédestre avec l'aide de chevaux
■ Willmore Wilderness Park (au nord de Jasper, en Alberta)
● Appuie financièrement Les Ami(e)s de la Terre et Pollution Probe ; est membre de l'Alberta Wilderness Association et de la Canadian Parks and Wilderness Society. Petits groupes, repas végétariens ; les chevaux ne sont utilisés que pour le transport du matériel.

The Adventure Centre,
17, rue Hayden, Toronto (Ontario) M4Y 2P2
(416) 922-7584
▲ Camping, circuits à bicyclette, trekking, expéditions terrestres
■ Afrique, Canada, Chine, îles Galapagos, Himalaya, Inde, Amérique du Sud
● Appuie le Fonds mondial pour la nature ; favorise un type de tourisme qui minimise l'impact sur l'environnement.

Black Feather
1341, rue Wellington, Ottawa (Ontario) K1Y 3B8
(613) 722-9717
▲Canot, randonnée pédestre, kayak, descente de rapides
■ Arctique, île de Baffin, Colombie-Britannique, Groenland, Nord
du Québec, Territoires du Nord-Ouest
● A contribué à la rédaction d'une version nouvelle du *Code de
conduite du coureur des bois*; collabore avec Parcs Canada pour élaborer une politique environnementale; favorise la protection de
l'environnement et une forme de tourisme qui minimise l'impact
sur l'environnement.

Canadian Himalayan Expeditions
721, rue Bloor Ouest, Toronto (Ontario) M5G 1L5
(416) 537-2000
▲Trekking
■ Afrique, Inde, Népal
● Appuie divers projets éducatifs et environnementaux. Durant
les expéditions, prend garde de minimiser l'impact de son passage sur l'environnement: par exemple, on utilise des poêles au
kérosène plutôt que de cuire sur feu de bois afin de prévenir la
déforestation.

Canadian Nature Tours
335, Lesmill Road, Don Mills (Ontario) M3R 2W8
(416) 444-8419
▲Canot, observation des oiseaux, excursions à bicyclette, randonnées nature, observation des baleines, expéditions de recherche
■ Surtout au Canada
● Géré par la Fédération des naturalistes de l'Ontario. Les recettes engendrées par les excursions sont remises à la Fédération qui
appuie différentes causes environnementales, dont la protection
des terres humides.

Canadian Wilderness Trips
171, rue College, Toronto (Ontario) M5T 1P7
(416) 977-3703
▲Observation des oiseaux, camping, canot, randonnée pédestre,
classes vertes
■ Parc Algonquin en Ontario
● Appuie financièrement la Temagami Wilderness Society; membre de la Fédération canadienne de la nature. Pratique un camping à faible impact environnemental.

Drum Travel
121, rue Harbord, Toronto (Ontario) M5S 1G9
(416) 964-3388
▲ Trekking, voyages d'aventures
■ Partout dans le monde
● Appuie divers organismes du Tiers monde; n'organise pas d'expéditions en Afrique du Sud.

East Wind Arctic Tours and Outfitters
C. P. 2728, Yellowknife (T.N.-O.) X1A 2R1
(403) 873-2170
▲ Excursions archéologiques, observation des oiseaux, tourisme à pied, excursions en bateau, randonnée pédestre, excursions photographiques, excursions nature
■ Territoire du Keewatin, rivières Nahanni et Mackenzie, Réserve faunique de Thelon, Yellowknife
● Appuie financièrement le Fonds mondial de la nature; appuie le Sierra Club, membre de la Fédération canadienne de la nature. Certaines des excursions organisées sont des expéditions de recherche conduites par des biologistes; les simples touristes sont invités à se joindre à eux pour participer aux travaux scientifiques en cours.

Eco Summer Expeditions
1516-AG, Duranleau St., Granville Island
(Colombie-Britannique) V6H 3S4
(604) 669-7741
▲ Voyages nature, excursions photographiques, voile, kayak de mer, observation des baleines
■ Les îles de la Reine-Charlotte et l'île de Vancouver
● Membre de la Fédération canadienne de la faune et de la flore; fait la promotion d'un tourisme écologique et sensibilise ses clients à la responsabilité environnementale.

Station de recherche des îles de Mingan
285, rue Green, Saint-Lambert (Québec) J4P 1T3
(514) 465-9176 (l'hiver); (418) 949-2845 (l'été)
▲ Excursions d'observation et d'études des baleines, des dauphins et d'autres mammifères marins
■ Golfe Saint-Laurent
● La recherche est financée par les tarifs chargés aux touristes pour les excursions. Ceux-ci sont d'ailleurs invités à participer aux travaux au cours des sorties en mer.

Ocean Search Tour
C. P. 129, Grand Manan (Nouveau-Brunswick) E0G 2M0
(506) 662-8144
▲ Observation des oiseaux, voile, observation des baleines
■ Baie de Fundy (Nouveau-Brunswick)
● Station de recherche à but non lucratif; les excursions sont précédées d'une présentation éducative et le guide accompagnateur est un biologiste spécialisé dans l'étude de la vie marine. L'organisme sensibilise les touristes à l'environnement et à la protection de la faune et de la flore.

Passages Exotic Expeditions
296, rue Queen Ouest, Toronto (Ontario) M5V 2A1
(416) 593-0942
▲ Voyages d'aventures en plein air
■ Afrique, Costa Rica, Pérou, Thaïlande
● Appuie financièrement le Fonds de conservation Monteverde; est engagé dans des projets de développement et des projets scolaires dans les pays où il organise des excursions. Les expéditions n'ont qu'un impact minimal sur l'environnement et l'on prend garde de ne pas exploiter les gens du pays.

Sobek International
159, Main Street, Unionville (Ontario) L3R 2G8
(416) 479-2600
▲ Voyages d'aventures, kayak, rafting, trekking, voyages de recherche
■ Partout dans le monde, y compris l'Antarctique
● Ne forme que des petits groupes où chacun est sensibilisé à ses responsabilités face aux enjeux de la conservation et de la protection de l'environnement.

Worldwide Adventures
920, rue Yonge, bureau 747, Toronto (Ontario) M4W 3C7
(416) 963-9163
▲ Voyages d'aventures, observation des oiseaux, observation des gorilles, rafting, voile, trekking, observation des baleines
■ Afrique, Canada, Amérique centrale et Amérique du Sud, Chine, Inde, Népal
● Appuie diverses causes reliées à la protection de l'environnement et à la conservation de la nature, entre autres par des dons aux pays hôtes. Tous les membres d'un groupe de trekking sont sensibilisés avant le départ aux réalités culturelles et environnementales des régions qu'ils vont traverser.

◆◆◆◆◆◆◆◆◆◆◆◆◆◆◆◆◆◆◆◆◆◆◆◆◆◆◆◆
QUELQUES SUGGESTIONS
DE LECTURES

BEAUDET Jean-François, *L'autre révolution*, Fides, 1990, 166 p.

BROWN Lester R., *L'état de la Planète*, Worldwatch Institute (paraît chaque année)

BERTELL ROSALIE, *Sans danger immédiat ?*, Éditions de la plein Lune, 1988, 673 p.

COMMONER Barry, *L'encerclement*, Seuil, 1972, 300 p.

JURDANT Michel, *Le défi écologiste*, Boréal, 1988, 428 p.

LEBLOND Lévy-A. Joubert, *(Auto) critique de la science*, Seuil, 1975, 310 p.

MENVIQ, *Répertoire environnemental*, Gouvernement du Québec, 357 p.

MONGEAU Serge, *La Simplicité volontaire*, Québec/Amérique, 1985,143 p.

PIM R. Linda, *Nos aliments empoisonnés ?*, Québec/Amérique, 1986, 335 p.

RICHARSON Boyce, *Le temps de changer*, Libre Expression, 1990, 223 p.

SAMUEL Laurent, *Guide pratique de l'écologiste*, Belfond, 1978, 250 p.

SAMUEL Pierre, *Le nucléaire en question*, Ententes, 1975,125 p.

SANGER Clyde, *Sauver le monde*, Quinze,1982, 183 p.

ST-MARC Phillippe, *Socialisation de la nature*, Stock, 1971, 380 p.

T.LEWITH Dr George — N. KENDYOMN Dr Julien, *Les maladies de l'environnement*, Québec/Amérique, 1986, 133 p.

Achevé Imprimerie
d'imprimer Gagné Ltée
au Canada Louiseville